KB129471

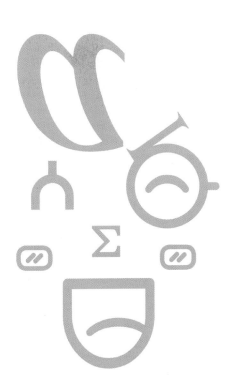

핵심만 빠르게~ 단기간에

내신 공부의 힘을 키운다

내공의 힘

미적분

핵심만 빠르게~ 단기간에

내신 공부의 힘을 키운다

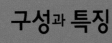

STRUCTURE

내신 개념 정리

단계적 문제 풀이

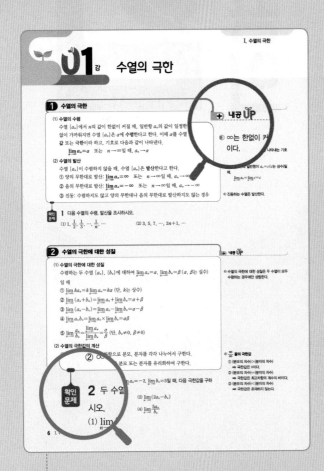

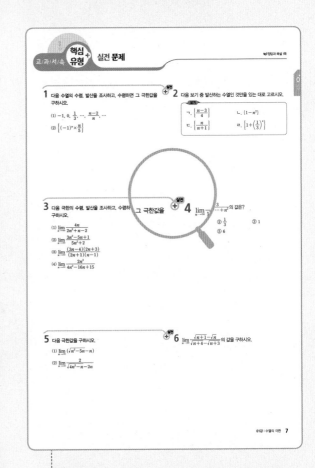

교과서에서 다루는 주요 개념과 그에 대한 보충 설명 및 주의할 내용 등을 제시하였다.

😊 내공 UP / 확인 문제

내공 UP 해당 개념에 대한 보충 설명을 실전에 필요한 팁과 함께 소개하였다.

확인 문제 개념을 제대로 이해하였는지 확인해 볼 수 있는 기초적인 문제들을 제시하였다.

❂ 1단계 교과서 속 핵심유형+실전 문제

교과서에서 다루는 핵심유형을 소개하고, 그 유형을 완벽하게 마스터하기 위한 실전 연습 문제를 제시하였다.

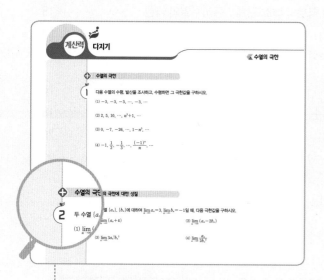

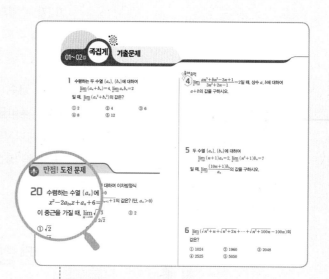

2단계 계산력 다지기

기초 계산력 향상을 위한 연습 문제를 유형별로 제시
하였다.

3단계 족집게 기출문제

학교 시험에 자주 출제되는 문제들을 엄선하여 소개
하고, 내신 1등급을 위한 만점 도전 문제와 서술형 문
제를 수록하였다.

내공 점검

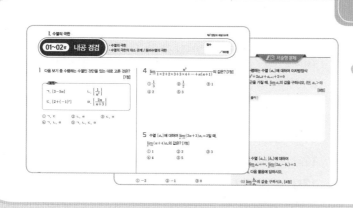

▶ 실제 시험에 대비하여 스스로 평가해 볼 수
있는 테스트 문제를 수록하였다.

차례

CONTENTS

I 수열의 극한

II 미분법

적분법

내공 점검

01강 수열의 극한

1 수열의 극한

(1) 수열의 수렴

수열 $\{a_n\}$에서 n의 값이 한없이 커질 때, 일반항 a_n의 값이 일정한 실수 α에 한없이 가까워지면 수열 $\{a_n\}$은 α에 **수렴**한다고 한다. 이때 α를 수열 $\{a_n\}$의 **극한값** 또는 극한이라 하고, 기호로 다음과 같이 나타낸다.

$$\lim_{n\to\infty} a_n = \alpha \quad \text{또는} \quad n\to\infty \text{일 때, } a_n \to \alpha$$

(2) 수열의 발산

수열 $\{a_n\}$이 수렴하지 않을 때, 수열 $\{a_n\}$은 **발산**한다고 한다.

① 양의 무한대로 발산: $\lim\limits_{n\to\infty} a_n = \infty$ 또는 $n\to\infty$일 때, $a_n \to \infty$

② 음의 무한대로 발산: $\lim\limits_{n\to\infty} a_n = -\infty$ 또는 $n\to\infty$일 때, $a_n \to -\infty$

③ 진동: 수렴하지도 않고 양의 무한대나 음의 무한대로 발산하지도 않는 경우

● ∞는 한없이 커지는 상태를 나타내는 기호이다.

● 수열 $\{a_n\}$의 일반항이 $a_n = c$ (c는 상수)일 때,
$$\lim_{n\to\infty} a_n = \lim_{n\to\infty} c = c$$

● 진동하는 수열은 발산한다.

> **확인문제 1** 다음 수열의 수렴, 발산을 조사하시오.
>
> (1) $1, \dfrac{1}{2}, \dfrac{1}{3}, \cdots, \dfrac{1}{n}, \cdots$
>
> (2) $3, 5, 7, \cdots, 2n+1, \cdots$

2 수열의 극한에 대한 성질

(1) 수열의 극한에 대한 성질

수렴하는 두 수열 $\{a_n\}$, $\{b_n\}$에 대하여 $\lim\limits_{n\to\infty} a_n = \alpha$, $\lim\limits_{n\to\infty} b_n = \beta$ (α, β는 실수)일 때

① $\lim\limits_{n\to\infty} k a_n = k \lim\limits_{n\to\infty} a_n = k\alpha$ (단, k는 상수)

② $\lim\limits_{n\to\infty} (a_n + b_n) = \lim\limits_{n\to\infty} a_n + \lim\limits_{n\to\infty} b_n = \alpha + \beta$

③ $\lim\limits_{n\to\infty} (a_n - b_n) = \lim\limits_{n\to\infty} a_n - \lim\limits_{n\to\infty} b_n = \alpha - \beta$

④ $\lim\limits_{n\to\infty} a_n b_n = \lim\limits_{n\to\infty} a_n \times \lim\limits_{n\to\infty} b_n = \alpha\beta$

⑤ $\lim\limits_{n\to\infty} \dfrac{a_n}{b_n} = \dfrac{\lim\limits_{n\to\infty} a_n}{\lim\limits_{n\to\infty} b_n} = \dfrac{\alpha}{\beta}$ (단, $b_n \neq 0$, $\beta \neq 0$)

(2) 수열의 극한값의 계산

① $\dfrac{\infty}{\infty}$ 꼴: 분모의 최고차항으로 분모, 분자를 각각 나누어서 구한다.

② $\infty - \infty$ 꼴: 근호를 포함한 분모 또는 분자를 유리화하여 구한다.

● 수열의 극한에 대한 성질은 두 수열이 모두 수렴하는 경우에만 성립한다.

● $\dfrac{\infty}{\infty}$ 꼴의 극한값
① (분모의 차수) > (분자의 차수)
➡ 극한값은 0이다.
② (분모의 차수) = (분자의 차수)
➡ 극한값은 최고차항의 계수의 비이다.
③ (분모의 차수) < (분자의 차수)
➡ 극한값은 존재하지 않는다.

> **확인문제 2** 두 수열 $\{a_n\}$, $\{b_n\}$에 대하여 $\lim\limits_{n\to\infty} a_n = -2$, $\lim\limits_{n\to\infty} b_n = 5$일 때, 다음 극한값을 구하시오.
>
> (1) $\lim\limits_{n\to\infty} (a_n + b_n)$
>
> (2) $\lim\limits_{n\to\infty} (2a_n - b_n)$
>
> (3) $\lim\limits_{n\to\infty} 3a_n b_n$
>
> (4) $\lim\limits_{n\to\infty} \dfrac{5a_n}{b_n}$

1 다음 수열의 수렴, 발산을 조사하고, 수렴하면 그 극한값을 구하시오.

(1) $-1,\ 0,\ \dfrac{1}{3},\ \cdots,\ \dfrac{n-2}{n},\ \cdots$

(2) $\left\{(-1)^n \times \dfrac{n}{5}\right\}$

2 다음 보기 중 발산하는 수열인 것만을 있는 대로 고르시오.

보기

ㄱ. $\left\{\dfrac{n-3}{4}\right\}$　　　　ㄴ. $\{1-n^2\}$

ㄷ. $\left\{\dfrac{n}{n+1}\right\}$　　　ㄹ. $\left\{1+\left(\dfrac{1}{3}\right)^n\right\}$

3 다음 극한의 수렴, 발산을 조사하고, 수렴하면 그 극한값을 구하시오.

(1) $\displaystyle\lim_{n\to\infty} \dfrac{4n}{2n^2+n-2}$

(2) $\displaystyle\lim_{n\to\infty} \dfrac{3n^2-5n+1}{5n^2+2}$

(3) $\displaystyle\lim_{n\to\infty} \dfrac{(3n-4)(2n+3)}{(2n+1)(n-1)}$

(4) $\displaystyle\lim_{n\to\infty} \dfrac{2n^3}{4n^2-16n+15}$

4 $\displaystyle\lim_{n\to\infty} \dfrac{n^3+n-3}{1^2+2^2+3^2+\cdots+n^2}$의 값은?

① $\dfrac{1}{6}$　　　　② $\dfrac{1}{3}$　　　　③ 1

④ 3　　　　⑤ 6

5 다음 극한값을 구하시오.

(1) $\displaystyle\lim_{n\to\infty}\left(\sqrt{n^2-5n}-n\right)$

(2) $\displaystyle\lim_{n\to\infty} \dfrac{2}{\sqrt{4n^2-n}-2n}$

6 $\displaystyle\lim_{n\to\infty} \dfrac{\sqrt{n+1}-\sqrt{n}}{\sqrt{n+4}-\sqrt{n+3}}$의 값을 구하시오.

02강 수열의 극한의 대소 관계 / 등비수열의 극한

1 수열의 극한의 대소 관계

수렴하는 두 수열 $\{a_n\}$, $\{b_n\}$에 대하여 $\lim\limits_{n\to\infty} a_n = \alpha$, $\lim\limits_{n\to\infty} b_n = \beta$ (α, β는 실수)일 때

(1) 모든 자연수 n에 대하여 $a_n \le b_n$이면

$$\lim_{n\to\infty} a_n \le \lim_{n\to\infty} b_n, \ \ 즉 \ \ \alpha \le \beta$$

(2) 수열 $\{c_n\}$이 모든 자연수 n에 대하여 $a_n \le c_n \le b_n$이고 $\alpha = \beta$이면

$$\lim_{n\to\infty} c_n = \alpha$$

예 수열 $\{c_n\}$이 모든 자연수 n에 대하여 $1 - \dfrac{1}{n} < c_n < 1 + \dfrac{1}{n}$을 만족하면

$$\lim_{n\to\infty}\left(1-\frac{1}{n}\right)=1, \ \lim_{n\to\infty}\left(1+\frac{1}{n}\right)=1이므로 \ \ \lim_{n\to\infty} c_n = 1$$

참고 모든 자연수 n에 대하여 $a_n < b_n$이지만 $\lim\limits_{n\to\infty} a_n = \lim\limits_{n\to\infty} b_n$인 경우가 있다. 예를 들어

$a_n = \dfrac{1}{n}$, $b_n = \dfrac{2}{n}$이면 모든 자연수 n에 대하여 $a_n < b_n$이지만 $\lim\limits_{n\to\infty} a_n = \lim\limits_{n\to\infty} b_n = 0$이다.

내공 UP

모든 자연수 n에 대하여
$a_n \le b_n$일 때, $\lim\limits_{n\to\infty} a_n = \infty$이면
$\lim\limits_{n\to\infty} b_n = \infty$이다.

 1 수열 $\{a_n\}$이 모든 자연수 n에 대하여 다음을 만족할 때, $\lim\limits_{n\to\infty} a_n$의 값을 구하시오.

(1) $5 - \dfrac{1}{n} < a_n < 5 + \dfrac{1}{n}$

(2) $\dfrac{n+1}{n} < a_n < \dfrac{n+4}{n}$

2 등비수열의 극한

(1) 등비수열의 수렴과 발산

등비수열 $\{r^n\}$은

① $r > 1$일 때, $\qquad \lim\limits_{n\to\infty} r^n = \infty$ (발산)

② $r = 1$일 때, $\qquad \lim\limits_{n\to\infty} r^n = 1$ (수렴)

③ $-1 < r < 1$일 때, $\quad \lim\limits_{n\to\infty} r^n = 0$ (수렴)

④ $r \le -1$일 때, $\qquad$ 진동한다. (발산)

(2) 등비수열의 극한값의 계산

① $\dfrac{\infty}{\infty}$ 꼴: 분모에서 밑의 절댓값이 가장 큰 항으로 분모, 분자를 각각 나누어서 구한다.

② $\infty - \infty$ 꼴: 밑의 절댓값이 가장 큰 항으로 묶어서 구한다.

내공 UP

등비수열의 수렴 조건
① 등비수열 $\{r^n\}$의 수렴 조건
  ➡ $-1 < r \le 1$
② 등비수열 $\{ar^{n-1}\}$의 수렴 조건
  ➡ $a=0$ 또는 $-1 < r \le 1$

 2 다음 등비수열의 수렴, 발산을 조사하고, 수렴하면 그 극한값을 구하시오.

(1) $1, \ \dfrac{1}{7}, \ \dfrac{1}{49}, \ \dfrac{1}{343}, \ \cdots$

(2) $\sqrt{5}, \ 5, \ 5\sqrt{5}, \ 25, \ \cdots$

(3) $\left\{ \left(-\dfrac{4}{9} \right)^n \right\}$

(4) $\left\{ \left(-\dfrac{5}{2} \right)^n \right\}$

1 수열 $\{a_n\}$이 모든 자연수 n에 대하여 다음을 만족할 때, $\lim\limits_{n\to\infty} a_n$의 값을 구하시오.

(1) $\dfrac{6n-2}{2n+5} < a_n < \dfrac{6n}{2n+5}$

(2) $\dfrac{4n^3}{n^2+3} < na_n < \dfrac{4n^3+3n}{n^2+1}$

2 수열 $\{a_n\}$이 모든 자연수 n에 대하여
$$2n^2-4n-6 < a_n < 2n^2+5n+7$$
을 만족할 때, $\lim\limits_{n\to\infty} \dfrac{a_n}{n^2}$의 값을 구하시오.

3 다음 등비수열이 수렴하기 위한 실수 x의 값의 범위를 구하시오.

(1) $1,\ 3x,\ 9x^2,\ 27x^3,\ \cdots$

(2) $1,\ -\dfrac{x}{2},\ \dfrac{x^2}{4},\ -\dfrac{x^3}{8},\ \cdots$

(3) $\left\{(x+1)\left(\dfrac{5x-1}{9}\right)^{n-1}\right\}$

4 등비수열 $\left\{(x+2)\left(\dfrac{x-x^2}{6}\right)^{n-1}\right\}$이 수렴하기 위한 정수 x의 개수를 구하시오.

5 다음 수열의 수렴, 발산을 조사하고, 수렴하면 그 극한값을 구하시오.

(1) $\left\{\dfrac{3^{n+1}}{2^n-3^n}\right\}$

(2) $\left\{\dfrac{5^{n+1}-3^n}{5^n+7^{n+1}}\right\}$

(3) $\{6^n-2^n\}$

6 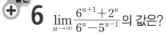$\lim\limits_{n\to\infty} \dfrac{6^{n+1}+2^n}{6^n-5^{n-1}}$의 값은?

① 2　　　　② 3　　　　③ 4

④ 5　　　　⑤ 6

➕ 수열의 극한

1 다음 수열의 수렴, 발산을 조사하고, 수렴하면 그 극한값을 구하시오.

(1) $-3,\ -3,\ -3,\ \cdots,\ -3,\ \cdots$

(2) $2,\ 5,\ 10,\ \cdots,\ n^2+1,\ \cdots$

(3) $0,\ -7,\ -26,\ \cdots,\ 1-n^3,\ \cdots$

(4) $-1,\ \dfrac{1}{2},\ -\dfrac{1}{3},\ \cdots,\ \dfrac{(-1)^n}{n},\ \cdots$

➕ 수열의 극한에 대한 성질

2 두 수열 $\{a_n\}$, $\{b_n\}$에 대하여 $\lim\limits_{n\to\infty}a_n=3$, $\lim\limits_{n\to\infty}b_n=-1$일 때, 다음 극한값을 구하시오.

(1) $\lim\limits_{n\to\infty}(a_n+4)$

(2) $\lim\limits_{n\to\infty}(a_n-2b_n)$

(3) $\lim\limits_{n\to\infty}3a_n{}^2b_n{}^3$

(4) $\lim\limits_{n\to\infty}\dfrac{a_n}{2b_n{}^2}$

3 다음 극한값을 구하시오.

(1) $\lim\limits_{n\to\infty}\dfrac{n+3}{n^2+n}$

(2) $\lim\limits_{n\to\infty}\dfrac{n^3-2n}{4n^3+n^2-3}$

(3) $\lim\limits_{n\to\infty}\dfrac{2n^2-5n+1}{3n-n^2}$

(4) $\lim\limits_{n\to\infty}\dfrac{(2n+5)(3n-5)}{(n+2)(2n-1)}$

(5) $\lim\limits_{n\to\infty}\{\log_3(3n+1)-\log_3(n+2)\}$

(6) $\lim\limits_{n\to\infty}\{\log_2(4n^2-2n+1)-\log_2(n^2+2)\}$

(7) $\lim\limits_{n\to\infty}\dfrac{1+2+3+\cdots+n}{2n^2}$

(8) $\lim\limits_{n\to\infty}\dfrac{n^4+1}{1^3+2^3+3^3+\cdots+n^3}$

4 다음 극한값을 구하시오.

(1) $\displaystyle\lim_{n\to\infty}(n-\sqrt{n^2-3n})$

(2) $\displaystyle\lim_{n\to\infty}(\sqrt{n^2+2}-\sqrt{n^2+n})$

(3) $\displaystyle\lim_{n\to\infty}\frac{1}{\sqrt{n^2+2n}-n}$

(4) $\displaystyle\lim_{n\to\infty}\frac{\sqrt{n-3}-\sqrt{n}}{\sqrt{n+3}-\sqrt{n}}$

➕ 수열의 극한의 대소 관계

5 수열 $\{a_n\}$이 모든 자연수 n에 대하여 다음을 만족할 때, $\displaystyle\lim_{n\to\infty}a_n$의 값을 구하시오.

(1) $\dfrac{n}{n+1}<a_n<\dfrac{n+2}{n+1}$

(2) $\dfrac{4n+1}{2n-1}<a_n<\dfrac{4n+9}{2n-1}$

(3) $3n-4<na_n<3n+3$

(4) $\dfrac{n^3-5}{n}<(2n^2+1)a_n<\dfrac{n^3-2}{n}$

➕ 등비수열의 극한

6 다음 등비수열이 수렴하기 위한 실수 x의 값의 범위를 구하시오.

(1) $1,\ 2x,\ 4x^2,\ 8x^3,\ \cdots$

(2) $-\dfrac{x}{3},\ \dfrac{x^2}{9},\ -\dfrac{x^3}{27},\ \dfrac{x^4}{81},\ \cdots$

(3) $\{x(x-1)^{n-1}\}$

(4) $\left\{(x+1)\left(\dfrac{4x-1}{3}\right)^{n-1}\right\}$

7 다음 수열의 수렴, 발산을 조사하고, 수렴하면 그 극한값을 구하시오.

(1) $\left\{\dfrac{4^n}{4^n-1}\right\}$

(2) $\left\{\dfrac{2^{n+1}}{2^n+1}\right\}$

(3) $\left\{\dfrac{7^n+6^n}{6^n-3^n}\right\}$

(4) $\{2^n-5^n\}$

1 수렴하는 두 수열 $\{a_n\}$, $\{b_n\}$에 대하여
$$\lim_{n\to\infty}(a_n+b_n)=4,\ \lim_{n\to\infty}a_nb_n=2$$
일 때, $\lim_{n\to\infty}(a_n^2+b_n^2)$의 값은?

① 2   ② 4   ③ 6

④ 8   ⑤ 12

출제유력

2 수렴하는 수열 $\{a_n\}$에 대하여 $a_{n+1}=\dfrac{2}{3}a_n+5$일 때, $\lim_{n\to\infty}(4a_n-15)$의 값은?

① 15   ② 30   ③ 45

④ 50   ⑤ 65

3 다음 중 옳은 것은?

① $\lim_{n\to\infty}\dfrac{2n}{3n^2+1}=\dfrac{2}{3}$ ② $\lim_{n\to\infty}\dfrac{n^2+4n}{n-1}=1$

③ $\lim_{n\to\infty}\left\{1+\dfrac{(-1)^n}{n}\right\}=0$ ④ $\lim_{n\to\infty}\dfrac{\sqrt{n-2}}{\sqrt{n^2+1}}=0$

⑤ $\lim_{n\to\infty}\{\log_3(n+1)-\log_3(n^2+1)+\log_3(3n+1)\}=3$

출제유력

4 $\lim_{n\to\infty}\dfrac{an^3+bn^2-3n+1}{3n^2+2n-1}=2$일 때, 상수 a, b에 대하여 $a+b$의 값을 구하시오.

5 두 수열 $\{a_n\}$, $\{b_n\}$에 대하여
$$\lim_{n\to\infty}(n+1)a_n=2,\ \lim_{n\to\infty}(n^2+1)b_n=7$$
일 때, $\lim_{n\to\infty}\dfrac{(10n+1)b_n}{a_n}$의 값을 구하시오.

6 $\lim_{n\to\infty}(\sqrt{n^2+n}+\sqrt{n^2+2n}+\cdots+\sqrt{n^2+100n}-100n)$의 값은?

① 1024   ② 1960   ③ 2048

④ 2525   ⑤ 5050

출제유력

7 $\lim_{n\to\infty}(an-\sqrt{4n^2-3n})=\dfrac{3}{4}$일 때, 상수 a의 값은?

① -2 ② 0   ③ 2

④ 3   ⑤ 4

8 함수 $f(x)=2x^2-2nx+\dfrac{n^2}{2}+6n+1$의 그래프의 꼭짓점의 좌표를 $\mathrm{P}(x_n,\ y_n)$이라고 할 때, $\lim\limits_{n\to\infty}\dfrac{y_n}{x_n}$의 값을 구하시오. (단, n은 자연수)

9 다음 그림과 같이 가로의 길이가 n, 세로의 길이가 12인 직사각형 $\mathrm{ABC}_n\mathrm{D}_n$이 있다. 두 변 AD_n, BC_n 위의 $\overline{\mathrm{AD_1}}=1$, $\overline{\mathrm{BC_1}}=1$인 점을 각각 $\mathrm{D_1}$, $\mathrm{C_1}$이라 하고, $\overline{\mathrm{D_1C_1}}$과 $\overline{\mathrm{AC}_n}$의 교점을 P_n이라고 할 때, $\lim\limits_{n\to\infty}\dfrac{\overline{\mathrm{AC}_n}-\overline{\mathrm{BC}_n}}{\overline{\mathrm{D_1P}_n}}$의 값은? (단, $n\geq2$인 자연수)

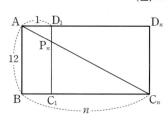

① 1 ② 2 ③ 3
④ 6 ⑤ 12

10 $\lim\limits_{n\to\infty}\dfrac{\cos n\pi}{\sqrt{n}}$의 값은?

① 0 ② $\dfrac{1}{4}$ ③ $\dfrac{1}{2}$
④ 1 ⑤ $\sqrt{2}$

11 자연수 n의 자릿수를 a_n이라고 할 때, $\lim\limits_{n\to\infty}\dfrac{\log n}{a_n}$의 값은?

① -1 ② 0 ③ $\dfrac{1}{10}$
④ 1 ⑤ 10

출제유력
12 세 수열 $\{a_n\}$, $\{b_n\}$, $\{c_n\}$에 대하여 다음 보기 중 옳은 것만을 있는 대로 고른 것은?

보기

ㄱ. $\lim\limits_{n\to\infty}a_nb_n=0$이면 $\lim\limits_{n\to\infty}a_n=0$ 또는 $\lim\limits_{n\to\infty}b_n=0$이다.

ㄴ. $\lim\limits_{n\to\infty}a_n=\infty$이고 $\lim\limits_{n\to\infty}(a_n-b_n)=\alpha$ (α는 실수)이면 $\lim\limits_{n\to\infty}\dfrac{b_n}{a_n}=1$이다.

ㄷ. $a_n<b_n$이면 $\lim\limits_{n\to\infty}a_n<\lim\limits_{n\to\infty}b_n$이다.

ㄹ. $a_n<b_n<c_n$이고 $\lim\limits_{n\to\infty}(a_n-c_n)=0$이면 수열 $\{b_n\}$은 수렴한다.

① ㄱ ② ㄴ ③ ㄴ, ㄷ
④ ㄴ, ㄹ ⑤ ㄱ, ㄷ, ㄹ

출제유력
13 두 등비수열 $\{(x-1)^n\}$, $\left\{\dfrac{(2x+1)^n}{3^{n+1}}\right\}$이 모두 수렴하기 위한 정수 x의 값을 구하시오.

출제유력

14 등비수열 $\{r^n\}$이 수렴할 때, 다음 중 항상 수렴하는 수열이 <u>아닌</u> 것은?

① $\{r^{2n}\}$ ② $\left\{\left(\dfrac{r}{5}\right)^n\right\}$ ③ $\left\{\left(-\dfrac{r}{2}\right)^n\right\}$

④ $\{(r+1)^n\}$ ⑤ $\left\{\left(\dfrac{1-r}{2}\right)^n\right\}$

15 $\displaystyle\lim_{n\to\infty}\dfrac{2^{2n+1}-3^n}{1+4+4^2+4^3+\cdots+4^n}$의 값은?

① $\dfrac{1}{2}$ ② $\dfrac{2}{3}$ ③ 1

④ $\dfrac{3}{2}$ ⑤ 2

16 자연수 a, b에 대하여 $f(a, b)$를
$$f(a, b)=\lim_{n\to\infty}\dfrac{ba^n+ab^n}{a^n+b^n}$$
으로 정의할 때, $f(f(4, 5), 3)$의 값을 구하시오.

17 수열 $\{a_n\}$에 대하여 $\displaystyle\lim_{n\to\infty}\dfrac{5^n\times a_n+3^n}{3^n\times a_n-5^n}=1$일 때, $\displaystyle\lim_{n\to\infty}a_n$의 값은?

① -5 ② -1 ③ 0

④ 1 ⑤ 3

18 수열 $\left\{\dfrac{r^{2n}}{1+r^{2n}}\right\}$의 극한값에 대한 다음 설명 중 옳지 <u>않은</u> 것은?

① $r<-1$일 때, 1로 수렴한다.

② $r=-1$일 때, $\dfrac{1}{2}$로 수렴한다.

③ $-1<r<0$일 때, 1로 수렴한다.

④ $0<r<1$일 때, 0으로 수렴한다.

⑤ $r>1$일 때, 1로 수렴한다.

19 다음 중 함수 $f(x)=\displaystyle\lim_{n\to\infty}\dfrac{x^{n+1}-2}{x^n+1}$의 그래프는?

(단, $x\neq-1$)

① ②
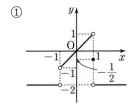 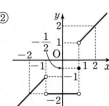

③ ④
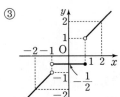 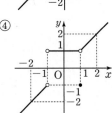

⑤
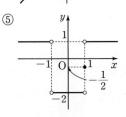

🎯 만점! 도전 문제

20 수렴하는 수열 $\{a_n\}$에 대하여 이차방정식
$$x^2-2a_{2n}x+a_n+6=0$$
이 중근을 가질 때, $\lim\limits_{n\to\infty}\sqrt{a_{n+1}+1}$의 값은? (단, $a_n>0$)

① $\sqrt{2}$ 　　② $\sqrt{3}$ 　　③ 2
④ $\sqrt{6}$ 　　⑤ $2\sqrt{2}$

21 서로 다른 두 실수 k, l에 대하여 $k+l=3$이고
$$\lim_{n\to\infty}\frac{\sqrt{4n+k^3}-\sqrt{4n+l^3}}{\sqrt{16n+k^2}-\sqrt{16n+l^2}}=8$$일 때, k^2+l^2의 값은?

① 15 　　② 16 　　③ 17
④ 18 　　⑤ 19

22 오른쪽 그림과 같이 자연수 n에 대하여 기울기가 n이고 y절편이 양수인 직선이 원 $x^2+y^2=n^2$에 접할 때, 이 직선이 x축, y축과 만나는 점을 각각 P_n, Q_n이라고 하자. 선분 P_nQ_n의 길이를 l_n, 원의 넓이를 S_n이라고 할 때, $\lim\limits_{n\to\infty}\dfrac{S_n}{l_n}$의 값을 구하시오.

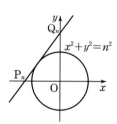

🏅 서술형 문제

23 수열 $\{a_n\}$에 대하여 $a_n=\sqrt{n^2+n+1}$일 때, $\lim\limits_{n\to\infty}(a_n-[a_n])$의 값을 구하시오.
　　　　(단, $[x]$는 x보다 크지 않은 최대의 정수이다.) [6점]
| 풀이 |

24 수열 $\{a_n\}$이 모든 자연수 n에 대하여
$4n<a_n<4n+1$을 만족할 때, 다음 물음에 답하시오.

(1) $a_1+a_2+a_3+\cdots+a_n$의 값의 범위를 구하시오. [2점]
| 풀이 |

(2) $\lim\limits_{n\to\infty}\dfrac{a_1+a_2+a_3+\cdots+a_n}{8n^2+5}$의 값을 구하시오. [4점]
| 풀이 |

25 첫째항이 4이고 공비가 3인 등비수열 $\{a_n\}$의 첫째항부터 제n항까지의 합을 S_n이라고 할 때, $\lim\limits_{n\to\infty}\dfrac{a_n}{S_n}$의 값을 구하시오. [5점]
| 풀이 |

03강 급수

1 급수의 수렴과 발산

(1) **급수**: 수열 $\{a_n\}$의 각 항을 차례로 덧셈 기호 $+$를 사용하여 연결한 식을 **급수**라 하고, 기호 $\sum\limits_{n=1}^{\infty} a_n$으로 나타낸다. ➡ $a_1+a_2+a_3+\cdots+a_n+\cdots=\sum\limits_{n=1}^{\infty} a_n$

(2) **부분합**: 급수 $\sum\limits_{n=1}^{\infty} a_n$에서 첫째항부터 제$n$항까지의 합 S_n을 이 급수의 제n항까지의 **부분합**이라고 한다. ➡ $S_n=a_1+a_2+a_3+\cdots+a_n=\sum\limits_{k=1}^{n} a_k$

(3) **급수의 합**: 급수 $\sum\limits_{n=1}^{\infty} a_n$의 부분합으로 이루어진 수열 $\{S_n\}$이 일정한 값 S에 수렴할 때, 즉 $\lim\limits_{n\to\infty} S_n=S$일 때, 급수 $\sum\limits_{n=1}^{\infty} a_n$은 S에 수렴한다고 한다. 이때 S를 급수의 합이라고 한다. ➡ $a_1+a_2+a_3+\cdots+a_n+\cdots=S$ 또는 $\sum\limits_{n=1}^{\infty} a_n=S$

> **참고** 홀수 번째 항까지의 부분합 S_{2n-1}과 짝수 번째 항까지의 부분합 S_{2n}에 대하여
> ① $\lim\limits_{n\to\infty} S_{2n-1}=\lim\limits_{n\to\infty} S_{2n}=\alpha$ (α는 실수)이면 ➡ $\lim\limits_{n\to\infty} S_n=\alpha$
> ② $\lim\limits_{n\to\infty} S_{2n-1}\neq\lim\limits_{n\to\infty} S_{2n}$이면 ➡ $\lim\limits_{n\to\infty} S_n$은 발산

● 수열 $\{a_n\}$의 수렴, 발산
➡ $\lim\limits_{n\to\infty} a_n$을 조사
급수 $\sum\limits_{n=1}^{\infty} a_n$의 수렴, 발산
➡ $\lim\limits_{n\to\infty} S_n$을 조사

● $\sum\limits_{n=1}^{\infty} a_n=\lim\limits_{n\to\infty}\sum\limits_{k=1}^{n} a_k=\lim\limits_{n\to\infty} S_n$

 확인문제 1 다음 급수의 수렴, 발산을 조사하고, 수렴하면 그 합을 구하시오.

(1) $1+3+5+\cdots+(2n-1)+\cdots$

(2) $1+\dfrac{1}{5}+\left(\dfrac{1}{5}\right)^2+\cdots+\left(\dfrac{1}{5}\right)^{n-1}+\cdots$

2 급수와 일반항 사이의 관계

(1) 급수 $\sum\limits_{n=1}^{\infty} a_n$이 수렴하면 $\lim\limits_{n\to\infty} a_n=0$이다. ⎤
(2) $\lim\limits_{n\to\infty} a_n\neq 0$이면 급수 $\sum\limits_{n=1}^{\infty} a_n$은 발산한다. ⎦ 대우

● 일반적으로 (1)의 역은 성립하지 않는다. 즉, $\lim\limits_{n\to\infty} a_n=0$이라고 해서 급수 $\sum\limits_{n=1}^{\infty} a_n$이 반드시 수렴하는 것은 아니다.

 확인문제 2 급수 $\sum\limits_{n=1}^{\infty}\dfrac{n}{6n-7}$이 발산함을 보이시오.

3 급수의 성질

두 급수 $\sum\limits_{n=1}^{\infty} a_n$, $\sum\limits_{n=1}^{\infty} b_n$이 수렴하고, 그 합을 각각 S, T라고 하면

(1) $\sum\limits_{n=1}^{\infty} ka_n=k\sum\limits_{n=1}^{\infty} a_n=kS$ (단, k는 상수)

(2) $\sum\limits_{n=1}^{\infty}(a_n+b_n)=\sum\limits_{n=1}^{\infty} a_n+\sum\limits_{n=1}^{\infty} b_n=S+T$, $\sum\limits_{n=1}^{\infty}(a_n-b_n)=\sum\limits_{n=1}^{\infty} a_n-\sum\limits_{n=1}^{\infty} b_n=S-T$

● 급수의 성질은 수렴하는 급수에 대해서만 성립한다.

● 급수의 계산에서 다음에 주의한다.
① $\sum\limits_{n=1}^{\infty} a_nb_n\neq\sum\limits_{n=1}^{\infty} a_n\times\sum\limits_{n=1}^{\infty} b_n$
② $\sum\limits_{n=1}^{\infty}\dfrac{a_n}{b_n}\neq\dfrac{\sum\limits_{n=1}^{\infty} a_n}{\sum\limits_{n=1}^{\infty} b_n}$

 확인문제 3 $\sum\limits_{n=1}^{\infty} a_n=2$, $\sum\limits_{n=1}^{\infty} b_n=-5$일 때, 다음 급수의 합을 구하시오.

(1) $\sum\limits_{n=1}^{\infty}(2a_n+b_n)$

(2) $\sum\limits_{n=1}^{\infty}(3a_n-2b_n)$

1 다음 급수의 수렴, 발산을 조사하고, 수렴하면 그 합을 구하시오.

(1) $\displaystyle\sum_{n=1}^{\infty} \dfrac{1}{n^2+3n}$

(2) $\displaystyle\sum_{n=1}^{\infty} \dfrac{1}{\sqrt{n+1}+\sqrt{n+2}}$

2 급수 $\dfrac{1}{2\times3}+\dfrac{1}{3\times4}+\dfrac{1}{4\times5}+\dfrac{1}{5\times6}+\cdots$의 합은?

① $\dfrac{1}{6}$　　② $\dfrac{1}{3}$　　③ $\dfrac{1}{2}$

④ 1　　⑤ 2

3 다음 급수의 수렴, 발산을 조사하시오.

(1) $\displaystyle\sum_{n=1}^{\infty} \dfrac{3n^2-2n+6}{3n^2+n-5}$

(2) $\displaystyle\sum_{n=1}^{\infty} \dfrac{n}{\sqrt{n+4}+\sqrt{n-2}}$

(3) $\displaystyle\sum_{n=1}^{\infty} (-1)^n \dfrac{n}{3n+1}$

4 다음 보기 중 발산하는 급수의 개수를 구하시오.

보기

ㄱ. $\displaystyle\sum_{n=1}^{\infty} \dfrac{2n}{4n-1}$　　ㄴ. $\displaystyle\sum_{n=1}^{\infty} (-1)^n$

ㄷ. $\displaystyle\sum_{n=1}^{\infty} (\sqrt{n^2+6n}-n)$　　ㄹ. $\displaystyle\sum_{n=1}^{\infty} \ln \dfrac{3n^2}{n^2+2}$

5 두 급수 $\displaystyle\sum_{n=1}^{\infty} a_n$, $\displaystyle\sum_{n=1}^{\infty} b_n$이 모두 수렴하고

$\displaystyle\sum_{n=1}^{\infty} b_n=2$, $\displaystyle\sum_{n=1}^{\infty} (a_n-7b_n)=-15$

일 때, $\displaystyle\sum_{n=1}^{\infty} a_n$의 값을 구하시오.

6 두 급수 $\displaystyle\sum_{n=1}^{\infty} a_n$, $\displaystyle\sum_{n=1}^{\infty} b_n$이 모두 수렴하고

$\displaystyle\sum_{n=1}^{\infty} (a_n+2b_n)=5$, $\displaystyle\sum_{n=1}^{\infty} (4a_n+5b_n)=8$

일 때, $\displaystyle\sum_{n=1}^{\infty} (a_n-2b_n)$의 값은?

① -13　　② -11　　③ -9

④ -7　　⑤ -5

04강 등비급수

1 등비급수의 수렴과 발산

(1) 등비급수

첫째항이 a, 공비가 r인 등비수열 $\{ar^{n-1}\}$의 각 항의 합으로 이루어진 급수

$$\sum_{n=1}^{\infty} ar^{n-1} = a + ar + ar^2 + \cdots + ar^{n-1} + \cdots$$

을 첫째항이 a, 공비가 r인 **등비급수**라고 한다.

(2) 등비급수의 수렴과 발산

등비급수 $\displaystyle\sum_{n=1}^{\infty} ar^{n-1}\,(a \neq 0)$은

① $|r| < 1$일 때, 수렴하고 그 합은 $\dfrac{a}{1-r}$이다.

② $|r| \geq 1$일 때, 발산한다.

(3) 등비급수의 활용

① 순환소수에의 활용

등비급수를 이용하여 순환소수를 분수로 나타낼 수 있다.

예 $0.\dot{4}\dot{6} = 0.464646\cdots$

$\quad\quad = 0.46 + 0.0046 + 0.000046 + \cdots$

$\quad\quad = \dfrac{46}{100} + \dfrac{46}{100^2} + \dfrac{46}{100^3} + \cdots$ ← 첫째항이 $\dfrac{46}{100}$, 공비가 $\dfrac{1}{100}$인 등비급수

$\quad\quad = \dfrac{\dfrac{46}{100}}{1 - \dfrac{1}{100}}$

$\quad\quad = \dfrac{46}{99}$

② 도형에의 활용

닮은꼴이 한없이 반복되는 도형에서 선분의 길이, 도형의 넓이 등의 합을 구하는 문제는 다음과 같은 순서로 푼다.

(i) 닮음비 등을 이용하여 일정한 규칙을 찾는다.

(ii) 첫째항 a와 공비 r를 구한다.

(iii) 등비급수의 합 $S = \dfrac{a}{1-r}$를 구한다.

> **◐ 내공 UP**
>
> ● 등비급수 $\displaystyle\sum_{n=1}^{\infty} ar^{n-1}$에서 $a=0$이면 모든 항이 0이므로 이 급수의 합은 0이다.
>
> ● 등비수열 $\{ar^{n-1}\}$의 수렴 조건
> ➡ $a=0$ 또는 $-1 < r \leq 1$
> 등비급수 $\displaystyle\sum_{n=1}^{\infty} ar^{n-1}$의 수렴 조건
> ➡ $a=0$ 또는 $-1 < r < 1$
>
> ● 무한소수 중 소수점 아래의 어떤 자리부터 일정한 숫자의 배열이 한없이 반복되는 소수를 순환소수라고 한다.

확인문제

1 다음 등비급수의 수렴, 발산을 조사하고, 수렴하면 그 합을 구하시오.

(1) $1 + 1 + 1 + 1 + \cdots$

(2) $1 + \dfrac{3}{5} + \dfrac{9}{25} + \dfrac{27}{125} + \cdots$

(3) $\displaystyle\sum_{n=1}^{\infty} 6 \times (-1)^{n-1}$

(4) $\displaystyle\sum_{n=1}^{\infty} \left(-\dfrac{2}{3}\right)^{n-1}$

03
▼
04

1 다음 등비급수가 수렴하기 위한 실수 x의 값의 범위를 구하시오.

(1) $\displaystyle\sum_{n=1}^{\infty} 4(1-x)^{n-1}$

(2) $x+x(x-3)+x(x-3)^2+x(x-3)^3+\cdots$

실전 2 등비급수 $\displaystyle\sum_{n=1}^{\infty}(x-1)(x-5)^n$이 수렴하기 위한 정수 x의 개수를 구하시오.

3 다음 급수의 합을 구하시오.

(1) $\displaystyle\sum_{n=1}^{\infty} \frac{2^n+3^n}{7^n}$

(2) $\displaystyle\sum_{n=1}^{\infty} \frac{(-6)^n+4^n}{(-8)^n}$

실전 4 급수 $\displaystyle\sum_{n=1}^{\infty} \frac{5^n+(-1)^{n+1}}{6^n}$의 합은?

① $-\dfrac{36}{7}$ ② $-\dfrac{34}{7}$ ③ $\dfrac{34}{7}$

④ $\dfrac{36}{7}$ ⑤ 6

5 등비급수를 이용하여 다음 순환소수를 분수로 나타내시오.

(1) $0.0\dot{2}$ (2) $0.4\dot{1}\dot{6}$

실전 6 등비급수를 이용하여 순환소수 $1.1\dot{5}\dot{7}$을 분수로 나타내면 $\dfrac{q}{p}$일 때, 서로소인 자연수 p, q에 대하여 $p+q$의 값을 구하시오.

7 오른쪽 그림과 같이 빗변의 길이가 2인 직각이등변삼각형 ABC에서 두 변 AB, AC의 중점을 각각 B_1, C_1이라 하고, 삼각형 AB_1C_1에서 두 변 AB_1, AC_1의 중점을 각각 B_2, C_2라고 한다. 이와 같은 과정을 한없이 반복할 때, $\displaystyle\sum_{n=1}^{\infty} \overline{B_nC_n}$의 값을 구하시오.

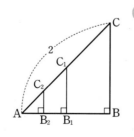

실전 8 오른쪽 그림과 같이 넓이가 2인 삼각형 ABC의 각 변의 중점을 꼭짓점으로 하는 삼각형 $A_1B_1C_1$을 만든다. 또 삼각형 $A_1B_1C_1$의 각 변의 중점을 꼭짓점으로 하는 삼각형 $A_2B_2C_2$를 만든다. 이와 같은 과정을 한없이 반복할 때, 삼각형 $A_1B_1C_1$, 삼각형 $A_2B_2C_2$, 삼각형 $A_3B_3C_3$, …의 넓이의 합을 구하시오.

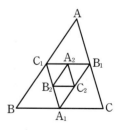

급수의 수렴과 발산

1 다음 급수의 수렴, 발산을 조사하고, 수렴하면 그 합을 구하시오.

(1) $\displaystyle\sum_{n=1}^{\infty} 4n^2$

(2) $\displaystyle\sum_{n=1}^{\infty} \frac{n-1}{3}$

(3) $\displaystyle\sum_{n=1}^{\infty} \frac{1}{n(n+2)}$

(4) $\displaystyle\sum_{n=1}^{\infty} \frac{1}{9n^2-3n-2}$

(5) $\displaystyle\sum_{n=1}^{\infty} (\sqrt{n+3}-\sqrt{n+1})$

(6) $\displaystyle\sum_{n=1}^{\infty} \frac{2}{\sqrt{2n+1}+\sqrt{2n-1}}$

(7) $\displaystyle\sum_{n=1}^{\infty} \frac{1}{1+2+3+\cdots+n}$

(8) $\displaystyle\sum_{n=2}^{\infty} \log_2 \frac{n^2}{n^2-1}$

급수와 일반항 사이의 관계

2 다음 급수의 수렴, 발산을 조사하시오.

(1) $4+7+10+\cdots+(3n+1)+\cdots$

(2) $\dfrac{5}{2}+\left(\dfrac{5}{2}\right)^2+\left(\dfrac{5}{2}\right)^3+\cdots+\left(\dfrac{5}{2}\right)^n+\cdots$

(3) $\displaystyle\sum_{n=1}^{\infty} \frac{n}{n+2}$

(4) $\displaystyle\sum_{n=1}^{\infty} \frac{n^2+5}{(n+1)(2n-3)}$

급수의 성질

3 $\displaystyle\sum_{n=1}^{\infty} a_n=-3$, $\displaystyle\sum_{n=1}^{\infty} b_n=1$일 때, 다음 급수의 합을 구하시오.

(1) $\displaystyle\sum_{n=1}^{\infty} (7a_n+2b_n)$

(2) $\displaystyle\sum_{n=1}^{\infty} (3a_n-4b_n)$

등비급수의 수렴과 발산

4 다음 등비급수의 수렴, 발산을 조사하고, 수렴하면 그 합을 구하시오.

(1) $\displaystyle\sum_{n=1}^{\infty} 2 \times (-1)^n$

(2) $\displaystyle\sum_{n=1}^{\infty} \left(-\frac{1}{4}\right)^{n-1}$

(3) $\displaystyle\sum_{n=1}^{\infty} \frac{6^{n+1}}{7^n}$

(4) $\displaystyle\sum_{n=1}^{\infty} (1-\sqrt{2})^n$

5 다음 등비급수가 수렴하기 위한 실수 x의 값의 범위를 구하시오.

(1) $1 + 2x + 4x^2 + 8x^3 + \cdots$

(2) $1 - \dfrac{x}{3} + \dfrac{x^2}{9} - \dfrac{x^3}{27} + \cdots$

(3) $1 + (x-2) + (x-2)^2 + (x-2)^3 + \cdots$

(4) $\displaystyle\sum_{n=1}^{\infty} (x+3)(2x-1)^n$

(5) $\displaystyle\sum_{n=1}^{\infty} (5-3x)^{n+1}$

(6) $\displaystyle\sum_{n=1}^{\infty} (x^2+3x+1)^{n-1}$

6 다음 급수의 합을 구하시오.

(1) $\displaystyle\sum_{n=1}^{\infty} \left\{ \left(\frac{1}{2}\right)^n - \left(\frac{1}{3}\right)^n \right\}$

(2) $\displaystyle\sum_{n=1}^{\infty} \left\{ (2^n-1)\left(\frac{1}{3}\right)^{n-1} \right\}$

(3) $\displaystyle\sum_{n=1}^{\infty} \frac{5^n - (-4)^n}{(-6)^n}$

(4) $\displaystyle\sum_{n=1}^{\infty} \frac{3^n \times \cos n\pi}{4^n}$

1 수열 $\{a_n\}$에 대하여 $\sum_{n=1}^{\infty} a_n = 3$이고, $\sum_{k=1}^{n} a_k = S_n$이라고 할 때, $\lim_{n \to \infty} (S_n - 2)$의 값은?

① -3 ② -1 ③ 1
④ 2 ⑤ 3

출제유력
2 급수 $\dfrac{1 \times 2}{1^3} + \dfrac{2 \times 3}{1^3 + 2^3} + \dfrac{3 \times 4}{1^3 + 2^3 + 3^3} + \cdots$의 합을 구하시오.

3 x에 대한 이차방정식 $(4n^2 - 1)x^2 - 4nx + 1 = 0$의 두 근을 $\alpha_n, \beta_n (\alpha_n > \beta_n)$이라고 할 때, $\sum_{n=1}^{\infty} (\alpha_n - \beta_n)$의 값을 구하시오.

(단, n은 자연수)

4 급수 $\sum_{n=2}^{\infty} \log_2 \left(1 - \dfrac{1}{n^2}\right)$의 합은?

① -1 ② 0 ③ 1
④ 2 ⑤ 3

5 수열 $\{a_n\}$의 일반항이 $a_n = n$이고, 첫째항부터 제n항까지의 합을 S_n이라고 할 때, $\sum_{n=1}^{\infty} \dfrac{\sqrt{S_{n+1}} - \sqrt{S_n}}{\sqrt{S_n}\sqrt{S_{n+1}}}$의 값을 구하시오.

6 오른쪽 그림과 같이 자연수 n에 대하여 네 직선 $x = 1$, $x = n+1$, $y = x$, $y = 2x$로 둘러싸인 사각형의 넓이를 S_n이라고 할 때, $\sum_{n=1}^{\infty} \dfrac{1}{S_n}$의 값을 구하시오.

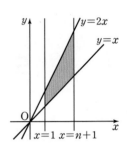

7 다음 보기 중 수렴하는 급수인 것만을 있는 대로 고르시오.

> 보기
>
> ㄱ. $1 - 1 + 1 - 1 + 1 - 1 + \cdots$
>
> ㄴ. $1 - 2 + 3 - 4 + 5 - 6 + \cdots$
>
> ㄷ. $\dfrac{1}{2} - \dfrac{2}{3} + \dfrac{2}{3} - \dfrac{3}{4} + \dfrac{3}{4} - \dfrac{4}{5} + \cdots$
>
> ㄹ. $1 - \dfrac{1}{2} + \dfrac{1}{2} - \dfrac{1}{3} + \dfrac{1}{3} - \dfrac{1}{4} + \cdots$

03
04

출제유력

8 두 수열 $\{a_n\}$, $\{b_n\}$에 대하여 두 급수

$$\sum_{n=1}^{\infty}\left(a_n-\frac{3n}{n+1}\right),\ \sum_{n=1}^{\infty}(a_n+b_n)$$

이 모두 수렴할 때, $\displaystyle\lim_{n\to\infty}\frac{3-b_n}{a_n}$의 값은?

① 1   ② 2   ③ 3

④ 4   ⑤ 5

출제유력

9 두 급수 $\displaystyle\sum_{n=1}^{\infty}a_n$, $\displaystyle\sum_{n=1}^{\infty}b_n$에 대하여

$$\sum_{n=1}^{\infty}b_n=3,\ \sum_{n=1}^{\infty}\left(\frac{a_n}{2}-b_n\right)=6$$

일 때, $\displaystyle\sum_{n=1}^{\infty}(a_n+b_n)$의 값을 구하시오.

10 다음 보기 중 수렴하는 급수인 것만을 있는 대로 고른 것은?

보기

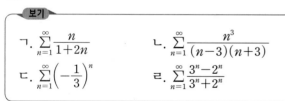

ㄱ. $\displaystyle\sum_{n=1}^{\infty}\frac{n}{1+2n}$ ㄴ. $\displaystyle\sum_{n=1}^{\infty}\frac{n^3}{(n-3)(n+3)}$

ㄷ. $\displaystyle\sum_{n=1}^{\infty}\left(-\frac{1}{3}\right)^n$ ㄹ. $\displaystyle\sum_{n=1}^{\infty}\frac{3^n-2^n}{3^n+2^n}$

① ㄷ   ② ㄱ, ㄴ   ③ ㄴ, ㄹ

④ ㄷ, ㄹ   ⑤ ㄱ, ㄷ, ㄹ

11 등비수열 $\left\{\left(\dfrac{x+1}{2}\right)^n\right\}$과 등비급수 $\displaystyle\sum_{n=1}^{\infty}\left(\dfrac{x^2-2x}{3}\right)^n$이 모두 수렴하기 위한 실수 x의 값의 범위가 $a<x\le b$일 때, $a+b$의 값은?

① -2 ② -1 ③ 0

④ 1   ⑤ 2

출제유력

12 등비수열 $\{a_n\}$에 대하여 다음 보기 중 옳은 것만을 있는 대로 고른 것은?

보기

ㄱ. $\displaystyle\sum_{n=1}^{\infty}a_n$이 수렴하면 $\displaystyle\sum_{n=1}^{\infty}a_{2n}$도 수렴한다.

ㄴ. $\displaystyle\sum_{n=1}^{\infty}a_n$이 발산하면 $\displaystyle\sum_{n=1}^{\infty}a_{2n}$도 발산한다.

ㄷ. $\displaystyle\sum_{n=1}^{\infty}a_n$이 수렴하면 $\displaystyle\sum_{n=1}^{\infty}\frac{a_n-1}{2}$도 수렴한다.

① ㄱ   ② ㄴ   ③ ㄱ, ㄴ

④ ㄱ, ㄷ   ⑤ ㄴ, ㄷ

13 등비급수 $\log_2 2+\log_2\sqrt{2}+\log_2\sqrt[4]{2}+\log_2\sqrt[8]{2}+\cdots$의 합은?

① 1   ② 2   ③ 4

④ 8   ⑤ 16

14 등비급수 $1+\dfrac{1-x}{2}+\left(\dfrac{1-x}{2}\right)^2+\left(\dfrac{1-x}{2}\right)^3+\cdots$의 합이 6일 때, 실수 x의 값을 구하시오.

15 x에 대한 다항식 $x^{n+1}+x^n$을 $5x-4$로 나누었을 때의 나머지를 a_n이라고 할 때, $\displaystyle\sum_{n=1}^{\infty}a_n$의 값을 구하시오.

16 등비수열 $\{a_n\}$에 대하여 $\displaystyle\sum_{n=1}^{\infty}a_n=2$, $\displaystyle\sum_{n=1}^{\infty}a_n{}^2=\dfrac{4}{3}$일 때, $\displaystyle\sum_{n=1}^{\infty}a_n{}^3$의 값은?

① $\dfrac{4}{9}$ ② $\dfrac{4}{5}$ ③ $\dfrac{7}{8}$

④ $\dfrac{8}{7}$ ⑤ $\dfrac{9}{4}$

17 수열 $\{a_n\}$의 첫째항부터 제n항까지의 합 S_n이 $S_n=2^{n+1}-2$일 때, $\displaystyle\sum_{n=1}^{\infty}\dfrac{1}{a_na_{n+1}}$의 값을 구하시오.

18 등비수열 $\{a_n\}$의 공비가 $0.\dot{6}$이고 $\displaystyle\sum_{n=1}^{\infty}a_n=0.\dot{5}\dot{4}$일 때, a_1의 값은?

① $\dfrac{2}{11}$ ② $\dfrac{7}{33}$ ③ $\dfrac{8}{33}$

④ $\dfrac{3}{11}$ ⑤ $\dfrac{10}{33}$

19 다음 그림과 같이 길이가 6인 반원의 지름을 $1:2$로 내분한 후 각각을 지름으로 하는 반원을 만들 때, 두 반원의 넓이의 합을 S_1이라고 하자. 또 만들어진 두 반원 중 큰 반원의 지름을 $1:2$로 내분한 후 각각을 지름으로 하는 반원을 만들 때, 두 반원의 넓이의 합을 S_2라고 하자. 이와 같은 과정을 한없이 반복할 때, $S_1+S_2+S_3+S_4+\cdots$의 값을 구하시오.

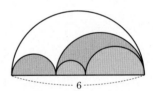

20 어느 장학 재단은 14억 원의 기금을 조성하였다. 매년 초에 기금을 운용하여 연말까지 20 %의 이익을 내고, 기금과 이익을 합한 금액의 40 %를 매년 말에 장학금으로 지급하려고 한다. 장학금으로 지급하고 남은 금액을 기금으로 하여 매년 이와 같은 방법으로 기금의 운용과 장학금의 지급을 무한히 실시할 때, 해마다 지급하는 장학금의 총액을 구하시오.

🔱 만점! 도전 문제

21 다음과 같이 무한히 나열된 모든 수의 합을 구하시오.

$$
\begin{array}{c}
9\\
0.9 \quad\quad 0.9\\
0.09 \quad\quad 0.09 \quad\quad 0.09\\
0.009 \quad 0.009 \quad 0.009 \quad 0.009\\
0.0009 \quad 0.0009 \quad 0.0009 \quad 0.0009 \quad 0.0009\\
\vdots
\end{array}
$$

22 다음 그림과 같이 한 변의 길이가 1인 정사각형 ABCD에서 두 꼭짓점 A, B를 각각 중심으로 하고 $\overline{AB}$를 반지름으로 하는 2개의 사분원을 그리고, 이 두 사분원의 공통부분에 내접하며 한 변이 $\overline{AB}$ 위에 있는 정사각형 $A_1B_1C_1D_1$을 그린다. 또 정사각형 $A_1B_1C_1D_1$에서 두 꼭짓점 A_1, B_1을 각각 중심으로 하고 $\overline{A_1B_1}$을 반지름으로 하는 2개의 사분원을 그리고, 이 두 사분원의 공통부분에 내접하며 한 변이 $\overline{A_1B_1}$ 위에 있는 정사각형 $A_2B_2C_2D_2$를 그린다. 이와 같은 과정을 반복하여 만들어지는 정사각형 $A_nB_nC_nD_n$의 둘레의 길이를 l_n이라고 할 때, $\displaystyle\sum_{n=1}^{\infty} l_n$의 값을 구하시오.

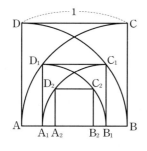

🌱 서술형 문제

23 수열 $\{a_n\}$이

$$a_1=1,\ a_2=2,\ a_{n+2}=a_{n+1}+a_n\ (n=1, 2, 3, \cdots)$$

을 만족할 때, $\displaystyle\sum_{n=1}^{\infty} \frac{a_n}{a_{n+1}a_{n+2}}$의 값을 구하시오. [6점]

| 풀이 |

24 $\dfrac{13}{99}$을 순환소수로 나타낼 때, 소수점 아래 n번째 자리의 숫자를 a_n이라고 하자. 이때 $\displaystyle\sum_{n=1}^{\infty} \frac{a_n}{2^n}$의 값을 구하시오. [6점]

| 풀이 |

25 오른쪽 그림과 같이 자연수 n에 대하여 점 P_n이

$$\overline{OP_1}=1,\ \overline{P_1P_2}=\frac{4}{5}\overline{OP_1},$$

$$\overline{P_2P_3}=\frac{4}{5}\overline{P_1P_2},\ \cdots,$$

$$\angle OP_1P_2 = \angle P_1P_2P_3$$
$$= \cdots = 90°$$

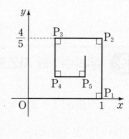

일 때, 점 P_n이 한없이 가까워지는 점의 좌표 (x, y)에 대하여 $x+y$의 값을 구하시오. (단, O는 원점) [7점]

| 풀이 |

05강 지수함수와 로그함수의 극한

1 지수함수와 로그함수의 극한

(1) **지수함수 $y=a^x\,(a>0,\ a\neq1)$의 극한**

① 임의의 실수 r에 대하여
$$\lim_{x\to r}a^x=a^r$$

② $a>1$일 때,
$$\lim_{x\to\infty}a^x=\infty,\ \lim_{x\to-\infty}a^x=0$$

③ $0<a<1$일 때,
$$\lim_{x\to\infty}a^x=0,\ \lim_{x\to-\infty}a^x=\infty$$

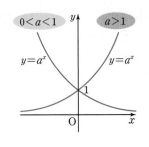

(2) **로그함수 $y=\log_a x\,(a>0,\ a\neq1)$의 극한**

① 양수 r에 대하여
$$\lim_{x\to r}\log_a x=\log_a r$$

② $a>1$일 때,
$$\lim_{x\to\infty}\log_a x=\infty,\ \lim_{x\to0+}\log_a x=-\infty$$

③ $0<a<1$일 때,
$$\lim_{x\to\infty}\log_a x=-\infty,\ \lim_{x\to0+}\log_a x=\infty$$

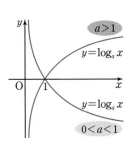

● 지수함수 $y=a^x\,(a>0,\ a\neq1)$과 로그함수 $y=\log_a x\,(a>0,\ a\neq1)$의 극한은 그래프를 이용하면 쉽게 알 수 있다.

● 함수 $f(x)$에서 실수 r에 대하여 $\lim\limits_{x\to r}f(x)$가 존재하고 $f(x)>0$, $\lim\limits_{x\to r}f(x)>0$이면
$$\lim_{x\to r}\{\log_a f(x)\}=\log_a\left\{\lim_{x\to r}f(x)\right\}$$
(단, $a>0,\ a\neq1$)

확인문제 1 다음 극한을 조사하시오.

(1) $\lim\limits_{x\to\infty}\left(\dfrac{1}{2}\right)^x$

(2) $\lim\limits_{x\to2}3^x$

(3) $\lim\limits_{x\to\infty}\log_5 x$

(4) $\lim\limits_{x\to4}\log_{\frac{1}{2}} x$

2 무리수 e와 자연로그

(1) $e=\lim\limits_{x\to0}(1+x)^{\frac{1}{x}}=\lim\limits_{t\to\infty}\left(1+\dfrac{1}{t}\right)^t$

(2) e를 밑으로 하는 지수함수를 $y=e^x$으로 나타낸다.

(3) e를 밑으로 하는 로그 $\log_e x$를 **자연로그**라 하고, 기호 **$\ln x$**로 나타낸다.

● $e=2.71828182\cdots$

● 0이 아닌 상수 a에 대하여
① $\lim\limits_{x\to0}(1+ax)^{\frac{1}{ax}}=e$
② $\lim\limits_{x\to\infty}\left(1+\dfrac{1}{ax}\right)^{ax}=e$

확인문제 2 다음 값을 구하시오.

(1) $\ln\dfrac{1}{e^2}$

(2) $\ln\sqrt[3]{e}$

3 다음 극한값을 구하시오.

(1) $\lim\limits_{x\to0}(1+5x)^{\frac{1}{5x}}$

(2) $\lim\limits_{x\to\infty}\left(1+\dfrac{1}{2x}\right)^{2x}$

1 다음 극한의 수렴, 발산을 조사하고, 수렴하면 그 극한값을 구하시오.

(1) $\lim\limits_{x \to \infty} \dfrac{2^x}{4^x-1}$

(2) $\lim\limits_{x \to 0+} \dfrac{4^x+5^x}{4^x-5^x}$

2 $\lim\limits_{x \to \infty} \dfrac{2^x-3^x}{2^{x+1}-3^{x+1}}$ 의 값은?

① -3 ② $-\dfrac{1}{2}$ ③ 0

④ $\dfrac{1}{3}$ ⑤ 2

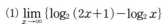

3 다음 극한의 수렴, 발산을 조사하고, 수렴하면 그 극한값을 구하시오.

(1) $\lim\limits_{x \to \infty} \{\log_2(2x+1) - \log_2 x\}$

(2) $\lim\limits_{x \to 1+} \dfrac{\log_3(4x-1)}{\log_5 x}$

4 $\lim\limits_{x \to 1}(\log_2|x^2-1| - \log_2|x-1|)$ 의 값은?

① $\dfrac{1}{2}$ ② 1 ③ 2

④ 4 ⑤ 8

5 다음 극한값을 구하시오.

(1) $\lim\limits_{x \to 0}(1+2x)^{\frac{2}{x}}$

(2) $\lim\limits_{x \to \infty}\left(1-\dfrac{1}{3x}\right)^x$

6 $\lim\limits_{x \to 0}(1-4x)^{\frac{1}{2x}} = \dfrac{1}{e^k}$ 일 때, 자연수 k의 값은?

① 2 ② 4 ③ 8

④ 16 ⑤ 32

06강 지수함수와 로그함수의 미분

1 e를 이용한 지수함수와 로그함수의 극한

$\oplus$ 내공 **UP**

$a>0$, $a\neq1$일 때

(1) $\displaystyle\lim_{x\to0}\frac{\ln(1+x)}{x}=1$

(2) $\displaystyle\lim_{x\to0}\frac{\log_a(1+x)}{x}=\frac{1}{\ln a}$

(3) $\displaystyle\lim_{x\to0}\frac{e^x-1}{x}=1$

(4) $\displaystyle\lim_{x\to0}\frac{a^x-1}{x}=\ln a$

참고 (1) $\displaystyle\lim_{x\to0}\frac{\ln(1+x)}{x}=\lim_{x\to0}\ln(1+x)^{\frac{1}{x}}=\ln e=1$

(3) $e^x-1=t$로 놓으면 $e^x=1+t$이므로 $x=\ln(1+t)$이고, $x\to0$일 때 $t\to0$이므로

$$\lim_{x\to0}\frac{e^x-1}{x}=\lim_{t\to0}\frac{t}{\ln(1+t)}=\lim_{t\to0}\frac{1}{\dfrac{\ln(1+t)}{t}}=1$$

$\bullet$ 0이 아닌 상수 a에 대하여

① $\displaystyle\lim_{x\to0}\frac{\ln(1+ax)}{ax}=1$

② $\displaystyle\lim_{x\to0}\frac{e^{ax}-1}{ax}=1$

 1 다음 극한값을 구하시오.

(1) $\displaystyle\lim_{x\to0}\frac{\ln(1-x)}{-x}$

(2) $\displaystyle\lim_{x\to0}\frac{\log_3(1+4x)}{4x}$

(3) $\displaystyle\lim_{x\to0}\frac{e^{5x}-1}{5x}$

(4) $\displaystyle\lim_{x\to0}\frac{7^{2x}-1}{2x}$

2 지수함수와 로그함수의 미분

$\oplus$ 내공 **UP**

(1) 지수함수의 도함수

① $(e^x)'=e^x$

② $(a^x)'=a^x\ln a$ (단, $a>0$, $a\neq1$)

참고 ① $(e^x)'=\displaystyle\lim_{h\to0}\frac{e^{x+h}-e^x}{h}=\lim_{h\to0}\frac{e^x(e^h-1)}{h}=e^x\lim_{h\to0}\frac{e^h-1}{h}=e^x\times1=e^x$

② $(a^x)'=\displaystyle\lim_{h\to0}\frac{a^{x+h}-a^x}{h}=\lim_{h\to0}\frac{a^x(a^h-1)}{h}=a^x\lim_{h\to0}\frac{a^h-1}{h}=a^x\ln a$

(2) 로그함수의 도함수

① $(\ln x)'=\dfrac{1}{x}$

② $(\log_a x)'=\dfrac{1}{x\ln a}$ (단, $a>0$, $a\neq1$)

참고 ① $(\ln x)'=\displaystyle\lim_{h\to0}\frac{\ln(x+h)-\ln x}{h}=\lim_{h\to0}\frac{1}{h}\ln\left(1+\frac{h}{x}\right)=\lim_{h\to0}\ln\left(1+\frac{h}{x}\right)^{\frac{1}{h}}$

$=\displaystyle\lim_{h\to0}\ln\left\{\left(1+\frac{h}{x}\right)^{\frac{x}{h}}\right\}^{\frac{1}{x}}=\ln e^{\frac{1}{x}}=\frac{1}{x}$

② $(\log_a x)'=\left(\dfrac{\ln x}{\ln a}\right)'=\dfrac{1}{\ln a}(\ln x)'=\dfrac{1}{\ln a}\times\dfrac{1}{x}=\dfrac{1}{x\ln a}$

$\bullet$ 미분가능한 함수 $f(x)$의 도함수는

$$f'(x)=\lim_{h\to0}\frac{f(x+h)-f(x)}{h}$$

 2 다음 함수를 미분하시오.

(1) $y=-2e^x$

(2) $y=3^x$

(3) $y=\ln x^4$

(4) $y=\log_5 x$

1 다음 극한값을 구하시오.

(1) $\lim\limits_{x \to 0} \dfrac{\ln{(1+7x)}}{4x}$

(2) $\lim\limits_{x \to 0} \dfrac{x}{\log_5{(1+2x)}}$

 2 $\lim\limits_{x \to 0} \dfrac{\ln{(1+x)}}{\ln{(1-x)}}$의 값을 구하시오.

3 다음 극한값을 구하시오.

(1) $\lim\limits_{x \to 0} \dfrac{e^{3x}-1}{2x}$

(2) $\lim\limits_{x \to 0} \dfrac{x}{3^{2x}-1}$

 4 $\lim\limits_{x \to 0} \dfrac{e^x - 5^{-x}}{x}$의 값을 구하시오.

5 다음 함수를 미분하시오.

(1) $y=e^{x-1}$

(2) $y=5^{2x}$

6 함수 $f(x)=xe^x+3^{x+1}$에 대하여 $f'(0)$의 값을 구하시오.

7 다음 함수를 미분하시오.

(1) $y=\ln{(3x)^4}$

(2) $y=\log_2{8x}$

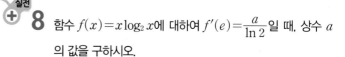 **8** 함수 $f(x)=x\log_2{x}$에 대하여 $f'(e)=\dfrac{a}{\ln 2}$일 때, 상수 a 의 값을 구하시오.

➕ 지수함수와 로그함수의 극한

1 다음 극한을 조사하시오.

(1) $\lim\limits_{x \to \infty} \dfrac{4^{x+1} - 3^x}{4^x + 3^x}$

(2) $\lim\limits_{x \to 0+} \dfrac{2^{-x}}{1 - 2^x}$

(3) $\lim\limits_{x \to \infty} (5^x - 3^x)$

(4) $\lim\limits_{x \to -\infty} \dfrac{6^x + 6^{-x}}{6^x - 6^{-x}}$

2 다음 극한을 조사하시오.

(1) $\lim\limits_{x \to \infty} \log \dfrac{1}{x}$

(2) $\lim\limits_{x \to \infty} \log_2 \dfrac{4x-1}{x}$

(3) $\lim\limits_{x \to \infty} \{\log_3 (x^2+1) - \log_3 (3x^2-1)\}$

(4) $\lim\limits_{x \to 2+} \{\log_3 (x^2-4) - \log_3 (x-2)\}$

➕ 무리수 e와 자연로그

3 다음 값을 구하시오.

(1) $\ln 1$

(2) $\ln e$

(3) $\ln e^4$

(4) $\ln \sqrt{e}$

(5) $e^{\ln 2}$

(6) $\dfrac{1}{\log_2 e} + \dfrac{1}{\log_3 e}$

4 다음 극한값을 구하시오.

(1) $\lim\limits_{x \to 0} (1+4x)^{\frac{1}{8x}}$

(2) $\lim\limits_{x \to 0} (1+2x)^{-\frac{1}{x}}$

(3) $\lim\limits_{x \to 0} (1-5x)^{\frac{2}{x}}$

(4) $\lim\limits_{x \to \infty} \left(\dfrac{x+1}{x}\right)^{3x}$

(5) $\lim\limits_{x \to \infty} \left(1+\dfrac{2}{5x}\right)^{5x}$

(6) $\lim\limits_{x \to \infty} \left(1-\dfrac{3}{x}\right)^{2x}$

➕ e를 이용한 지수함수와 로그함수의 극한

5 다음 극한값을 구하시오.

(1) $\lim\limits_{x \to 0} \dfrac{\ln(1+2x)}{x}$

(2) $\lim\limits_{x \to 0} \dfrac{\ln\left(1+\dfrac{x}{3}\right)}{x}$

(3) $\lim\limits_{x \to 0} \dfrac{2x}{\log_5(1-x)}$

(4) $\lim\limits_{x \to 0} \dfrac{\log_3(1+x)^6}{3x}$

6 다음 극한값을 구하시오.

(1) $\lim\limits_{x \to 0} \dfrac{5x}{e^{4x}-1}$

(2) $\lim\limits_{x \to 0} \dfrac{e^{-3x}-1}{2x}$

(3) $\lim\limits_{x \to 0} \dfrac{3^{2x}-1}{4x}$

(4) $\lim\limits_{x \to 0} \dfrac{2^{-x}-1}{5x}$

➕ 지수함수와 로그함수의 미분

7 다음 함수를 미분하시오.

(1) $y = 5e^x$

(2) $y = e^{x+1}$

(3) $y = e^{x-3}$

(4) $y = x^2 e^x$

(5) $y = 2^x$

(6) $y = 3^{x-2}$

(7) $y = 5^{-x}$

(8) $y = e^x + 3^{2x}$

8 다음 함수를 미분하시오.

(1) $y = \dfrac{\ln x}{4}$

(2) $y = \ln 2x$

(3) $y = \ln x^3$

(4) $y = (x+3)\ln x$

(5) $y = \log 7x$

(6) $y = x\log_3 x$

(7) $y = (\log_5 x)^2$

(8) $y = e^x \log_2 x$

1 $\lim_{x \to \infty} (1 - 2^x + 3^x)^{\frac{1}{x}}$의 값은?

① 0   ② 1   ③ 2

④ 3   ⑤ 4

2 $\lim_{x \to \infty} \dfrac{a \times 5^{x+1} - 2}{5^{x-1} + 3^x} = 75$를 만족하는 상수 a의 값은?

① 2   ② 3   ③ 4

④ 5   ⑤ 6

3 다음 보기 중 극한값이 존재하는 것만을 있는 대로 고르시오.

ㄱ. $\lim_{x \to 0+} \log_2 x$ ㄴ. $\lim_{x \to 0+} \dfrac{\log_2 x}{\log_4 x}$

ㄷ. $\lim_{x \to \infty} \log_2 \dfrac{x^2}{x-1}$ ㄹ. $\lim_{x \to \infty} \log_2 \dfrac{2x+1}{x+3}$

4 $\lim_{x \to 1-} \{\log_3 (x^2 + ax + b) - \log_3 (x^2 - 4x + 3)\} = 1$을 만족하는 상수 a, b에 대하여 $b - a$의 값을 구하시오.

출제유력

5 $\lim_{x \to 2} (x-1)^{\frac{1}{2-x}}$의 값은?

① $\dfrac{1}{e^2}$ ② $\dfrac{1}{e}$ ③ 1

④ e ⑤ e^2

출제유력

6 $\lim_{x \to \infty} \left\{ \dfrac{2}{3} \left(1 + \dfrac{1}{2x}\right)\left(1 + \dfrac{1}{2x+1}\right)\left(1 + \dfrac{1}{2x+2}\right) \cdots \left(1 + \dfrac{1}{3x}\right) \right\}^{3x}$의 값은?

① 1   ② 2   ③ e

④ $2e$ ⑤ e^3

7 $\lim_{x \to \infty} \ln \left(\dfrac{x-a}{x}\right)^x = 4$를 만족하는 상수 a의 값은?

① -4 ② -2 ③ 1

④ 3   ⑤ 5

8 $\lim_{x \to 0} \dfrac{1}{x} \ln \dfrac{1+5x}{1-4x}$의 값은?

① 5   ② 6   ③ 7

④ 8   ⑤ 9

9 $\lim\limits_{x \to 0} \dfrac{\log_3 (1+3x) + \log_3 (1-3x)}{3x^2}$ 의 값은?

① -3 ② $-\dfrac{3}{\ln 3}$ ③ $-\ln 3$

④ $\ln 3$ ⑤ 3

10 $\lim\limits_{x \to 0} \dfrac{x^2}{e^{4x} - 2e^{2x} + 1}$ 의 값은?

① $-\dfrac{1}{2}$ ② $-\dfrac{1}{4}$ ③ $\dfrac{1}{4}$

④ $\dfrac{1}{2}$ ⑤ 1

출제유력
11 $\lim\limits_{x \to -1} \dfrac{e^{x+1} + x}{x+1}$ 의 값은?

① -1 ② 0 ③ 1

④ 2 ⑤ 3

12 $\lim\limits_{x \to 0} \dfrac{8^x - 2^x}{x} = \ln a$ 를 만족하는 상수 a의 값은?

① 1 ② 2 ③ 4

④ 6 ⑤ 10

13 $x < 0$에서 정의된 함수 $S(x) = \sum\limits_{n=0}^{\infty} \dfrac{\ln (1-3x)}{(1-x)^n}$ 에 대하여 $\lim\limits_{x \to 0-} S(x)$의 값은?

① -3 ② -1 ③ 0

④ 1 ⑤ 3

14 모든 실수 x에서 연속인 함수 $f(x)$에 대하여 $\lim\limits_{x \to 0} \dfrac{f(x)}{e^{3x} - 1} = \dfrac{5}{6}$ 일 때, $\lim\limits_{x \to 0} \dfrac{f(x)}{x}$ 의 값을 구하시오.

15 함수 $f(x) = \ln \left(\dfrac{x}{3} + 1 \right)$ 의 역함수를 $g(x)$라고 할 때, $\lim\limits_{x \to 0} \dfrac{g(x)}{x}$ 의 값을 구하시오.

출제유력
16 $\lim\limits_{x \to 0} \dfrac{ae^x + b}{\ln (1+2x)} = 3$을 만족하는 상수 a, b에 대하여 $a - b$의 값은?

① 6 ② 8 ③ 10

④ 12 ⑤ 14

05
06

17 함수 $f(x)=\begin{cases}\dfrac{3^x-a\ln(1+x)+b}{x} & (x\neq0)\\ 0 & (x=0)\end{cases}$ 이 모든 실

수 x에서 연속이 되도록 하는 상수 a, b의 값을 구하시오.

20 함수 $f(x)=e^{x+3}+\log_{\sqrt{5}}ex$에 대하여 $\displaystyle\lim_{x\to2}\dfrac{f(x)-f(2)}{x^2-4}$

의 값을 구하시오.

18 오른쪽 그림과 같이 두 점 A$(t, 0)$, B$(3t, 0)$을 각각 지나고 y축에 평행한 두 직선이 곡선 $y=\ln(1+2x)$와 만나는 점을 C, D라고 하자. 삼각형 OAC의 넓이를 $f(t)$, 사다리꼴 ABDC의 넓이를 $g(t)$라고 할 때, $\displaystyle\lim_{t\to0}\dfrac{g(t)}{f(t)}$의 값은?

(단, O는 원점)

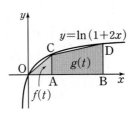

① 2   ② 4   ③ 6
④ 8   ⑤ 10

출제유력
21 함수 $f(x)=x\ln x$에 대하여 $\displaystyle\lim_{h\to0}\dfrac{f(e+h)-f(e-h)}{h}$

의 값은?

① 1   ② 2   ③ 3
④ 4   ⑤ 5

22 함수 $f(x)=a+b\log_{\frac{1}{3}}x$에 대하여 $\displaystyle\lim_{x\to1}\dfrac{f(x)}{x-1}=-1$일

때, 상수 a, b에 대하여 $a+b$의 값은?

① $\ln2$ ② $\ln3$ ③ $\ln4$
④ $\ln5$ ⑤ $\ln6$

19 함수 $f(x)=a^{2x}(x^3+1)$ $(a>0, a\neq1)$에 대하여 $f'(-1)=\dfrac{3}{4}$일 때, 상수 a의 값은?

① $\dfrac{1}{3}$ ② $\dfrac{1}{2}$ ③ 2
④ 3   ⑤ 4

05
06

⚜️ 만점! 도전 문제

23 함수 $f(x)$가 $x > -\dfrac{1}{4}$인 모든 실수 x에 대하여

$$\ln(1+4x) \le f(x) \le 2(e^{2x}-1)$$

을 만족할 때, $\displaystyle\lim_{x \to 0} \dfrac{f(3x)}{x}$의 값을 구하시오.

24 수열 $\{a_n\}$의 일반항이

$$a_n = \lim_{x \to 0} \dfrac{e^x + e^{2x} + e^{3x} + \cdots + e^{nx} - n}{x}$$

일 때, $\displaystyle\sum_{n=1}^{\infty} \dfrac{1}{a_n}$의 값을 구하시오.

25 오른쪽 그림과 같이 곡선 $y = \ln(1+3x)$ 위의 점 P에 대하여 원점 O를 중심으로 하고 선분 OP를 반지름으로 하는 원을 그릴 때, 점 P에서 원에 접하는 직선이 x축과 만나는 점을 Q라고 하자. 점 P가 원점 O에 한없이 가까워질 때, $\dfrac{\overline{OQ}}{\overline{PQ}}$의 극한값을 구하시오.

(단, 점 P는 제1사분면 위의 점이다.)

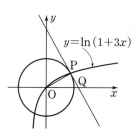

🌱 서술형 문제

26 $\displaystyle\lim_{x \to \infty} \dfrac{a^{x+1} - 2^{x+1}}{a^x + 2^x} = 4$를 만족하는 양수 a의 값을 구하시오. [6점]

| 풀이 |

27 $\displaystyle\lim_{x \to 0} \dfrac{e^{ax} - 1}{x^2 + 3x} = 2$일 때, $\displaystyle\lim_{x \to 0} \dfrac{\ln(1+ax)}{2x}$의 값을 구하시오. (단, a는 상수) [6점]

| 풀이 |

28 함수 $f(x) = \begin{cases} a\ln x & (x \ge 1) \\ xe^x + b & (x < 1) \end{cases}$가 $x = 1$에서 미분가능할 때, 상수 a, b에 대하여 $a+b$의 값을 구하시오. [7점]

| 풀이 |

07강 삼각함수의 덧셈정리

1 삼각함수

➕ 내공 UP

(1) 삼각함수 $\csc\theta$, $\sec\theta$, $\cot\theta$

일반각 θ를 나타내는 동경과 원점 O를 중심으로 하고 반지름의 길이가 r인 원의 교점을 $P(x, y)$라고 하면

$$\csc\theta=\frac{r}{y}\ (y\neq0),\ \sec\theta=\frac{r}{x}\ (x\neq0),$$

$$\cot\theta=\frac{x}{y}\ (y\neq0)$$

와 같이 정의되는 함수를 각각 θ의 **코시컨트함수, 시컨트함수, 코탄젠트함수**라고 한다.

(2) 삼각함수 사이의 관계

① $1+\tan^2\theta=\sec^2\theta$ ② $1+\cot^2\theta=\csc^2\theta$

◉ $\csc\theta=\dfrac{1}{\sin\theta}$

$\sec\theta=\dfrac{1}{\cos\theta}$

$\cot\theta=\dfrac{1}{\tan\theta}$

◉ $\csc\theta$, $\sec\theta$, $\cot\theta$의 값의 부호는 각각 $\sin\theta$, $\cos\theta$, $\tan\theta$의 값의 부호와 같다.

◉ $\sin^2\theta+\cos^2\theta=1$

 1 각 θ의 크기가 다음과 같을 때, $\csc\theta$, $\sec\theta$, $\cot\theta$의 값을 구하시오.

(1) $45°$ (2) $120°$ (3) $\dfrac{5}{6}\pi$ (4) $\dfrac{4}{3}\pi$

2 삼각함수의 덧셈정리

➕ 내공 UP

(1) 삼각함수의 덧셈정리

① $\sin(\alpha+\beta)=\sin\alpha\cos\beta+\cos\alpha\sin\beta$
  $\sin(\alpha-\beta)=\sin\alpha\cos\beta-\cos\alpha\sin\beta$

② $\cos(\alpha+\beta)=\cos\alpha\cos\beta-\sin\alpha\sin\beta$
  $\cos(\alpha-\beta)=\cos\alpha\cos\beta+\sin\alpha\sin\beta$

③ $\tan(\alpha+\beta)=\dfrac{\tan\alpha+\tan\beta}{1-\tan\alpha\tan\beta}$, $\tan(\alpha-\beta)=\dfrac{\tan\alpha-\tan\beta}{1+\tan\alpha\tan\beta}$

(2) 배각의 공식

① $\sin2\alpha=2\sin\alpha\cos\alpha$

② $\cos2\alpha=\cos^2\alpha-\sin^2\alpha=2\cos^2\alpha-1=1-2\sin^2\alpha$

③ $\tan2\alpha=\dfrac{2\tan\alpha}{1-\tan^2\alpha}$

(3) 삼각함수의 합성

$a\sin\theta+b\cos\theta=\sqrt{a^2+b^2}\sin(\theta+\alpha)$

$\left(\text{단},\ \sin\alpha=\dfrac{b}{\sqrt{a^2+b^2}},\ \cos\alpha=\dfrac{a}{\sqrt{a^2+b^2}}\right)$

◉ **두 직선이 이루는 각의 크기**

두 직선이 x축의 양의 방향과 이루는 각의 크기가 각각 α, β일 때, 두 직선이 이루는 예각의 크기를 θ라고 하면

$\tan\theta=|\tan(\alpha-\beta)|$

$=\left|\dfrac{\tan\alpha-\tan\beta}{1+\tan\alpha\tan\beta}\right|$

◉ 삼각함수의 덧셈정리 중 $\sin(\alpha+\beta)$, $\cos(\alpha+\beta)$, $\tan(\alpha+\beta)$에서 β 대신 α를 대입하면 배각의 공식을 얻을 수 있다.

◉ $a\sin\theta+b\cos\theta=\sqrt{a^2+b^2}\cos(\theta-\beta)$

$\left(\text{단},\ \sin\beta=\dfrac{a}{\sqrt{a^2+b^2}},\ \cos\beta=\dfrac{b}{\sqrt{a^2+b^2}}\right)$

 2 다음 삼각함수의 값을 구하시오.

(1) $\sin15°$ (2) $\cos105°$ (3) $\tan75°$

정답과 해설 23쪽

1 각 θ를 나타내는 동경과 원점 O를 중심으로 하는 원의 교점이 P$(3, 4)$일 때, 다음 값을 구하시오.

(1) $\csc \theta$ (2) $\sec \theta$ (3) $\cot \theta$

2 각 θ를 나타내는 동경과 원점 O를 중심으로 하는 원의 교점이 P$(12, -5)$일 때, $\csc \theta + \cot \theta$의 값을 구하시오.

3 $\dfrac{\pi}{2} < \alpha < \pi$, $0 < \beta < \dfrac{\pi}{2}$이고 $\sin \alpha = \dfrac{1}{3}$, $\cos \beta = \dfrac{3}{5}$일 때, 다음 값을 구하시오.

(1) $\sin (\alpha + \beta)$ (2) $\cos (\alpha - \beta)$

4 $\pi < \alpha < \dfrac{3}{2}\pi$, $\dfrac{3}{2}\pi < \beta < 2\pi$이고 $\sin \alpha = -\dfrac{1}{2}$, $\cos \beta = \dfrac{1}{2}$일 때, $\tan (\alpha + \beta)$의 값을 구하시오.

5 $\sin \alpha = \dfrac{3}{5}$일 때, 다음 값을 구하시오. $\left(단, 0 < \alpha < \dfrac{\pi}{2}\right)$

(1) $\sin 2\alpha$ (2) $\cos 2\alpha$ (3) $\tan 2\alpha$

6 $\cos \alpha = \dfrac{2}{3}$일 때, $\sin 2\alpha - \cos 2\alpha$의 값을 구하시오.

$\left(단, 0 < \alpha < \dfrac{\pi}{2}\right)$

7 두 직선 $y = -2x + 1$, $y = -\dfrac{1}{3}x - 1$이 이루는 예각의 크기를 구하시오.

8 두 직선 $y = 3x - 4$, $y = \dfrac{1}{2}x + 1$이 이루는 예각의 크기를 θ라고 할 때, $\csc \theta$의 값을 구하시오.

08강 삼각함수의 극한과 미분

1 삼각함수의 극한

정의역에 속하는 임의의 실수 a에 대하여

$$\lim_{x \to a} \sin x = \sin a$$

$$\lim_{x \to a} \cos x = \cos a$$

$$\lim_{x \to a} \tan x = \tan a$$

참고 $\lim_{x \to \infty} \sin x$, $\lim_{x \to \infty} \cos x$, $\lim_{x \to \infty} \tan x$, $\lim_{x \to n\pi + \frac{\pi}{2}} \tan x$ (n은 정수)의 값은 존재하지 않는다.

내공 UP
● 두 함수 $y = \sin x$, $y = \cos x$는 모든 실수 x에서 연속이고, 함수 $y = \tan x$는 $x \neq n\pi + \frac{\pi}{2}$ (n은 정수)인 모든 실수 x에서 연속이다.

확인문제 **1** 다음 극한값을 구하시오.

(1) $\lim_{x \to \frac{\pi}{3}} \sin x$

(2) $\lim_{x \to -\frac{\pi}{6}} 4\cos x$

(3) $\lim_{x \to \frac{3}{4}\pi} 2\tan x$

2 $\lim_{x \to 0} \dfrac{\sin x}{x}$의 값

x의 단위가 라디안일 때,

$$\lim_{x \to 0} \frac{\sin x}{x} = 1$$

참고 ① $\lim_{x \to 0} \dfrac{\tan x}{x} = \lim_{x \to 0} \left(\dfrac{1}{\cos x} \times \dfrac{\sin x}{x} \right) = 1 \times 1 = 1$

② 0이 아닌 상수 a에 대하여

$$\lim_{x \to 0} \frac{\sin ax}{ax} = 1, \ \lim_{x \to 0} \frac{\tan ax}{ax} = 1$$

③ 0이 아닌 상수 a, b에 대하여

$$\lim_{x \to 0} \frac{\sin ax}{bx} = \lim_{x \to 0} \frac{\sin ax}{ax} \times \frac{a}{b} = 1 \times \frac{a}{b} = \frac{a}{b}$$

$$\lim_{x \to 0} \frac{\tan ax}{bx} = \lim_{x \to 0} \frac{\tan ax}{ax} \times \frac{a}{b} = 1 \times \frac{a}{b} = \frac{a}{b}$$

내공 UP
● $\lim_{x \to 0} \dfrac{\cos x}{x}$의 값은 존재하지 않는다.

확인문제 **2** 다음 극한값을 구하시오.

(1) $\lim_{x \to 0} \dfrac{x}{\sin x}$

(2) $\lim_{x \to 0} \dfrac{\sin 2x}{4x}$

(3) $\lim_{x \to 0} \dfrac{\tan 3x}{2x}$

3 삼각함수의 미분

(1) $(\sin x)' = \cos x$

(2) $(\cos x)' = -\sin x$

내공 UP
● 두 함수 $y = \sin x$, $y = \cos x$는 모든 실수 x에서 미분가능하다.

확인문제 **3** 다음 함수를 미분하시오.

(1) $y = 2x + 3\sin x$

(2) $y = \cos x - 2\sin x$

1 다음 극한값을 구하시오.

(1) $\lim\limits_{x \to 0} \dfrac{\sin^2 x}{1 - \cos x}$

(2) $\lim\limits_{x \to \frac{\pi}{4}} \dfrac{1 - \tan x}{\sin x - \cos x}$

실전

2 $\lim\limits_{x \to \frac{\pi}{2}} (\sec x - \tan x)$의 값은?

① -1 ② 0 ③ 1

④ 2 ⑤ 3

3 다음 극한값을 구하시오.

(1) $\lim\limits_{x \to 0} \dfrac{1 - \cos x}{x^2}$

(2) $\lim\limits_{x \to \pi} \dfrac{\sin x}{x - \pi}$

(3) $\lim\limits_{x \to \infty} 2x \tan \dfrac{1}{x}$

실전

4 $\lim\limits_{x \to 0} \dfrac{\tan (\sin x)}{2x}$의 값은?

① $\dfrac{1}{4}$ ② $\dfrac{1}{2}$ ③ 1

④ 2 ⑤ 4

5 다음 함수를 미분하시오.

(1) $y = \sin^2 x$

(2) $y = x^2 \sin x$

(3) $y = \sin x \cos x$

실전

6 함수 $f(x) = e^x \cos x$에 대하여 $f'(0)$의 값은?

① $-e$ ② -1 ③ 0

④ 1 ⑤ e

삼각함수

1 각 θ의 크기가 다음과 같을 때, $\csc\theta$, $\sec\theta$, $\cot\theta$의 값을 구하시오.

(1) $60°$

(2) $330°$

(3) $\dfrac{3}{4}\pi$

(4) $\dfrac{7}{6}\pi$

 삼각함수의 덧셈정리

2 다음 식의 값을 구하시오.

(1) $\sin 20°\cos 40°+\cos 20°\sin 40°$

(2) $\cos 85°\cos 40°+\sin 85°\sin 40°$

(3) $\dfrac{\tan 10°+\tan 35°}{1-\tan 10°\tan 35°}$

(4) $\dfrac{\tan 55°-\tan 25°}{1+\tan 55°\tan 25°}$

3 $0<\alpha<\dfrac{\pi}{2}$, $0<\beta<\dfrac{\pi}{2}$이고 $\sin\alpha=\dfrac{12}{13}$, $\cos\beta=\dfrac{4}{5}$일 때, 다음 값을 구하시오.

(1) $\sin(\alpha+\beta)$

(2) $\sin(\alpha-\beta)$

(3) $\cos(\alpha+\beta)$

(4) $\tan(\alpha-\beta)$

4 각 α가 제2사분면의 각이고 다음을 만족할 때, $\sin 2\alpha$, $\cos 2\alpha$, $\tan 2\alpha$의 값을 구하시오.

(1) $\sin\alpha=\dfrac{4}{5}$

(2) $\sin\alpha=\dfrac{2\sqrt{5}}{5}$

(3) $\cos\alpha=-\dfrac{1}{5}$

(4) $\cos\alpha=-\dfrac{2}{3}$

➕ 삼각함수의 극한

 5 다음 극한값을 구하시오.

(1) $\lim\limits_{x \to \frac{\pi}{3}} \cos 3x$

(2) $\lim\limits_{x \to \frac{\pi}{6}} \dfrac{\cos x}{\tan x}$

(3) $\lim\limits_{x \to \pi} \dfrac{\tan x}{\sin x}$

(4) $\lim\limits_{x \to \frac{\pi}{2}} \dfrac{\sin x - 1}{\cos^2 x}$

(5) $\lim\limits_{x \to \frac{\pi}{4}} \dfrac{\cos x - \sin x}{1 - \tan^2 x}$

(6) $\lim\limits_{x \to 0} \dfrac{1 - \cos 2x}{\sin 2x}$

➕ $\lim\limits_{x \to 0} \dfrac{\sin x}{x}$ 의 값

 6 다음 극한값을 구하시오.

(1) $\lim\limits_{x \to 0} \dfrac{\sin x}{\sin 4x}$

(2) $\lim\limits_{x \to 0} \dfrac{\sin(\sin 3x)}{\sin 2x}$

(3) $\lim\limits_{x \to 0} \dfrac{\tan 5x - \tan 2x}{x}$

(4) $\lim\limits_{x \to 0} \dfrac{\tan(x^2 + x)}{x}$

(5) $\lim\limits_{x \to 0} \dfrac{1 - \cos x}{x \sin x}$

(6) $\lim\limits_{x \to 0} \dfrac{1 - \cos 4x}{x^2}$

(7) $\lim\limits_{x \to \frac{\pi}{2}} \dfrac{\pi - 2x}{\tan\left(\dfrac{\pi}{2} - x\right)}$

(8) $\lim\limits_{x \to \infty} x \sin \dfrac{1}{x}$

➕ 삼각함수의 미분

 7 다음 함수를 미분하시오.

(1) $y = 2\sin x - x^2$

(2) $y = e^x + 5\sin x$

(3) $y = \cos^2 x$

(4) $y = x^3 \cos x$

(5) $y = \ln x \sin x$

(6) $y = e^x(\cos x - 1)$

1 각 θ가 제3사분면의 각이고 $\tan\theta = \dfrac{4}{3}$일 때, $\cos\theta + \csc\theta$ 의 값을 구하시오.

2 $\sin\theta + \cos\theta = -\dfrac{\sqrt{3}}{3}$일 때, $\tan^2\theta + \cot^2\theta$의 값을 구하시오.

3 $\cos\alpha = \dfrac{2\sqrt{2}}{3}$일 때, $\sin\left(\dfrac{\pi}{4} - \alpha\right)$의 값은? $\left(\text{단, } 0 < \alpha < \dfrac{\pi}{2}\right)$

① $\dfrac{4-\sqrt{2}}{6}$ ② $\dfrac{2+\sqrt{2}}{6}$ ③ $\dfrac{4-\sqrt{2}}{3}$

④ $\dfrac{4+\sqrt{2}}{6}$ ⑤ $\dfrac{4+\sqrt{2}}{3}$

4 $\sin\alpha + \cos\beta = -\dfrac{2}{3}$, $\cos\alpha + \sin\beta = \dfrac{\sqrt{5}}{3}$일 때, $\sin(\alpha + \beta)$의 값을 구하시오.

출제유력
5 이차방정식 $x^2 - 3ax + 2a + 1 = 0$의 두 근이 $\tan\alpha$, $\tan\beta$ 일 때, $\tan(\alpha + \beta)$의 값을 구하시오.

출제유력
6 두 직선 $y = 2x + 3$, $y = ax - 1$이 이루는 예각의 크기가 $45°$ 일 때, 상수 a의 값은? (단, $0 < a < 2$)

① $\dfrac{1}{5}$ ② $\dfrac{1}{4}$ ③ $\dfrac{1}{3}$

④ $\dfrac{1}{2}$ ⑤ 1

7 오른쪽 그림과 같이 $\angle\mathrm{ABC} = 90°$, $\angle\mathrm{ACD} = 90°$인 두 직각삼각형 ABC, ACD에서 $\overline{\mathrm{AB}} = 2$, $\overline{\mathrm{BC}} = \overline{\mathrm{CD}} = \sqrt{2}$이 고, 점 D에서 변 AB에 내린 수선의 발을 E라고 할 때, 선분 EB의 길이를 구하시오.

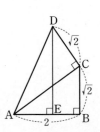

8 다음 두 식의 값 A, B에 대하여 $A+B$의 값은?

$A=\cos 80°\cos 20°+\sin 80°\sin 20°$
$B=\sin 75°\cos 75°$

① $\dfrac{1}{4}$　　　　② $\dfrac{1}{2}$　　　　③ $\dfrac{3}{4}$

④ 1　　　　⑤ $\dfrac{5}{4}$

9 $\sin\theta+\cos\theta=\dfrac{2}{3}$일 때, $\sin 2\theta+\cos 4\theta$의 값은?

① $-\dfrac{28}{81}$　　　② $-\dfrac{14}{81}$　　　③ $\dfrac{22}{81}$

④ $\dfrac{37}{81}$　　　⑤ $\dfrac{76}{81}$

10 함수 $y=2\sqrt{3}\sin x+2\cos x+2$의 최댓값을 M, 최솟값을 m이라고 할 때, $M-m$의 값은?

① 2　　　　② 4　　　　③ 6
④ 8　　　　⑤ 10

11 $\displaystyle\lim_{x\to 0}\dfrac{2\sin^2 x}{\cos x-\cos^2 x}$의 값은?

① -2　　　　② 0　　　　③ $\dfrac{1}{2}$

④ 2　　　　⑤ 4

12 $\displaystyle\lim_{x\to 0}\dfrac{\sin x+\sin 2x+\sin 3x+\cdots+\sin 10x}{x}$의 값을 구하시오.

출제유력
13 $\displaystyle\lim_{x\to 0}\dfrac{\sin x+\tan 3x}{\sin 2x}$의 값은?

① $\dfrac{1}{2}$　　　　② 1　　　　③ $\dfrac{3}{2}$

④ 2　　　　⑤ $\dfrac{5}{2}$

14 $\displaystyle\lim_{x\to 0}\dfrac{\sin(3x^2+2x)}{2x^2+x}$의 값은?

① 1　　　　② $\dfrac{3}{2}$　　　　③ 2

④ $\dfrac{5}{2}$　　　　⑤ 3

15 $\displaystyle\lim_{x\to\pi}\dfrac{\sin^2 2x}{(\pi-x)\tan x}$의 값은?

① -4 ② -2 ③ 0

④ 1 ⑤ 4

16 $\displaystyle\lim_{x\to\infty}\left\{x\sin\left(\tan\dfrac{1}{x}\right)\cos\dfrac{1}{x}\right\}$의 값을 구하시오.

17 모든 실수 x에서 연속인 함수 $f(x)$에 대하여 $\displaystyle\lim_{x\to 0}\dfrac{\sin 3x}{f(x)}=2$일 때, $\displaystyle\lim_{x\to 0}\dfrac{f(x)}{e^{2x}-1}$의 값은?

① $\dfrac{1}{2}$ ② $\dfrac{2}{3}$ ③ $\dfrac{3}{4}$

④ 1 ⑤ $\dfrac{3}{2}$

출제유력
18 $\displaystyle\lim_{x\to 0}\dfrac{bx^2}{a-\cos x}=4$를 만족하는 상수 a, b에 대하여 $a+b$의 값은?

① -1 ② 1 ③ 3

④ 4 ⑤ 6

19 함수 $f(x)=x^2\sin 2x+a\cos x$에 대하여 $f'\left(\dfrac{\pi}{4}\right)=0$일 때, 상수 a의 값을 구하시오.

출제유력
20 함수 $f(x)=x\sin x-e^x\cos x$에 대하여 $\displaystyle\lim_{h\to 0}\dfrac{f(3h)-f(-h)}{h}$의 값은?

① -4 ② -2 ③ -1

④ 2 ⑤ 4

21 함수 $f(x)=\displaystyle\lim_{h\to 0}\dfrac{\sin(x+h)-\sin x}{\cos(x+h)-\cos x}$에 대하여 $f\left(\dfrac{\pi}{6}\right)$의 값을 구하시오.

출제유력
22 함수 $f(x)=\begin{cases}x\cos x & (x\geq 0)\\ ae^x+b & (x<0)\end{cases}$가 $x=0$에서 미분가능할 때, 상수 a, b에 대하여 $3a-b$의 값은?

① -2 ② 0 ③ 2

④ 4 ⑤ 6

🎖 만점! 도전 문제

🏵 서술형 문제

23 $\theta = 15°$일 때, $\dfrac{\sin \theta + \sin 7\theta}{\cos \theta + \cos 7\theta}$의 값은?

① $\dfrac{1}{2}$ 　　② $\dfrac{\sqrt{3}}{3}$ 　　③ $\dfrac{\sqrt{3}}{2}$

④ 1 　　⑤ $\sqrt{3}$

26 $\displaystyle\lim_{x \to 0} \dfrac{\sin 2x - 2\sin x}{x^3}$의 값을 구하시오. [6점]

| 풀이 |

24 $\sin 2x = \dfrac{\sqrt{5}}{3}$일 때, $1 + \sin x + \sin^2 x + \sin^3 x + \cdots$의

값을 구하시오. $\left($ 단, $0 < x < \dfrac{\pi}{4} \right)$

27 오른쪽 그림과 같이 $\overline{BC} = 10$, $\angle B = 3\theta$, $\angle C = 2\theta$ 인 삼각형 ABC가 있다. 꼭짓 점 A에서 변 BC에 내린 수선 의 발을 H라고 할 때, $\displaystyle\lim_{\theta \to 0+} \overline{CH}$ 의 값을 구하시오. [7점]

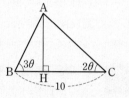

| 풀이 |

25 오른쪽 그림과 같이 원 $x^2 + y^2 = a^2$ $(a > 0)$ 위를 움직이 는 점 P와 두 점 $A(-a, 0)$, $B(a, 0)$에 대하여 삼각형 PAB 의 넓이를 S, 부채꼴 POB의 넓 이를 T라고 하자. 점 P가 점 B에 한없이 가까워질 때, $\dfrac{T}{S}$의 극한값 을 구하시오. (단, O는 원점)

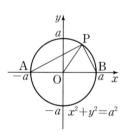

28 함수 $f(x) = \begin{cases} \dfrac{\sin 2x}{3x + \tan 5x} & (x > 0) \\ a & (x = 0) \\ \dfrac{1 - \cos x}{x \tan bx} & (x < 0) \end{cases}$ 가 $x = 0$에서

연속일 때, 다음 물음에 답하시오. (단, a, b는 상수)

(1) a의 값을 구하시오. [3점]

| 풀이 |

(2) b의 값을 구하시오. [3점]

| 풀이 |

09강 여러 가지 미분법 (1)

1 함수의 몫의 미분법

(1) 함수의 몫의 미분법: 미분가능한 두 함수 $f(x)$, $g(x)$ $(f(x)\neq 0)$에 대하여

① $\left\{\dfrac{1}{f(x)}\right\}'=-\dfrac{f'(x)}{\{f(x)\}^2}$　② $\left\{\dfrac{g(x)}{f(x)}\right\}'=\dfrac{g'(x)f(x)-g(x)f'(x)}{\{f(x)\}^2}$

(2) 함수 $y=x^n$ (n은 정수)의 도함수

n이 정수일 때, $(x^n)'=nx^{n-1}$

(3) 삼각함수의 도함수

① $(\tan x)'=\sec^2 x$　　② $(\sec x)'=\sec x\tan x$

③ $(\csc x)'=-\csc x\cot x$　④ $(\cot x)'=-\csc^2 x$

▶ 내공 UP

● $\tan x=\dfrac{\sin x}{\cos x}$, $\sec x=\dfrac{1}{\cos x}$, $\csc x=\dfrac{1}{\sin x}$, $\cot x=\dfrac{\cos x}{\sin x}$이므로 함수의 몫의 미분법을 이용하면 삼각함수의 도함수를 구할 수 있다.

 1 다음 함수를 미분하시오.

(1) $y=\dfrac{1}{x}$　　　　　　　　(2) $y=\dfrac{x}{x+3}$

2 합성함수의 미분법

(1) 합성함수의 미분법: 미분가능한 두 함수 $y=f(u)$, $u=g(x)$에 대하여 합성함수 $y=f(g(x))$를 미분하면

$$\dfrac{dy}{dx}=\dfrac{dy}{du}\times\dfrac{du}{dx}\quad 또는\quad \{f(g(x))\}'=f'(g(x))g'(x)$$

(2) 로그함수의 도함수

① $(\ln|x|)'=\dfrac{1}{x}$　　　　② $(\log_a|x|)'=\dfrac{1}{x\ln a}$ (단, $a>0$, $a\neq 1$)

(3) 함수 $y=x^n$ (n은 실수)의 도함수

n이 실수일 때, $(x^n)'=nx^{n-1}$

▶ 내공 UP

● 미분가능한 함수 $f(x)$에 대하여
① $y=f(ax+b)$이면
　➡ $y'=af'(ax+b)$
② $y=\{f(x)\}^n$이면
　➡ $y'=n\{f(x)\}^{n-1}f'(x)$
③ $y=a^{f(x)}$이면
　➡ $y'=a^{f(x)}\ln a\times f'(x)$

● 미분가능한 함수 $f(x)$에 대하여 $f(x)\neq 0$일 때
① $\{\ln|f(x)|\}'=\dfrac{f'(x)}{f(x)}$
② $\{\log_a|f(x)|\}'=\dfrac{f'(x)}{f(x)\ln a}$

 2 다음 함수를 미분하시오.

(1) $y=\log_2|x|$　　　　　　(2) $y=\sqrt[4]{x^3}$

3 매개변수로 나타낸 함수의 미분법

미분가능한 두 함수 $x=f(t)$, $y=g(t)$에 대하여 $f'(t)\neq 0$일 때,

$$\dfrac{dy}{dx}=\dfrac{\dfrac{dy}{dt}}{\dfrac{dx}{dt}}=\dfrac{g'(t)}{f'(t)}$$

▶ 내공 UP

● 두 변수 x, y의 관계를 변수 t를 사용하여 $x=f(t)$, $y=g(t)$와 같이 나타낼 때, t를 매개변수라 하고, 이 관계를 매개변수로 나타낸 함수라고 한다.

 3 매개변수 t로 나타낸 함수 $x=3t+1$, $y=2t^2+5t$에서 $\dfrac{dy}{dx}$를 구하시오.

1 다음 함수를 미분하시오.

(1) $y = \dfrac{1}{3x^3 - 1}$

(2) $y = \dfrac{x^2 + 5x - 9}{x + 2}$

2 함수 $f(x) = \dfrac{x^2 - 3}{x + 2}$에 대하여 $f'(x) = a + \dfrac{b}{(x+2)^2}$일 때, 상수 a, b에 대하여 $a + b$의 값은?

① -2 ② -1 ③ 0

④ 1 ⑤ 2

3 다음 함수를 미분하시오.

(1) $y = \sec x + \csc x$

(2) $y = \sin x \tan x$

4 함수 $f(x) = 3x \cot x$에 대하여 $f'\left(\dfrac{\pi}{6}\right)$의 값을 구하시오.

5 다음 함수를 미분하시오.

(1) $y = (2x + 1)^3$

(2) $y = \sin (3x - 1)$

(3) $y = 3^{2x - 1}$

(4) $y = \ln |4x + 1|$

6 함수 $f(x) = \sqrt{3x + 1}$에 대하여 $f'(1)$의 값은?

① $\dfrac{1}{4}$ ② $\dfrac{3}{8}$ ③ $\dfrac{1}{2}$

④ $\dfrac{3}{4}$ ⑤ $\dfrac{3}{2}$

7 매개변수 t로 나타낸 다음 함수에서 $\dfrac{dy}{dx}$를 구하시오.

(1) $x = t^3 + e^t$, $y = e^t - 1$

(2) $x = t^2 - \sin t$, $y = -\cos t$

8 매개변수 t로 나타낸 함수 $x = \dfrac{1 - t^2}{1 + t^2}$, $y = \dfrac{2t}{1 + t^2}$에 대하여 $t = 3$에서의 $\dfrac{dy}{dx}$의 값을 구하시오.

 **10강 여러 가지 미분법 (2)**

---

1 음함수의 미분법 내공 **UP**

음함수 표현 $f(x, y)=0$에서 y를 x의 함수로 보고 양변을 x에 대하여 미분한 후 $\dfrac{dy}{dx}$를 구한다.

예 $x+\cos y=1$의 양변을 x에 대하여 미분하면

$$1-\sin y \dfrac{dy}{dx}=0 \qquad \therefore \dfrac{dy}{dx}=\dfrac{1}{\sin y} \text{ (단, } \sin y \neq 0)$$

- x에 대한 함수 y가 $f(x, y)=0$ 꼴로 주어질 때, 이를 함수 y에 대한 음함수 표현이라고 한다. 음함수는 곡선을 표현하는 한 방법이다.
- 음함수의 미분법은 $f(x, y)=0$에서 $y=g(x)$ 꼴로 고치기 어려운 함수를 미분할 때 편리하다.

 1 음함수 표현 $2x^2+3y^2=6$에서 $\dfrac{dy}{dx}$를 구하시오.

---

2 역함수의 미분법 내공 **UP**

미분가능한 함수 $f(x)$의 역함수 $f^{-1}(x)$가 존재하고 미분가능할 때, 함수 $y=f^{-1}(x)$를 미분하면

$$\dfrac{dy}{dx}=\dfrac{1}{\dfrac{dx}{dy}} \left(\text{단, } \dfrac{dx}{dy} \neq 0\right) \quad \text{또는} \quad (f^{-1})'(x)=\dfrac{1}{f'(y)} \text{ (단, } f'(y) \neq 0)$$

예 $x=e^y+y$의 양변을 y에 대하여 미분하면

$$\dfrac{dx}{dy}=e^y+1 \qquad \therefore \dfrac{dy}{dx}=\dfrac{1}{\dfrac{dx}{dy}}=\dfrac{1}{e^y+1}$$

- 미분가능한 함수 $f(x)$의 역함수를 $g(x)$라고 할 때, $f(a)=b$, 즉 $a=g(b)$이면
$$g'(b)=\dfrac{1}{f'(a)}$$

 2 함수 $x=y^2$에 대하여 $\dfrac{dy}{dx}$를 구하시오. (단, $y>0$)

---

3 이계도함수 내공 **UP**

함수 $y=f(x)$의 도함수 $f'(x)$가 미분가능할 때, $f'(x)$의 도함수

$$\lim_{\Delta x \to 0} \dfrac{f'(x+\Delta x)-f'(x)}{\Delta x}$$

를 $f(x)$의 **이계도함수**라 하고, 기호 y'', $f''(x)$, $\dfrac{d^2y}{dx^2}$, $\dfrac{d^2}{dx^2}f(x)$로 나타낸다.

- $y=f(x)$
  ↓ 미분
  $y'=f'(x)$
  ↓ 미분
  $y''=f''(x)$

 3 다음 함수의 이계도함수를 구하시오.

(1) $y=x^3+5x^2$ (2) $y=-x^5+2x^2-3x$

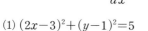

1 다음 음함수 표현에서 $\dfrac{dy}{dx}$를 구하시오.

(1) $(2x-3)^2+(y-1)^2=5$

(2) $x^2+y+3y^3=8$

(3) $x^2=xy+\sin y$

(4) $\dfrac{y}{x}-\dfrac{x}{y}=1$

실전

2 음함수 표현 $x^2+3xy-y^3=5$가 나타내는 곡선에 대하여 점 $(4, -1)$에서의 접선의 기울기는?

① $-\dfrac{10}{9}$ ② $-\dfrac{5}{9}$ ③ $-\dfrac{1}{9}$

④ $\dfrac{5}{9}$ ⑤ $\dfrac{10}{9}$

3 다음 함수에서 $\dfrac{dy}{dx}$를 구하시오.

(1) $x=5y^2+e^y-1$ (단, $y\geq0$)

(2) $x=y+\sqrt{y}$

실전

4 함수 $x=\sqrt[3]{y}-8$에 대하여 $y=8$에서의 $\dfrac{dy}{dx}$의 값을 구하시오.

5 함수 $f(x)=x^3+5x-3$의 역함수를 $g(x)$라고 할 때, 다음 값을 구하시오.

(1) $\dfrac{1}{g'(3)}$ (2) $g'(-3)$

실전

6 함수 $f(x)=\dfrac{x^2}{x^2+4}$ $(x>0)$의 역함수를 $g(x)$라고 할 때, $g\left(\dfrac{1}{2}\right)g'\left(\dfrac{1}{2}\right)$의 값을 구하시오.

7 다음 함수의 이계도함수를 구하시오.

(1) $y=\dfrac{1}{x}$ (2) $y=e^{4x}$

(3) $y=\cos(3x+1)$ (4) $y=\ln(x-1)$

실전

8 함수 $f(x)=x^2\sin x$에 대하여 $f''(\pi)$의 값을 구하시오.

함수의 몫의 미분법

 1 다음 함수를 미분하시오.

(1) $y = \dfrac{1}{x^2 + 3x + 7}$

(2) $y = \dfrac{1}{3x^4 + x^2 - 4}$

(3) $y = \dfrac{x + 1}{x^3 - 8}$

(4) $y = \dfrac{3x^2 + x}{x^2 + 3}$

(5) $y = \dfrac{1}{x^8}$

(6) $y = \dfrac{2x^6 - x^3 + 4}{x^4}$

(7) $y = \tan x + \csc x$

(8) $y = \cos x - 2\cot x$

 합성함수의 미분법

 2 다음 함수를 미분하시오.

(1) $y = (3x^2 - 5)^4$

(2) $y = (x^3 + 6x)^5$

(3) $y = e^{x^2 - 5}$

(4) $y = \log_3 |5x - 2|$

(5) $y = \dfrac{1}{\sqrt[4]{x^5}}$

(6) $y = \sqrt[3]{2x - 9}$

 매개변수로 나타낸 함수의 미분법

 3 매개변수 t로 나타낸 다음 함수에서 $\dfrac{dy}{dx}$를 구하시오.

(1) $x = t^2 - 3t,\ y = 5t^2 - 1$

(2) $x = -2\sin t,\ y = 2\cos t$

(3) $x = \dfrac{2}{t^2 + 2},\ y = \dfrac{t - 1}{t^2 + 2}$

(4) $x = \sqrt{t},\ y = t - \sqrt{t}$

음함수의 미분법

 4 다음 음함수 표현에서 $\dfrac{dy}{dx}$를 구하시오.

(1) $x^2-4x-10y^2=0$

(2) $x^2+2y^4=4$

(3) $2x^2+xy-y^2=3$

(4) $x^3-xy^2+2y^3=2$

(5) $e^x+\sin y=2$

(6) $xy-\dfrac{y}{x}=3$

 역함수의 미분법

 5 다음 함수에서 $\dfrac{dy}{dx}$를 구하시오.

(1) $x=y^5+6y$

(2) $x=y^3+y+\cos y$

(3) $x=\sqrt{y}+3y$

(4) $x=\dfrac{y-4}{y+1}$ (단, $y<-1$)

 이계도함수

 6 다음 함수의 이계도함수를 구하시오.

(1) $y=x^3+2x^2+3x$

(2) $y=(2x-1)^5$

(3) $y=\sin x$

(4) $y=\cos 3x$

(5) $y=xe^x$

(6) $y=x\sin 2x$

(7) $y=\sqrt{x}$

(8) $y=\dfrac{1}{x^2+1}$

1 미분가능한 함수 $f(x)$에 대하여 $f(2)=2$, $f'(2)=3$이고 함수 $g(x)$가 $g(x)=\dfrac{f(x)}{x}$일 때, $g'(2)$의 값을 구하시오.

⬡출제유력
2 함수 $f(x)=\dfrac{x^4+3x}{x^2+1}$에 대하여 $\displaystyle\lim_{x\to 1}\dfrac{f(x)-2}{x-1}$의 값을 구하시오.

3 함수 $f(x)=\dfrac{3x}{ax+1}$에 대하여
$$\lim_{x\to 1}\frac{f(x)-f(1)}{x-1}=\lim_{x\to 0}\frac{f(x)}{x}$$
를 만족하는 상수 a의 값을 구하시오. (단, $a\neq 0$)

4 함수 $f(x)=\dfrac{4x^5-7x^2+1}{x^3}$에 대하여 $f'(1)$의 값은?

① 8   ② 10   ③ 12

④ 14   ⑤ 16

5 함수 $f(x)=e^x\sec x$에 대하여 $f'(-\pi)f'(\pi)$의 값은?

① $-e^\pi$ ② -1 ③ 0

④ 1   ⑤ e^π

⬡출제유력
6 함수 $f(x)=(3x-5)^5$에 대하여 $\displaystyle\lim_{h\to 0}\dfrac{f(2+h)-f(2-h)}{h}$의 값을 구하시오.

7 함수 $f(x)=\sin(x^2+2ax)$에 대하여 $f'(0)=5$일 때, 상수 a의 값은?

① 1   ② $\dfrac{3}{2}$ ③ $\dfrac{5}{2}$

④ 3   ⑤ $\dfrac{7}{2}$

⬡출제유력
8 미분가능한 두 함수 $f(x)$, $g(x)$에 대하여
$$\lim_{x\to 3}\frac{f(x)+3}{x-3}=2,\quad \lim_{x\to -3}\frac{g(x)+1}{x+3}=6$$
일 때, 함수 $(g\circ f)(x)$의 $x=3$에서의 미분계수는?

① 6   ② 8   ③ 10

④ 12   ⑤ 14

9 $0<x<\dfrac{\pi}{2}$일 때, 함수 $f(x)=\ln(2\cos^2 x)$에 대하여 $f'\!\left(\dfrac{\pi}{4}\right)$의 값은?

① -3 ② -2 ③ -1

④ 0 ⑤ 1

10 함수 $f(x)=\begin{cases} a+\ln(3x+1) & (x\ge 0) \\ e^{2bx}+\cos\pi x+3 & (x<0) \end{cases}$ 이 $x=0$에서 미분가능할 때, 상수 a, b에 대하여 $4ab$의 값은?

① 16 ② 20 ③ 24

④ 26 ⑤ 30

11 함수 $f(x)=\dfrac{(x^3+2)^2}{(2x+1)(3x+2)^4}$에 대하여 $f'(-1)=kf(-1)$일 때, 상수 k의 값은?

① -8 ② -4 ③ 6

④ 12 ⑤ 20

12 함수 $f(x)=x^{\sin x}$ $(x>0)$에 대하여 $f'\!\left(\dfrac{\pi}{2}\right)$의 값을 구하시오.

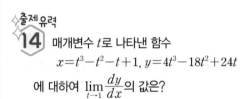

13 함수 $f(x)=\sqrt{x^3+x}$에 대하여 $\displaystyle\lim_{h\to 0}\dfrac{f(1+h)-\sqrt{2}}{h}$의 값은?

① $-\sqrt{2}$ ② $-\dfrac{\sqrt{2}}{2}$ ③ $\dfrac{\sqrt{2}}{2}$

④ 1 ⑤ $\sqrt{2}$

14 매개변수 t로 나타낸 함수
$$x=t^3-t^2-t+1,\quad y=4t^3-18t^2+24t$$
에 대하여 $\displaystyle\lim_{t\to 1}\dfrac{dy}{dx}$의 값은?

① -5 ② -3 ③ 1

④ 3 ⑤ 4

15 매개변수 t로 나타낸 곡선
$$x=2t\sqrt{t}-at+5,\quad y=\ln t+at-a$$
에 대하여 $t=1$에서 이 곡선에 접하는 접선이 x축의 양의 방향과 이루는 각의 크기가 $45°$이다. 이때 상수 a의 값은?

① -2 ② $-\dfrac{3}{2}$ ③ -1

④ 1 ⑤ $\dfrac{3}{2}$

16 음함수 표현 $(3x-2y)^2+y^2=5$에 대하여
$$\frac{dy}{dx}=\frac{cx-6y}{ax+by} \quad (ax+by\neq0)$$
일 때, 상수 a, b, c에 대하여 $a+b+c$의 값은?

① 8   ② 9   ③ 10

④ 11   ⑤ 12

출제유력
17 곡선 $axy+3y^2+\ln y=b$ 위의 점 $(1,\ 1)$에서의 접선의 기울기가 6일 때, 상수 a, b에 대하여 $a+b$의 값은?

① -15 ② -9 ③ -3

④ 3   ⑤ 9

18 $0<y<\dfrac{5}{4}\pi$일 때, 함수 $x=\dfrac{2\sin y}{y-\sin y}$에 대하여 $y=\pi$에 서의 $\dfrac{dy}{dx}$의 값은?

① $-\dfrac{\pi}{2}$ ② -1 ③ $-\dfrac{\pi}{4}$

④ $-\dfrac{2}{\pi}$ ⑤ $-\dfrac{1}{\pi}$

출제유력
19 미분가능한 함수 $f(x)$의 역함수를 $g(x)$라 하고, $\displaystyle\lim_{x\to1}\frac{g(x)-3}{x-1}=\frac{1}{4}$일 때, $f(3)+f'(3)$의 값을 구하시오.

20 함수 $f(x)=x(\ln x)^2$에 대하여 $f''(e)$의 값은?

① $\dfrac{1}{e}$ ② $\dfrac{2}{e}$ ③ $\dfrac{3}{e}$

④ $\dfrac{4}{e}$ ⑤ $\dfrac{5}{e}$

21 함수 $f(x)=e^x\sin 2x$에 대하여
$$f''(x)=af'(x)+bf(x)$$
가 성립할 때, 상수 a, b에 대하여 $a-b$의 값을 구하시오.

출제유력
22 함수 $f(x)=\dfrac{x^2+ax+b}{x-1}$에 대하여 $f''(2)=6$일 때, $f'(2)$의 값을 구하시오. (단, a, b는 상수)

🍃 96쪽 **내공 점검**으로 자신의 실력을 테스트해 보세요.

⚜ 만점! 도전 문제

23 함수 $f(x)=\dfrac{1+x+x^2+\cdots+x^{2n-1}+x^{2n}}{x^{2n}}$에 대하여 $f'(-1)=14$일 때, 자연수 n의 값을 구하시오.

24 미분가능한 함수 $f(x)$에 대하여
$$f_1(x)=f(x),$$
$$f_n(x)=(f\circ f_{n-1})(x)\ (n=2,\,3,\,4,\,\cdots)$$
로 정의하자. $f(1)=-1,\,f(-1)=1,\,f'(1)=p,$
$f'(-1)=q$일 때, $f_6'(1)$의 값을 $p,\,q$를 사용하여 나타내면?

① pq ② p^2q^4 ③ p^3q^3

④ p^6 ⑤ q^6

25 미분가능한 함수 $f(x)$가 $f(\sqrt{x}+2x)=x-\dfrac{2}{x}$를 만족할 때, $f'(3)$의 값을 구하시오.

⚜ 서술형 문제

26 두 함수 $f(x)=\dfrac{2x-3}{x+1}$, $g(x)=\dfrac{5-x}{x-1}$에 대하여 $h(x)=(f\circ g)(x)$일 때, 다음 물음에 답하시오.

(1) $f'(x)$, $g'(x)$를 구하시오. [2점]

| 풀이 |

(2) $\displaystyle\lim_{x\to 2}\dfrac{x^2-4}{h(x)-h(2)}$의 값을 구하시오. [5점]

| 풀이 |

27 함수 $f(x)=\ln\dfrac{1+\sin x}{1-\sin x}\left(0<x<\dfrac{\pi}{2}\right)$에 대하여 $f'(a)=2\sqrt{2}$를 만족하는 상수 a의 값을 구하시오. [6점]

| 풀이 |

28 함수 $f(x)=\dfrac{2x^2}{x+3}\,(x>0)$의 역함수를 $g(x)$라고 할 때, $g'(8)$의 값을 구하시오. [6점]

| 풀이 |

11강 접선의 방정식과 함수의 극대, 극소

1 접선의 방정식

(1) 접선의 방정식

함수 $f(x)$가 $x=a$에서 미분가능할 때, 곡선 $y=f(x)$ 위의 점 $(a, f(a))$에서의 접선의 방정식은

$$y-f(a)=f'(a)(x-a)$$

(2) 접선의 방정식을 구하는 방법

① 접점의 좌표 $(a, f(a))$가 주어진 경우: 접선의 기울기 $f'(a)$를 구한다.

② 기울기 m이 주어진 경우: 접점의 좌표를 $(a, f(a))$로 놓고, $f'(a)=m$임을 이용하여 a의 값을 구한다.

③ 곡선 밖의 한 점 (x_1, y_1)이 주어진 경우: 접점의 좌표를 $(a, f(a))$로 놓고, 접선의 방정식 $y-f(a)=f'(a)(x-a)$에 점 (x_1, y_1)의 좌표를 대입하여 a의 값을 구한다.

내공 UP

◉ 곡선 $y=f(x)$ 위의 점 $(a, f(a))$에서의 접선의 기울기는 $f'(a)$이다.

◉ 두 곡선 $y=f(x)$, $y=g(x)$가 $x=a$인 점에서 공통인 접선을 가지면
$$f(a)=g(a),\ f'(a)=g'(a)$$

◉ 매개변수로 나타낸 곡선 $x=f(t)$, $y=g(t)$에 대하여 접점의 좌표 (a, b)가 주어지면
→ $f(t_1)=a$, $g(t_1)=b$를 만족하는 t_1의 값을 구하여 $y-b=\dfrac{g'(t_1)}{f'(t_1)}(x-a)$에 대입한다.

 1 다음 곡선 위의 주어진 점에서의 접선의 방정식을 구하시오.

(1) $y=\sqrt{x^2+7}$, $(3, 4)$ 　　　　(2) $y=\ln(x+1)$, $(0, 0)$

2 함수의 증가와 감소, 극대와 극소의 판정

(1) 함수의 증가와 감소의 판정

함수 $f(x)$가 어떤 구간에서 미분가능할 때, 그 구간의 모든 x에 대하여

① $f'(x)>0$이면 $f(x)$는 그 구간에서 증가한다.

② $f'(x)<0$이면 $f(x)$는 그 구간에서 감소한다.

(2) 도함수를 이용한 함수의 극대와 극소의 판정

미분가능한 함수 $f(x)$에 대하여 $f'(a)=0$일 때, $x=a$의 좌우에서 $f'(x)$의 부호가

① 양에서 음으로 바뀌면 $f(x)$는 $x=a$에서 극대이다.

② 음에서 양으로 바뀌면 $f(x)$는 $x=a$에서 극소이다.

(3) 이계도함수를 이용한 함수의 극대와 극소의 판정

연속인 이계도함수를 갖는 함수 $f(x)$에 대하여 $f'(a)=0$일 때

① $f''(a)<0$이면 $f(x)$는 $x=a$에서 극대이다.

② $f''(a)>0$이면 $f(x)$는 $x=a$에서 극소이다.

내공 UP

◉ 미분가능한 함수 $f(x)$가 $x=a$에서 극값을 가지면 $f'(a)=0$이다.

 2 다음 함수의 증가와 감소를 조사하시오.

(1) $f(x)=2x^2e^x$ 　　　　(2) $f(x)=\sin x+\cos x$ (단, $0<x<\pi$)

3 도함수를 이용하여 다음 함수의 극값을 구하시오.

(1) $f(x)=\dfrac{x-2}{x^2+5}$ 　　　　(2) $f(x)=xe^x$

1 다음 곡선에 접하고 기울기가 -1인 접선의 방정식을 구하시오.

(1) $y = e^x - 3x$

(2) $y = \sin 2x$ $\left(단, \ 0 \le x \le \dfrac{\pi}{2}\right)$

2 곡선 $y = -x + x \ln x$에 접하고 기울기가 1인 접선의 방정식이 $y = ax + b$일 때, 상수 a, b에 대하여 ab의 값을 구하시오.

3 다음 주어진 점에서 곡선에 그은 접선의 방정식을 구하시오.

(1) $y = \dfrac{\ln x}{x}$, $(0, \ 0)$

(2) $y = e^{-2x+3}$, $(1, \ 0)$

4 점 $(-2, \ 0)$에서 곡선 $y = \sqrt{x-2}$에 그은 접선이 점 $(a, \ 1)$을 지날 때, a의 값은?

① -1　　　② 0　　　③ $\dfrac{1}{2}$

④ 1　　　⑤ 2

5 이계도함수를 이용하여 다음 함수의 극값을 구하시오.

(1) $f(x) = x^3 - 4x^2 - 3x + 1$

(2) $f(x) = e^{-x} \sin x$ (단, $0 < x < \pi$)

6 함수 $f(x) = 2x - 2\cos 2x$ $(0 < x < \pi)$의 모든 극값의 합을 구하시오.

12강 변곡점과 함수의 그래프

1 곡선의 오목, 볼록 및 변곡점

(1) 곡선의 오목과 볼록의 판정

함수 $f(x)$가 어떤 구간에서

① $f''(x)>0$이면 곡선 $y=f(x)$는 이 구간에서 **아래로 볼록**(또는 위로 오목)하다.

② $f''(x)<0$이면 곡선 $y=f(x)$는 이 구간에서 **위로 볼록**(또는 아래로 오목)하다.

(2) 변곡점

① 변곡점: 곡선 $y=f(x)$ 위의 점 $P(a, f(a))$에 대하여 $x=a$의 좌우에서 곡선의 모양이 아래로 볼록에서 위로 볼록으로 바뀌거나 위로 볼록에서 아래로 볼록으로 바뀔 때, 이 점 P를 곡선 $y=f(x)$의 **변곡점**이라고 한다.

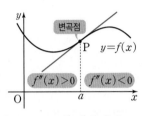

② 변곡점의 판정: 함수 $f(x)$에 대하여 $f''(a)=0$이고, $x=a$의 좌우에서 $f''(x)$의 부호가 바뀌면 점 $(a, f(a))$는 곡선 $y=f(x)$의 변곡점이다.

내공 UP

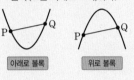

▶ 어떤 구간에서 곡선 $y=f(x)$ 위의 임의의 두 점 P, Q 사이의 곡선 부분이 선분 PQ보다

① 항상 아래쪽에 있으면
➡ 곡선 $y=f(x)$는 이 구간에서 아래로 볼록(또는 위로 오목)하다.

② 항상 위쪽에 있으면
➡ 곡선 $y=f(x)$는 이 구간에서 위로 볼록(또는 아래로 오목)하다.

아래로 볼록   위로 볼록

▶ $f''(a)=0$이라고 해서 점 $(a, f(a))$가 항상 변곡점인 것은 아니다. 예를 들어 함수 $f(x)=x^4$에 대하여 $f''(0)=0$이지만 $x=0$의 좌우에서 $f''(x)>0$이므로 점 $(0, 0)$은 변곡점이 아니다.

 확인문제

1 다음 곡선의 오목과 볼록을 조사하시오.

(1) $y=-x^3+3$ (2) $y=x^4-12x^2+13$

2 함수의 그래프

내공 UP

함수 $y=f(x)$의 그래프의 개형은 다음을 조사하여 그릴 수 있다.

(1) 함수의 정의역과 치역

(2) 곡선과 좌표축의 교점

(3) 곡선의 대칭성과 주기

(4) 함수의 증가와 감소, 극대와 극소

(5) 곡선의 오목과 볼록, 변곡점

(6) $\lim\limits_{x\to\infty} f(x)$, $\lim\limits_{x\to-\infty} f(x)$, 점근선

▶ 닫힌구간 $[a, b]$에서 연속인 함수 $f(x)$의 최댓값과 최솟값은 이 구간에서의 극값과 함숫값 $f(a)$, $f(b)$를 모두 비교하여 구한다.

확인문제

2 다음 함수의 그래프를 그리시오.

(1) $f(x)=x^3-6x^2+12x-3$ (2) $f(x)=3x^4+6x^3+2$

1 다음 곡선의 오목과 볼록을 조사하시오.

(1) $y = 2x + \cos \dfrac{x}{2}$ (단, $0 < x < 2\pi$)

(2) $y = \dfrac{x^2}{x-2}$

 2 다음 중 곡선 $y = \ln x + 3x^2 + 2x$가 아래로 볼록한 구간은?

① $\left(0, \dfrac{1}{6}\right)$　　② $\left(0, \dfrac{\sqrt{6}}{6}\right)$　　③ $\left(\dfrac{1}{6}, \dfrac{\sqrt{6}}{6}\right)$

④ $\left(\dfrac{1}{6}, \infty\right)$　　⑤ $\left(\dfrac{\sqrt{6}}{6}, \infty\right)$

3 다음 곡선의 변곡점의 좌표를 구하시오.

(1) $y = -x^3 + 3x^2 + x - 2$

(2) $y = \sin 3x$ (단, $0 < x < \pi$)

 4 곡선 $y = \ln(x^2 + 5)$의 변곡점의 개수는?

① 0　　　② 1　　　③ 2

④ 3　　　⑤ 4

5 다음 함수의 그래프를 그리시오.

(1) $f(x) = 2xe^x$

(2) $f(x) = x - 2\sin x \left(\text{단}, -\dfrac{\pi}{2} \leq x \leq \dfrac{\pi}{2}\right)$

 6 다음 보기 중 함수 $f(x) = \dfrac{3x}{x^2+1}$의 그래프에 대한 설명으로 옳은 것만을 있는 대로 고르시오.

보기

ㄱ. 원점을 지난다.

ㄴ. 구간 $(-\infty, 0)$에서 아래로 볼록하다.

ㄷ. 변곡점은 3개이다.

13강 방정식과 부등식에의 활용/속도와 가속도

1 방정식과 부등식에의 활용

(1) 방정식에의 활용

방정식 $f(x)=g(x)$의 서로 다른 실근의 개수는 두 함수 $y=f(x)$, $y=g(x)$의 그래프의 교점의 개수와 같다.

참고 방정식 $f(x)=g(x)$의 서로 다른 실근의 개수는 함수 $y=f(x)-g(x)$의 그래프와 x축의 교점의 개수와도 같다.

(2) 부등식에의 활용

어떤 구간에서 부등식 $f(x) \geq g(x)$가 성립함을 보일 때는 $h(x)=f(x)-g(x)$로 놓고, 주어진 구간에서 함수 $h(x)$의 최솟값이 0보다 크거나 같음을 보이면 된다.

내공 UP

● 방정식 $f(x)=0$의 서로 다른 실근의 개수는 함수 $y=f(x)$의 그래프와 x축의 교점의 개수와 같다.

● 어떤 구간에서 부등식 $f(x) \geq 0$이 성립함을 보일 때는 주어진 구간에서 함수 $f(x)$의 최솟값이 0보다 크거나 같음을 보이면 된다.

 1 다음 방정식의 서로 다른 실근의 개수를 구하시오.

(1) $e^x=4x$

(2) $\ln x=x-1$

2 속도와 가속도

(1) 직선 위의 운동에서 속도와 가속도

수직선 위를 움직이는 점 P의 시각 t에서의 위치가 $x=f(t)$일 때, 시각 t에서의 점 P의 속도를 v, 가속도를 a라고 하면

① $v=\dfrac{dx}{dt}=f'(t)$

② $a=\dfrac{dv}{dt}=f''(t)$

(2) 평면 위의 운동에서 속도와 가속도

좌표평면 위를 움직이는 점 P의 시각 t에서의 위치가 (x, y)이고 $x=f(t)$, $y=g(t)$일 때, 시각 t에서의 점 P의 속도와 가속도는

① 속도: $\left(\dfrac{dx}{dt}, \dfrac{dy}{dt}\right)$ 또는 $(f'(t), g'(t))$

② 가속도: $\left(\dfrac{d^2x}{dt^2}, \dfrac{d^2y}{dt^2}\right)$ 또는 $(f''(t), g''(t))$

내공 UP

● 위치
↓ 미분
속도
↓ 미분
가속도

● ① 속도의 크기(속력):
$\sqrt{\left(\dfrac{dx}{dt}\right)^2+\left(\dfrac{dy}{dt}\right)^2}$
② 가속도의 크기:
$\sqrt{\left(\dfrac{d^2x}{dt^2}\right)^2+\left(\dfrac{d^2y}{dt^2}\right)^2}$

 2 수직선 위를 움직이는 점 P의 시각 t에서의 위치 x가 $x=t\sin t$일 때, 시각 $t=\pi$에서 점 P의 속도와 가속도를 구하시오.

3 좌표평면 위를 움직이는 점 P의 시각 t에서의 위치가 (x, y)이고,

$$x=-3t^2+2t, \ y=t^3+6t$$

일 때, 시각 $t=2$에서 점 P의 속도와 가속도를 구하시오.

1 상수 a가 다음과 같을 때, 방정식 $e^x+e^{-x}=a$의 서로 다른 실근의 개수를 구하시오.

(1) $a=1$
(2) $a=2$
(3) $a=3$

2 방정식 $\ln x=2x+a$가 서로 다른 두 실근을 갖도록 하는 상수 a의 값의 범위를 구하시오.

3 모든 실수 x에 대하여 부등식 $e^x \geq x+1$이 성립함을 보이시오.

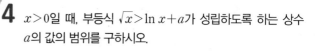

4 $x>0$일 때, 부등식 $\sqrt{x}>\ln x+a$가 성립하도록 하는 상수 a의 값의 범위를 구하시오.

5 좌표평면 위를 움직이는 점 P의 시각 t에서의 위치가 (x, y)이고, $x=e^{2t}$, $y=\dfrac{1}{2}e^{2t}-1$이다. 시각 $t=1$에서 다음을 구하시오.

(1) 점 P의 속도와 속력
(2) 점 P의 가속도와 가속도의 크기

6 좌표평면 위를 움직이는 점 P의 시각 t에서의 위치가 (x, y)이고, $x=\ln(t+1)$, $y=t^2$이다. 점 P의 가속도가 $\left(-\dfrac{1}{4}, 2\right)$일 때, 점 P의 속도를 구하시오.

1 곡선 $y=\dfrac{2x-5}{x-2}$ 위의 점 $(3, 1)$에서의 접선의 y절편은?

① -4 ② -3 ③ -2

④ -1 ⑤ 0

2 곡선 $y=3-2\sin x$와 y축의 교점을 지나고, 이 점에서의 접선에 수직인 직선의 방정식을 구하시오.

3 곡선 $y=x-e^x$에 접하고 직선 $x+y-1=0$에 평행한 접선의 x절편은?

① $2\ln 2-2$ ② 0 ③ $\ln 2$

④ $2\ln 2$ ⑤ $2\ln 2+2$

출제유력
4 원점에서 곡선 $y=e^{\sqrt{x}}$에 그은 접선이 점 $(8, a)$를 지날 때, a의 값은?

① e^2 ② $\dfrac{3}{2}e^2$ ③ $2e^2$

④ $\dfrac{5}{2}e^2$ ⑤ $3e^2$

5 두 곡선 $y=\ln(2x+1)$, $y=-3\ln x+k$의 교점에서 각각의 곡선에 접하는 직선이 서로 수직일 때, 상수 k의 값은?

① $\ln\dfrac{25}{2}$ ② $\ln 13$ ③ $\ln\dfrac{27}{2}$

④ $\ln 14$ ⑤ $\ln 15$

6 매개변수 t로 나타낸 곡선
$$x=1+2t-3t^2,\ y=2-t+2t^2$$
위의 점 $(0, 3)$에서의 접선의 방정식을 구하시오.

7 곡선 $x^2y+\ln y-1=0$ 위의 점 $(1, 1)$에서의 접선이 점 $(-1, k)$를 지날 때, k의 값을 구하시오.

출제유력
8 함수 $f(x)=3x-\ln(x^2+a)$가 실수 전체의 집합에서 증가하도록 하는 양수 a의 최솟값을 구하시오.

9 $0 \le x \le \pi$에서 함수 $f(x) = e^{-x}(\sin x - \cos x) - a$의 극 댓값이 0일 때, 양수 a에 대하여 $\ln a$의 값을 구하시오.

출제유력
10 함수 $f(x) = 3 \ln x + \dfrac{2}{x} + ax$가 $x = 1$에서 극값을 가질 때, $f(x)$의 극댓값은? (단, a는 상수)

① $2 \ln 2 - 3$ ② $2 \ln 2 - 1$ ③ $2 \ln 2$
④ $3 \ln 2 - 3$ ⑤ $3 \ln 2 - 1$

11 함수 $f(x) = (2x^2 - 3ax + 5)e^{2x}$이 극값을 갖지 않도록 하는 정수 a의 개수는?

① 1 ② 2 ③ 3
④ 4 ⑤ 5

12 구간 (a, ∞)에서 곡선 $y = x^2 - \dfrac{1}{x}$ $(x > 0)$이 아래로 볼록할 때, 양수 a의 최솟값을 구하시오.

출제유력
13 곡선 $y = \dfrac{1}{x^2 + 6}$에서 두 변곡점 사이의 거리를 구하시오.

14 곡선 $y = (x^2 + a)e^x$의 변곡점이 2개일 때, 상수 a의 값의 범위를 구하시오.

15 다음 중 함수 $f(x) = x^2 + \ln x$의 그래프에 대한 설명으로 옳은 것은?

① 극댓값을 갖는다.
② 변곡점은 2개이다.
③ 점근선은 x축이다.
④ 구간 $\left(0, \dfrac{\sqrt{2}}{2}\right)$에서 위로 볼록하다.
⑤ 구간 $[2, 4]$에서 감소한다.

16 함수 $f(x) = x\sqrt{ax - x^2}$이 $x = \dfrac{3}{2}$에서 최댓값 b를 가질 때, $2ab$의 값을 구하시오. (단, $a > 0$)

출제유력
17 방정식 $e^{-x}=a-x$가 하나의 실근만을 갖도록 하는 상수 a의 값은?

① -3 ② -1 ③ 0

④ $\dfrac{1}{3}$ ⑤ 1

18 방정식 $\ln x=ax$가 서로 다른 두 실근을 갖도록 하는 상수 a의 값의 범위를 구하시오.

19 $x \geq 0$일 때, 부등식 $2x^2 > \cos x + a$가 성립하도록 하는 상수 a의 값의 범위를 구하시오.

20 모든 실수 x에 대하여 부등식 $e^{2x} \geq ax$가 성립하도록 하는 상수 a의 최댓값과 최솟값의 합을 구하시오.

21 수직선 위를 움직이는 점 P의 시각 t에서의 위치 x가 $x=t-\cos 2t+1$일 때, 점 P가 두 번째로 운동 방향을 바꾸는 시각은?

① $\dfrac{7}{12}\pi$ ② $\dfrac{11}{12}\pi$ ③ $\dfrac{7}{6}\pi$

④ $\dfrac{11}{6}\pi$ ⑤ $\dfrac{13}{6}\pi$

출제유력
22 좌표평면 위를 움직이는 점 P의 시각 t에서의 위치가 (x, y)이고, $x=t^2$, $y=t^2\sqrt{t}$이다. 점 P가 나타내는 곡선의 접선의 기울기가 $\dfrac{5}{2}$인 시각에서 점 P의 속도를 구하시오.

23 좌표평면 위를 움직이는 점 P의 시각 t에서의 위치가 (x, y)이고, $x=3\cos t$, $y=2\sin t$이다. 시각 t에서의 점 P의 가속도의 크기의 최댓값을 M, 최솟값을 m이라고 할 때, $M+m$의 값은?

① 4 ② $2\sqrt{5}$ ③ 5

④ 6 ⑤ $5\sqrt{2}$

⚜ 만점! 도전 문제

24 원점에서 곡선 $y=\dfrac{2x-a}{e^{2x}}$에 접선을 그을 수 없도록 하는 모든 정수 a의 값의 합을 구하시오.

25 함수 $g(x)$의 도함수 $y=g'(x)$의 그래프가 오른쪽 그림과 같을 때, 다음 보기 중 옳은 것만을 있는 대로 고르시오.

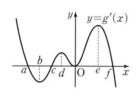

> **보기**
>
> ㄱ. 구간 (a, f)에서 곡선 $y=g(x)$가 아래로 볼록한 구간은 (a, c)와 (d, e)이다.
> ㄴ. 구간 (a, f)에서 곡선 $y=g(x)$의 변곡점은 4개이다.
> ㄷ. 구간 (a, f)에서 함수 $g(x)$의 최솟값은 $g(c)$이다.

26 오른쪽 그림과 같이 사람의 눈높이보다 $2\,\mathrm{m}$ 높은 곳에 세로의 길이가 $3\,\mathrm{m}$인 직사각형 모양의 안내판이 세워져 있다. 안내판 중앙의 가장 위쪽과 가장 아래쪽을 바라본 각의 크기의 차

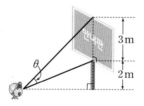

를 θ라고 하면 안내판은 θ의 값이 클수록 잘 보인다고 한다. 사람이 안내판으로부터 몇 m 전방에 있어야 안내판이 가장 잘 보이는지 구하시오.

(단, 사람은 안내판을 정면에서 바라본다.)

◈ 서술형 문제

27 곡선 $y=\ln(2-x)$ 위를 움직이는 점 P와 직선 $y=-x+3$ 위를 움직이는 점 Q에 대하여 선분 PQ의 길이의 최솟값을 구하시오. [6점]

| 풀이 |

28 $x>0$에서 정의된 함수 $f(x)=\dfrac{ax}{x^2+1}$에 대하여 다음 물음에 답하시오. (단, $a\ne0$)

(1) $f''(x)$를 구하시오. [2점]

| 풀이 |

(2) 곡선 $y=f(x)$의 변곡점에서의 접선의 기울기가 $-\dfrac{1}{2}$일 때, a의 값을 구하시오. [4점]

| 풀이 |

29 좌표평면 위를 움직이는 점 P의 시각 t에서의 위치가 (x, y)이고, $x=2t^2$, $y=\dfrac{1}{3}t^3-4t$이다. 점 P의 속력이 13일 때, 점 P의 가속도를 구하시오. [5점]

| 풀이 |

14강 여러 가지 함수의 적분

1 여러 가지 함수의 부정적분

내공 UP

(1) 함수 $y=x^n$ (n은 실수)의 부정적분

① $\displaystyle\int x^n\,dx=\frac{1}{n+1}x^{n+1}+C$ (단, $n\neq-1$)

② $\displaystyle\int \frac{1}{x}\,dx=\ln|x|+C$

(2) 지수함수의 부정적분

① $\displaystyle\int e^x\,dx=e^x+C$

② $\displaystyle\int a^x\,dx=\frac{a^x}{\ln a}+C$ (단, $a>0,\ a\neq1$)

(3) 삼각함수의 부정적분

① $\displaystyle\int \sin x\,dx=-\cos x+C$ ② $\displaystyle\int \cos x\,dx=\sin x+C$

③ $\displaystyle\int \sec^2 x\,dx=\tan x+C$ ④ $\displaystyle\int \csc^2 x\,dx=-\cot x+C$

⑤ $\displaystyle\int \sec x\tan x\,dx=\sec x+C$ ⑥ $\displaystyle\int \csc x\cot x\,dx=-\csc x+C$

◐ 일반적으로 부정적분에서 적분상수는 C로 나타낸다.

◐ 삼각함수의 적분은 삼각함수 사이의 관계를 이용하여 적분하기 쉬운 형태로 식을 변형한 후 구한다.
→ $\sin^2 x+\cos^2 x=1$
  $1+\tan^2 x=\sec^2 x$
  $1+\cot^2 x=\csc^2 x$

 1 다음 부정적분을 구하시오.

(1) $\displaystyle\int \frac{1}{x^3}\,dx$

(2) $\displaystyle\int x\sqrt{x}\,dx$

(3) $\displaystyle\int 2^x\,dx$

(4) $\displaystyle\int (x^2+3\cos x)\,dx$

2 여러 가지 함수의 정적분

내공 UP

닫힌구간 $[a,\ b]$에서 연속인 함수 $f(x)$의 한 부정적분을 $F(x)$라고 하면

$$\int_a^b f(x)\,dx=\left[F(x)\right]_a^b=F(b)-F(a)$$

예 $\displaystyle\int_1^9 \sqrt{x}\,dx=\int_1^9 x^{\frac{1}{2}}\,dx=\left[\frac{2}{3}x^{\frac{3}{2}}\right]_1^9=18-\frac{2}{3}=\frac{52}{3}$

참고 · $\displaystyle\int_a^b f(x)\,dx=-\int_b^a f(x)\,dx$

· $\displaystyle\int_a^c f(x)\,dx+\int_c^b f(x)\,dx=\int_a^b f(x)\,dx$

◐ 그래프가 대칭인 함수의 정적분
함수 $f(x)$가 닫힌구간 $[-a,\ a]$에서 연속일 때
(1) $f(-x)=f(x)$이면 ◀ y축 대칭

$$\int_{-a}^a f(x)\,dx=2\int_0^a f(x)\,dx$$

(2) $f(-x)=-f(x)$이면 ◀ 원점 대칭

$$\int_{-a}^a f(x)\,dx=0$$

 2 다음 정적분의 값을 구하시오.

(1) $\displaystyle\int_1^2 \frac{1}{x}\,dx$

(2) $\displaystyle\int_{\frac{\pi}{6}}^{\frac{\pi}{4}} \csc x\cot x\,dx$

정답과 해설 48쪽

1 다음 부정적분을 구하시오.

(1) $\int \dfrac{x^2+2x-1}{x^2}\,dx$　　(2) $\int \dfrac{1+x}{\sqrt{x}}\,dx$

2 함수 $f(x)=\int \dfrac{x^5-2x+6}{x^4}\,dx$에 대하여 $f(1)=\dfrac{1}{2}$일 때, $f(-1)$의 값을 구하시오.

3 다음 부정적분을 구하시오.

(1) $\int e^{x+2}\,dx$　　(2) $\int \dfrac{9^x-1}{3^x-1}\,dx$

4 $\int \dfrac{e^{2x}-x^2}{e^x+x}\,dx=ae^x+bx^2+C$일 때, 상수 a, b에 대하여 $a+b$의 값을 구하시오. (단, C는 적분상수)

5 다음 부정적분을 구하시오.

(1) $\int \tan^2 x\,dx$　　(2) $\int \dfrac{\sin^2 x}{1+\cos x}\,dx$

6 함수 $f(x)=\int \dfrac{1+4\sin^2 x}{1-\cos^2 x}\,dx$에 대하여 $f\left(\dfrac{5}{4}\pi\right)-f\left(\dfrac{\pi}{4}\right)$의 값을 구하시오.

7 다음 정적분의 값을 구하시오.

(1) $\int_1^8 (\sqrt[3]{x}+1)(\sqrt[3]{x}-1)\,dx$

(2) $\int_{\frac{\pi}{6}}^{\frac{\pi}{3}} \dfrac{\sin^3 x+1}{\sin^2 x}\,dx$

8 $\int_0^1 (1+2^x)^2\,dx=a+\dfrac{b}{2\ln 2}$일 때, 정수 a, b에 대하여 ab의 값을 구하시오.

15강 치환적분법

1 치환적분법

(1) 치환적분법

미분가능한 함수 $g(t)$에 대하여 $x=g(t)$로 놓으면

$$\int f(x)\,dx=\int f(g(t))g'(t)\,dt$$

(2) $\dfrac{f'(x)}{f(x)}$ 꼴인 함수의 부정적분

$$\int \frac{f'(x)}{f(x)}\,dx=\ln |f(x)|+C$$

◉ 치환적분법으로 구한 부정적분은 그 결과를 처음의 변수로 바꾸어 나타낸다.

◉ $\displaystyle\int f(x)\,dx=F(x)+C$이면
$$\int f(ax+b)\,dx=\frac{1}{a}F(ax+b)+C$$
(단, $a\neq0$)

◉ $\dfrac{f'(x)}{f(x)}$ 꼴이 아닌 유리함수의 부정적분
① (분자의 차수)≥(분모의 차수)인 경우
  ➡ 분자를 분모로 나누어 몫과 나머지의 꼴로 나타내어 구한다.
② 분모가 인수분해되고,
  (분자의 차수)<(분모의 차수)인 경우
  ➡ 다음과 같이 간단한 유리함수의 합 또는 차로 나타내어 구한다.

$$\cdot\ \frac{1}{(x+a)(x+b)}=\frac{1}{b-a}\left(\frac{1}{x+a}-\frac{1}{x+b}\right)$$
(단, $a\neq b$)

$$\cdot\ \frac{px+q}{(x+a)(x+b)}=\frac{A}{x+a}+\frac{B}{x+b}$$

1 다음은 부정적분 $\displaystyle\int (3x+1)^4\,dx$를 구하는 과정이다. (개), (내), (대)에 들어갈 알맞은 것을 구하시오.

$3x+1=t$로 놓으면 $\dfrac{dt}{dx}=$ ㈎ 이므로

$$\int (3x+1)^4\,dx=\int \boxed{㈏}\times\frac{1}{3}\,dt=\frac{1}{3}\int \boxed{㈏}\,dt=\boxed{㈐}+C$$

2 치환적분법을 이용한 정적분

(1) 치환적분법을 이용한 정적분

닫힌구간 $[a,\ b]$에서 연속인 함수 $f(x)$에 대하여 미분가능한 함수 $x=g(t)$의 도함수 $g'(t)$가 닫힌구간 $[\alpha,\ \beta]$에서 연속이고, $a=g(\alpha)$, $b=g(\beta)$이면

$$\int_a^b f(x)\,dx=\int_\alpha^\beta f(g(t))g'(t)\,dt$$

(2) 삼각함수를 이용한 치환적분법

① $\dfrac{1}{\sqrt{a^2-x^2}}\ (a>0)$ 꼴: $x=a\sin\theta\left(-\dfrac{\pi}{2}<\theta<\dfrac{\pi}{2}\right)$로 치환하여 구한다.

② $\dfrac{1}{a^2+x^2}\ (a>0)$ 꼴: $x=a\tan\theta\left(-\dfrac{\pi}{2}<\theta<\dfrac{\pi}{2}\right)$로 치환하여 구한다.

◉ 치환적분법을 이용한 정적분에서는 적분 구간도 변함에 주의한다.

2 다음은 정적분 $\displaystyle\int_0^{\frac{\pi}{2}} \sin^3 x\cos x\,dx$의 값을 구하는 과정이다. (개)~(매)에 들어갈 알맞은 것을 구하시오.

$\sin x=t$로 놓으면 $\dfrac{dt}{dx}=$ ㈎ 이고, $x=0$일 때 $t=$ ㈏ , $x=\dfrac{\pi}{2}$일 때 $t=1$이므로

$$\int_0^{\frac{\pi}{2}} \sin^3 x\cos x\,dx=\int_0^1 \boxed{㈐}\,dt=\left[\boxed{㈑}\right]_0^1=\boxed{㈒}$$

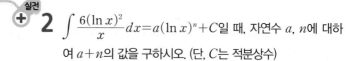
1 다음 부정적분을 구하시오.

(1) $\displaystyle\int e^{-3x+1}\,dx$ (2) $\displaystyle\int \frac{2x}{\sqrt{x^2+1}}\,dx$

실전

2 $\displaystyle\int \frac{6(\ln x)^2}{x}\,dx = a(\ln x)^n + C$일 때, 자연수 a, n에 대하여 $a+n$의 값을 구하시오. (단, C는 적분상수)

3 다음 부정적분을 구하시오.

(1) $\displaystyle\int \frac{x^2}{x^3+1}\,dx$ (2) $\displaystyle\int \frac{1}{x\ln x}\,dx$

실전

4 함수 $f(x) = \displaystyle\int \frac{e^x}{e^x-3}\,dx$에 대하여 $f(\ln 4)=2$일 때, 함수 $f(x)$를 구하시오.

5 다음 부정적분을 구하시오.

(1) $\displaystyle\int \frac{x^2-2x+3}{x-2}\,dx$ (2) $\displaystyle\int \frac{1}{x^2-1}\,dx$

실전

6 함수 $f(x) = \displaystyle\int \frac{3}{x^2-x-2}\,dx$에 대하여 $f(3)=0$일 때, $f(1)$의 값을 구하시오.

7 다음 정적분의 값을 구하시오.

(1) $\displaystyle\int_0^{\frac{\pi}{2}} \sin(2x-\pi)\,dx$ (2) $\displaystyle\int_1^2 x(x^2-2)^5\,dx$

실전

8 $\displaystyle\int_0^2 xe^{x^2}\,dx = ae^4 + b$일 때, 유리수 a, b에 대하여 $a+b$의 값을 구하시오.

9 다음 정적분의 값을 구하시오.

(1) $\displaystyle\int_0^{\sqrt{3}} \frac{1}{\sqrt{4-x^2}}\,dx$ (2) $\displaystyle\int_0^1 \frac{1}{x^2+1}\,dx$

실전

10 $\displaystyle\int_0^{\sqrt{3}} \frac{1}{x^2+9}\,dx = a\pi$일 때, 상수 a의 값을 구하시오.

16강 부분적분법

1 부분적분법

미분가능한 두 함수 $f(x)$, $g(x)$에 대하여

$$\int \underset{\text{그대로}}{\underbrace{f(x)}}\ \overset{\text{적분}}{\overbrace{g'(x)}}\,dx = \underset{\text{그대로}}{\underbrace{f(x)}}\ \overset{\text{그대로}}{\overbrace{g(x)}} - \int \overset{\text{미분}}{\overbrace{f'(x)}}\ \underset{}{\underbrace{g(x)}}\,dx$$

 $\{f(x)g(x)\}' = f'(x)g(x) + f(x)g'(x)$이므로

$$f(x)g(x) = \int f'(x)g(x)\,dx + \int f(x)g'(x)\,dx$$

$$\therefore \int f(x)g'(x)\,dx = f(x)g(x) - \int f'(x)g(x)\,dx$$

내공 UP
◈ 부분적분법을 이용할 때, 미분하여 그 결과가 간단히 되는 것을 $f(x)$로, 적분하기 쉬운 것을 $g'(x)$로 놓는다. 이때 $f(x)$는 로그함수 ➡ 다항함수 ➡ 지수·삼각함수의 순서로 선택하면 계산이 편리하다.

◈ 부분적분법을 여러 번 적용하여 부정적분을 구하는 경우도 있다.

확인문제

1 다음은 부정적분 $\int xe^x\,dx$를 구하는 과정이다. ㈎, ㈏, ㈐에 들어갈 알맞은 것을 구하시오.

> $f(x)=x$, $g'(x)=e^x$으로 놓으면 $f'(x)=1$, $g(x)=\boxed{\text{㈎}}$이므로
>
> $\int xe^x\,dx = \boxed{\text{㈏}} - \int e^x\,dx$
>
> $\qquad\quad = \boxed{\text{㈐}} + C$

2 부분적분법을 이용한 정적분

미분가능한 두 함수 $f(x)$, $g(x)$에 대하여 $f'(x)$, $g'(x)$가 닫힌구간 $[a, b]$에서 연속이면

$$\int_a^b f(x)g'(x)\,dx = \left[f(x)g(x)\right]_a^b - \int_a^b f'(x)g(x)\,dx$$

내공 UP
◈ 부분적분법을 이용한 정적분에서 적분 구간은 변하지 않는다.

확인문제

2 다음은 정적분 $\int_1^e x\ln x\,dx$의 값을 구하는 과정이다. ㈎, ㈏, ㈐에 들어갈 알맞은 것을 구하시오.

> $f(x)=\ln x$, $g'(x)=x$로 놓으면 $f'(x)=\boxed{\text{㈎}}$, $g(x)=\dfrac{1}{2}x^2$이므로
>
> $\int_1^e x\ln x\,dx = \left[\dfrac{1}{2}x^2\ln x\right]_1^e - \int_1^e \boxed{\text{㈎}} \times \dfrac{1}{2}x^2\,dx$
>
> $\qquad\qquad\quad = \dfrac{e^2}{2} - \left[\boxed{\text{㈏}}\right]_1^e$
>
> $\qquad\qquad\quad = \boxed{\text{㈐}}$

1 다음 부정적분을 구하시오.

(1) $\displaystyle\int (x-2)e^x\, dx$

(2) $\displaystyle\int x\sin 2x\, dx$

 2 함수 $f(x)=\displaystyle\int \ln(x+1)\, dx$에 대하여 $f(1)=2\ln 2$일 때, $f(3)$의 값은?

① $4\ln 2$　　② $4\ln 2+2$　　③ $8\ln 2-2$

④ $8\ln 2$　　⑤ $8\ln 2+2$

3 부정적분 $\displaystyle\int e^x\cos x\, dx$를 구하시오.

 4 함수 $f(x)$에 대하여 $f'(x)=e^x\sin x$이고 $f(0)=\dfrac{1}{2}$일 때, 함수 $f(x)$를 구하시오.

5 다음 정적분의 값을 구하시오.

(1) $\displaystyle\int_1^e \ln x\, dx$

(2) $\displaystyle\int_0^{\frac{\pi}{2}} (2x+1)\cos x\, dx$

6 정적분 $\displaystyle\int_0^1 x^2 e^x\, dx$의 값은?

① $e-2$　　② e　　③ $e+2$

④ $2e$　　⑤ $4e$

여러 가지 함수의 부정적분

 1 다음 부정적분을 구하시오.

(1) $\displaystyle\int \frac{3}{x^4}\,dx$

(2) $\displaystyle\int \sqrt[4]{x^3}\,dx$

(3) $\displaystyle\int \frac{x^3-5x-3}{x^3}\,dx$

(4) $\displaystyle\int \frac{\sqrt[3]{x}-x^2}{\sqrt{x}}\,dx$

2 다음 부정적분을 구하시오.

(1) $\displaystyle\int e^{x-3}\,dx$

(2) $\displaystyle\int (10^x-x^2)\,dx$

(3) $\displaystyle\int (3^x-2)^2\,dx$

(4) $\displaystyle\int \frac{25^x-4^x}{5^x+2^x}\,dx$

 3 다음 부정적분을 구하시오.

(1) $\displaystyle\int (\sin x+\cos x)\,dx$

(2) $\displaystyle\int (2-\sec^2 x)\,dx$

(3) $\displaystyle\int \cot^2 x\,dx$

(4) $\displaystyle\int \frac{\cos^2 x}{1-\sin x}\,dx$

 여러 가지 함수의 정적분

 4 다음 정적분의 값을 구하시오.

(1) $\displaystyle\int_1^3 \frac{1}{x^2}\,dx$

(2) $\displaystyle\int_1^4 \frac{x+\sqrt{x}-1}{\sqrt{x}}\,dx$

(3) $\displaystyle\int_{-1}^2 \frac{e^{2x}-1}{e^x+1}\,dx$

(4) $\displaystyle\int_{-\frac{\pi}{4}}^{\frac{\pi}{4}} \frac{1+2x\cos^2 x}{1-\sin^2 x}\,dx$

치환적분법

 5 다음 부정적분을 구하시오.

(1) $\displaystyle\int (3x-5)^6 dx$

(2) $\displaystyle\int \sin (1-2x)\, dx$

(3) $\displaystyle\int 4x\sqrt{x^2+2}\, dx$

(4) $\displaystyle\int \frac{(\ln x)^5}{x} dx$

 6 다음 부정적분을 구하시오.

(1) $\displaystyle\int \frac{3x^3+x}{x^4+x^2} dx$

(2) $\displaystyle\int \tan x\, dx$

(3) $\displaystyle\int \frac{2x^2+2x-4}{x+1} dx$

(4) $\displaystyle\int \frac{1}{x^2+x} dx$

 치환적분법을 이용한 정적분

 7 다음 정적분의 값을 구하시오.

(1) $\displaystyle\int_{-1}^{0} 3\sqrt{3x+4}\, dx$

(2) $\displaystyle\int_{0}^{1} x^2 e^{x^3-1}\, dx$

 부분적분법

 8 다음 부정적분을 구하시오.

(1) $\displaystyle\int 2xe^{-x}\, dx$

(2) $\displaystyle\int 4x\cos 2x\, dx$

(3) $\displaystyle\int \ln 2x\, dx$

(4) $\displaystyle\int (x^2+1)\sin x\, dx$

 부분적분법을 이용한 정적분

 9 다음 정적분의 값을 구하시오.

(1) $\displaystyle\int_{0}^{1} xe^{3x}\, dx$

(2) $\displaystyle\int_{1}^{e^2} (\ln x)^2\, dx$

14
15
16

1 함수 $f(x)=\displaystyle\int \frac{3x^4-2}{x^2}\,dx$에 대하여 $f(2)-f(1)$의 값은?

① 0   ② 2   ③ 4

④ 6   ⑤ 8

2 점 $(0,\,1)$을 지나는 곡선 $y=f(x)$ 위의 임의의 점 $(x,\,y)$에서의 접선의 기울기가 $\dfrac{4-e^{2x}}{2+e^x}$일 때, $f(\ln 2)$의 값은?

① $\ln 2-2$ ② $\ln 2$ ③ $2\ln 2$

④ $(\ln 2)^2$ ⑤ $2(\ln 2)^2$

3 부정적분 $\displaystyle\int \frac{1}{1-\cos x}\,dx$를 구하시오.

4 $\displaystyle\int_0^1 (3^x-1)(9^x+3^x+1)\,dx=\frac{a}{\ln 27}-b$일 때, 자연수 a, b에 대하여 $a-b$의 값은?

① 23   ② 24   ③ 25

④ 26   ⑤ 27

5 정적분 $\displaystyle\int_0^{\frac{\pi}{3}} (\cos x+\tan x)\sec x\,dx$의 값은?

① $\dfrac{\pi}{6}-1$ ② $\dfrac{\pi}{3}-\dfrac{1}{2}$ ③ $\dfrac{\pi}{6}+1$

④ $\dfrac{\pi}{3}+1$ ⑤ $\dfrac{\pi}{3}+2$

6 함수 $f(x)=2e^x+x^2e^{3x}$에 대하여 $\displaystyle\lim_{x\to 0}\frac{1}{x}\int_0^x f(t)\,dt$의 값을 구하시오.

7 함수 $f(x)$의 한 부정적분을 $F(x)$라고 할 때, 다음 중 $\displaystyle\int xf(x^2)\,dx$와 같은 것은? (단, C는 적분상수)

① $\dfrac{1}{4}F(x^2)+C$ ② $\dfrac{1}{2}F(x^2)+C$

③ $F(x^2)+C$ ④ $2F(x^2)+C$

⑤ $4F(x^2)+C$

8 함수 $f(x)$에 대하여 $f'(x)=(2x+1)^4$, $f(0)=1$일 때, $f(-1)$의 값을 구하시오.

9 함수 $f(x)=\displaystyle\int\frac{\cos(\ln x)}{x}dx$에 대하여 $f(1)=3$일 때, $f(\sqrt{e^{3\pi}})$의 값은?

① 2   ② 3   ③ 4

④ 5   ⑤ 6

✦출제유력
10 함수 $f(x)=\displaystyle\int\frac{3e^{2x}}{\sqrt{1+e^x}}dx$에 대하여 곡선 $y=f(x)$가 원점을 지날 때, $f(\ln 3)$의 값을 구하시오.

11 미분가능한 함수 $f(x)$에 대하여

$$\lim_{h\to 0}\frac{f(x+h)-f(x)}{h}=x\times 2^{x^2+1},\ f(0)=\frac{1}{\ln 2}$$

일 때, $f(1)$의 값은?

① $\dfrac{2}{\ln 2}$ ② $\dfrac{4}{\ln 2}$ ③ $\dfrac{6}{\ln 2}$

④ $\dfrac{8}{\ln 2}$ ⑤ $\dfrac{10}{\ln 2}$

12 $\displaystyle\int\frac{2x-1}{x+1}dx=ax+b\ln|x+1|+C$일 때, 상수 $a,\ b$에 대하여 $a-b$의 값을 구하시오. (단, C는 적분상수)

✦출제유력
13 정적분 $\displaystyle\int_1^e\frac{(\ln x)^2+\ln x}{x}dx$의 값은?

① $\dfrac{1}{2}$ ② $\dfrac{2}{3}$ ③ $\dfrac{3}{4}$

④ $\dfrac{4}{5}$ ⑤ $\dfrac{5}{6}$

14 $\displaystyle\int_0^1\frac{5x}{\sqrt{6x^2+2}}dx=\frac{q\sqrt{2}}{p}$일 때, 서로소인 두 자연수 $p,\ q$에 대하여 $p+q$의 값을 구하시오.

15 정적분 $\displaystyle\int_0^{\frac{\pi}{3}}\sin^3 x\,dx$의 값은?

① $\dfrac{1}{12}$ ② $\dfrac{1}{8}$ ③ $\dfrac{1}{6}$

④ $\dfrac{5}{24}$ ⑤ $\dfrac{5}{12}$

✦출제유력
16 정적분 $\displaystyle\int_1^2\frac{x-1}{x^2+3x}dx+\int_2^1\frac{x-4}{x^2+3x}dx$의 값은?

① $\ln\dfrac{2}{5}$ ② $\ln\dfrac{4}{5}$ ③ $\ln\dfrac{6}{5}$

④ $\ln\dfrac{8}{5}$ ⑤ $\ln 2$

14
15
16

17 $f(x)=\dfrac{x}{1+x^2}+\displaystyle\int_0^2 f(t)\,dt$를 만족하는 함수 $f(x)$에 대하여 $f(1)$의 값은?

① $-\dfrac{1}{2}$ ② $\dfrac{1-\ln 5}{2}$ ③ 0

④ $\dfrac{1}{2}$ ⑤ $\dfrac{1+\ln 5}{2}$

18 $\displaystyle\int_0^a \dfrac{1}{x^2+a^2}\,dx=\dfrac{\pi}{8}$를 만족하는 양수 a의 값을 구하시오.

19 함수 $f(x)=\displaystyle\int x\sec^2 x\,dx$에 대하여 $f(0)=-\dfrac{\pi}{4}$일 때, $f\left(\dfrac{\pi}{4}\right)$의 값을 구하시오.

20 $\displaystyle\int e^{2x}\sin x\,dx=e^{2x}(a\sin x+b\cos x)+C$일 때, 상수 a, b에 대하여 $10(a-b)$의 값을 구하시오.
(단, C는 적분상수)

21 곡선 $y=f(x)$ 위의 임의의 점 $(x,\,y)$에서의 접선의 기울기가 $(x^2-3)e^x$이고, $x=0$인 점에서의 접선의 방정식이 $y=-3x+1$일 때, $f(1)$의 값을 구하시오.

22 정적분 $\displaystyle\int_0^{\frac{\pi}{2}} x\cos 2x\,dx$의 값은?

① -1 ② $-\dfrac{1}{2}$ ③ $-\dfrac{1}{4}$

④ $\dfrac{1}{4}$ ⑤ $\dfrac{1}{2}$

23 $x>0$에서 연속인 함수 $f(x)$에 대하여 $\displaystyle\int_1^x \dfrac{f(t)}{t^2}\,dt=\dfrac{1}{2}(\ln x)^2$일 때, 정적분 $\displaystyle\int_1^{\sqrt{e}} f(x)\,dx$의 값은?

① $\dfrac{1}{4}$ ② $\dfrac{e-2}{2}$ ③ $\dfrac{1}{2}$

④ $\dfrac{e}{4}$ ⑤ $\dfrac{e+1}{4}$

⚜ 만점! 도전 문제

24 모든 실수 x에서 연속인 함수 $f(x)$에 대하여 $f(x)+f(4-x)=\pi \sin \dfrac{\pi}{4}x$일 때, 정적분 $\displaystyle\int_0^4 f(x)\,dx$의 값을 구하시오.

25 함수 $f(x)$에 대하여 $f'(x)=\dfrac{1}{(1+x^2)^4}$이고, 함수 $g(x)=x$에 대하여 $\displaystyle\int_0^1 f(x)g'(x)\,dx=\dfrac{3}{16}$일 때, $f(1)$의 값은?

① $\dfrac{1}{4}$ ② $\dfrac{1}{3}$ ③ $\dfrac{1}{2}$

④ 1 ⑤ 2

26 $n\geq 2$인 자연수 n에 대하여 $I_n=\displaystyle\int_0^{\frac{\pi}{4}} \cos^n x\,dx$라고 할 때, $4I_4-3I_2$의 값을 구하시오.

❀ 서술형 문제

27 정적분 $\displaystyle\int_{\sqrt{2}}^{\sqrt{5}} \sqrt{x^4-x^2}\,dx$의 값을 구하시오. [6점]

| 풀이 |

28 $x>0$에서 미분가능한 함수 $f(x)$의 한 부정적분 $F(x)$에 대하여
$$F(x)=xf(x)-\ln(x+1),\quad F(1)=-3\ln 2$$
일 때, 다음 물음에 답하시오.

(1) $f'(x)$를 구하시오. [2점]

| 풀이 |

(2) $f(2)$의 값을 구하시오. [5점]

| 풀이 |

29 자연수 n에 대하여 $a_n=\displaystyle\int_0^1 xe^{-nx}\,dx$라고 할 때, $\displaystyle\lim_{n\to\infty} n^2 a_n$의 값을 구하시오. [6점]

| 풀이 |

14
15
16

17강 정적분과 급수 / 넓이

1 정적분과 급수

(1) 함수 $f(x)$가 닫힌구간 $[a, b]$에서 연속일 때,
$$\lim_{n \to \infty} \sum_{k=1}^{n} f(x_k)\Delta x = \int_a^b f(x)\,dx$$
$$\left(\text{단, } \Delta x = \frac{b-a}{n},\ x_k = a + k\Delta x\right)$$

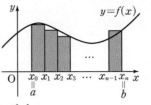

(2) 다음과 같이 급수의 합을 정적분을 이용하여 구할 수 있다.

① $\lim_{n \to \infty} \sum_{k=1}^{n} f\left(\dfrac{k}{n}\right) \times \dfrac{1}{n} = \displaystyle\int_0^1 f(x)\,dx$

② $\lim_{n \to \infty} \sum_{k=1}^{n} f\left(\dfrac{ak}{n}\right) \times \dfrac{a}{n} = \displaystyle\int_0^a f(x)\,dx$

③ $\lim_{n \to \infty} \sum_{k=1}^{n} f\left(a + \dfrac{pk}{n}\right) \times \dfrac{p}{n} = \displaystyle\int_a^{a+p} f(x)\,dx = \int_0^p f(a+x)\,dx$

> **내공 Up**
> 도형의 넓이나 부피를 구할 때, 주어진 도형을 작은 기본 도형으로 잘게 나누어 기본 도형의 넓이나 부피의 합의 극한값으로 구하는 방법을 구분구적법이라고 한다.

 확인문제 1 정적분과 급수의 합 사이의 관계를 이용하여 $\displaystyle\lim_{n \to \infty} \sum_{k=1}^{n} \left(\dfrac{2k}{n}\right)^3 \times \dfrac{2}{n}$의 값을 구하시오.

2 넓이

(1) **곡선과 좌표축 사이의 넓이**

① 함수 $f(x)$가 닫힌구간 $[a, b]$에서 연속일 때, 곡선 $y=f(x)$와 x축 및 두 직선 $x=a$, $x=b$로 둘러싸인 도형의 넓이 S는
$$S = \int_a^b |f(x)|\,dx$$

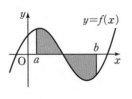

② 함수 $g(y)$가 닫힌구간 $[c, d]$에서 연속일 때, 곡선 $x=g(y)$와 y축 및 두 직선 $y=c$, $y=d$로 둘러싸인 도형의 넓이 S는
$$S = \int_c^d |g(y)|\,dy$$

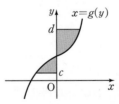

(2) **두 곡선 사이의 넓이**

두 함수 $f(x)$, $g(x)$가 닫힌구간 $[a, b]$에서 연속일 때, 두 곡선 $y=f(x)$, $y=g(x)$와 두 직선 $x=a$, $x=b$로 둘러싸인 도형의 넓이 S는
$$S = \int_a^b |f(x)-g(x)|\,dx$$

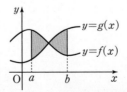

> **내공 Up**
> 곡선 $y=f(x)$와 x축 사이의 넓이를 구할 때, $f(x)$의 값이 양수인 구간과 음수인 구간으로 나누어 계산한다.

> **내공 Up**
> 두 곡선 $y=f(x)$, $y=g(x)$로 둘러싸인 도형의 넓이를 구할 때, $f(x)-g(x)$의 값이 양수인 구간과 음수인 구간으로 나누어 계산한다.

 확인문제 2 오른쪽 그림과 같이 $-\dfrac{\pi}{2} \leq x \leq \dfrac{\pi}{2}$에서 곡선 $y=\cos x$와 x축으로 둘러싸인 도형의 넓이를 구하시오.

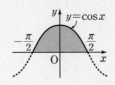

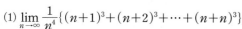
1 정적분과 급수의 합 사이의 관계를 이용하여 다음 극한값을 구하시오.

(1) $\displaystyle\lim_{n\to\infty}\frac{1}{n^4}\{(n+1)^3+(n+2)^3+\cdots+(n+n)^3\}$

(2) $\displaystyle\lim_{n\to\infty}\frac{6}{n}\left\{\left(4+\frac{2}{n}\right)^2+\left(4+\frac{4}{n}\right)^2+\cdots+\left(4+\frac{2n}{n}\right)^2\right\}$

2 정적분과 급수의 합 사이의 관계를 이용하여

$$\lim_{n\to\infty}\frac{2}{n}\left\{\ln\left(2+\frac{2}{n}\right)+\ln\left(2+\frac{4}{n}\right)+\ln\left(2+\frac{6}{n}\right)\right.$$
$$\left.+\cdots+\ln\left(2+\frac{2n}{n}\right)\right\}$$

의 값을 구하면?

① $2\ln 2-2$ ② $4\ln 2-2$ ③ $4\ln 2+2$
④ $6\ln 2-2$ ⑤ $6\ln 2+2$

3 다음 곡선과 직선으로 둘러싸인 도형의 넓이를 구하시오.

(1) $y=\sqrt{x}-1$, x축, $x=0$, $x=2$

(2) $y=\ln x$, y축, $y=-1$, $y=1$

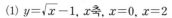

4 곡선 $y=\dfrac{1}{x-1}$에 대하여 이 곡선과 x축 및 두 직선 $x=2$, $x=e+1$로 둘러싸인 도형의 넓이를 S_1, 이 곡선과 y축 및 두 직선 $y=1$, $y=e$로 둘러싸인 도형의 넓이를 S_2라고 할 때, S_1+S_2의 값을 구하시오.

5 다음 곡선과 직선으로 둘러싸인 도형의 넓이를 구하시오.

(1) $0\le x\le\pi$에서 $y=\sin x$, $y=\cos x$, $x=0$, $x=\pi$

(2) $y=e^x$, $y=e^{2x}$, $x=-1$, $x=1$

6 $-\dfrac{\pi}{2}\le x\le\dfrac{\pi}{2}$에서 두 곡선 $y=\cos x$, $y=\sin 2x$로 둘러싸인 도형의 넓이는?

① 1 ② $\dfrac{5}{4}$ ③ $\dfrac{7}{4}$

④ 2 ⑤ $\dfrac{5}{2}$

18강 부피 / 속도와 거리

1 부피

닫힌구간 $[a,\ b]$의 임의의 점 x에서 x축에 수직인 평면으로 자른 단면의 넓이가 $S(x)$인 입체도형의 부피 V는

$$V=\int_a^b S(x)\,dx$$

(단, $S(x)$는 닫힌구간 $[a,\ b]$에서 연속)

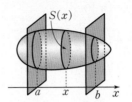

＋ 내공 UP

● x좌표가 x_k인 점을 지나고 x축에 수직인 평면으로 입체도형을 자른 단면의 넓이를 $S(x_k)$라고 하면
$$V=\lim_{n\to\infty}\sum_{k=1}^n S(x_k)\varDelta x$$
$$=\int_a^b S(x)\,dx$$
$\left(\text{단, } \varDelta x=\dfrac{b-a}{n},\ x_k=a+k\varDelta x\right)$

 1 다음은 정적분을 이용하여 밑면의 넓이가 S이고 높이가 h인 사각뿔의 부피를 구하는 과정이다. ⑺, ⑼, ⒟에 들어갈 알맞은 것을 구하시오.

오른쪽 그림과 같이 사각뿔의 꼭짓점을 원점 O, 꼭짓점에서 밑면에 내린 수선을 x축으로 정하자.
x좌표가 x인 점을 지나고 x축에 수직인 평면으로 사각뿔을 자른 단면의 넓이를 $S(x)$라고 하면

$$S(x):S=\boxed{\ ⑺\ }:h^2 \qquad \therefore S(x)=\boxed{\ ⑼\ }$$

따라서 구하는 부피는 $\displaystyle\int_0^h S(x)\,dx=\boxed{\ ⒟\ }$

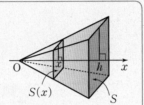

2 속도와 거리

＋ 내공 UP

(1) 직선 위의 점의 위치와 움직인 거리

수직선 위를 움직이는 점 P의 시각 t에서의 속도가 $v(t)$이고 시각 a에서의 위치가 x_0일 때, 시각 t에서의 점 P의 위치를 x, 시각 $t=a$에서 $t=b$까지 점 P가 움직인 거리를 s라고 하면

① $x=x_0+\displaystyle\int_a^t v(t)\,dt$ ② $s=\displaystyle\int_a^b |v(t)|\,dt$

● 시각 $t=a$에서 $t=b$까지 점 P의 위치의 변화량은
$$\int_a^b v(t)\,dt$$

(2) 좌표평면 위의 점이 움직인 거리

좌표평면 위를 움직이는 점 P의 시각 t에서의 위치가 $(x,\ y)$이고 $x=f(t)$, $y=g(t)$일 때, 시각 $t=a$에서 $t=b$까지 점 P가 움직인 거리를 s라고 하면

$$s=\int_a^b \sqrt{\left(\frac{dx}{dt}\right)^2+\left(\frac{dy}{dt}\right)^2}\,dt=\int_a^b \sqrt{\{f'(t)\}^2+\{g'(t)\}^2}\,dt$$

(3) 곡선의 길이

$x=a$에서 $x=b$까지의 곡선 $y=f(x)$의 길이를 l이라고 하면

$$l=\int_a^b \sqrt{1+\{f'(x)\}^2}\,dx$$

● 곡선 $y=f(x)\ (a\le x\le b)$는 점 P의 시각 t에서의 위치가 $(x,\ y)$일 때 $x=t,\ y=f(t)$로 나타낸 곡선이다.

 2 원점을 출발하여 수직선 위를 움직이는 점 P의 시각 t에서의 속도가 $v(t)=\sin \pi t$일 때, 다음을 구하시오.

(1) 시각 $t=2$에서 점 P의 위치

(2) 시각 $t=0$에서 $t=2$까지 점 P가 움직인 거리

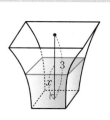
1 오른쪽 그림과 같이 높이가 3인 그릇이 있다. 그릇에 담긴 물의 깊이가 x일 때, 수면은 한 변의 길이가 $\sqrt{x^2+2}$인 정사각형이다. 이 그릇에 물을 가득 채웠을 때, 물의 부피를 구하시오.

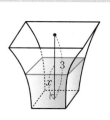

실전
2 곡선 $y=\tan x$와 직선 $x=\dfrac{\pi}{4}$ 및 x축으로 둘러싸인 도형을 밑면으로 하는 입체도형이 있다. 이 입체도형을 x축에 수직인 평면으로 자른 단면이 모두 정삼각형일 때, 이 입체도형의 부피를 구하시오.

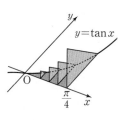

3 좌표평면 위를 움직이는 점 P의 시각 t에서의 위치 (x, y)가 다음과 같을 때, 시각 $t=1$에서 $t=3$까지 점 P가 움직인 거리를 구하시오.

(1) $x=2t^2$, $y=1-\dfrac{3}{2}t^2$

(2) $x=\dfrac{1}{3}t^3-2t-3$, $y=\sqrt{2}t^2+\sqrt{2}$

실전
4 좌표평면 위를 움직이는 점 P의 시각 t에서의 위치가 (x, y)이고, $x=e^t\cos t$, $y=e^t\sin t$일 때, 시각 $t=0$에서 $t=2$까지 점 P가 움직인 거리를 구하시오.

5 좌표평면 위의 다음 곡선에 대하여 $x=1$에서 $x=3$까지의 곡선의 길이를 구하시오.

(1) $y=\left(x-\dfrac{4}{9}\right)^{\frac{3}{2}}$ 　　(2) $y=\dfrac{1}{3}(x^2+2)^{\frac{3}{2}}$

실전
6 좌표평면 위의 곡선 $y=\dfrac{1}{4}x^2-\dfrac{1}{2}\ln x$에 대하여 $x=2$에서 $x=4$까지의 곡선의 길이를 구하시오.

1 다음은 곡선 $y=x^2$과 직선 $x=1$ 및 x축으로 둘러싸인 도형의 넓이 S를 구분구적법으로 구하는 과정이다. (가), (나), (다)에 들어갈 알맞은 것은?

오른쪽 그림과 같이 닫힌구간 $[0, 1]$을 n등분 하면 각 구간의 오른쪽 끝점의 x좌표는 차례로

$$\frac{1}{n}, \frac{2}{n}, \frac{3}{n}, \cdots, \frac{n}{n}(=1)$$

이고, 이에 대응하는 y의 값은 각각

$$\left(\frac{1}{n}\right)^2, \left(\frac{2}{n}\right)^2, \left(\frac{3}{n}\right)^2, \cdots, \left(\frac{n}{n}\right)^2$$

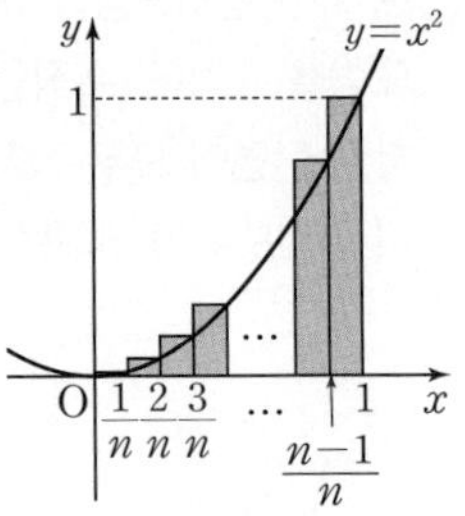

이때 색칠한 직사각형의 넓이의 합을 S_n이라고 하면

$$S_n=\frac{1}{n^3}\sum_{k=1}^{n} \boxed{\text{(가)}} = \frac{1}{6}\left(1+\frac{1}{n}\right)\left(\boxed{\text{(나)}}\right)$$

$$\therefore S=\lim_{n\to\infty} S_n = \boxed{\text{(다)}}$$

① (가) k　(나) $3+\frac{1}{n}$　(다) $\frac{1}{2}$

② (가) k^2　(나) $1+\frac{1}{n}$　(다) $\frac{1}{6}$

③ (가) k^2　(나) $2+\frac{1}{n}$　(다) $\frac{1}{3}$

④ (가) k^3　(나) $2+\frac{1}{n}$　(다) $\frac{1}{3}$

⑤ (가) k^3　(나) $4+\frac{1}{n}$　(다) $\frac{1}{6}$

2 다음 보기 중

$$\lim_{n\to\infty}\frac{(3n+1)^4+(3n+2)^4+\cdots+(3n+n)^4}{n^5}$$

을 정적분으로 나타낸 것으로 옳은 것만을 있는 대로 고르시오.

보기

ㄱ. $\int_3^4 x^4\,dx$　　　　ㄴ. $\int_0^1 (x+3)^4\,dx$

ㄷ. $\int_6^7 (x-3)^4\,dx$

3 함수 $f(x)=\dfrac{2x+1}{x^2+x}$에 대하여 $\displaystyle\lim_{n\to\infty}\sum_{k=1}^{n}\frac{1}{n}f\left(1+\frac{k}{n}\right)$의 값을 구하시오.

4 곡선 $y=e-e^x$과 x축 및 y축으로 둘러싸인 도형의 넓이를 구하시오.

5 곡선 $y=x\cos x\left(0\le x\le\frac{3}{2}\pi\right)$와 x축으로 둘러싸인 도형의 넓이는?

① $\pi-\frac{1}{2}$　　② $2\pi-3$　　③ $\frac{3}{2}\pi+1$

④ $\frac{5}{2}\pi-1$　　⑤ $3\pi-2$

출제유력
6 곡선 $y=\sqrt{2x-a}$와 x축 및 직선 $x=4$로 둘러싸인 도형의 넓이가 $\frac{8}{3}$일 때, 상수 a의 값을 구하시오. (단, $a<8$)

7 곡선 $y=\sin\dfrac{\pi}{2}x\,(0\leq x\leq 2)$와 직선 $y=x$로 둘러싸인 도형의 넓이를 구하시오.

8 두 곡선 $y=\dfrac{1}{x+1}$, $y=-\dfrac{2}{x-8}$와 y축으로 둘러싸인 도형의 넓이가 $\ln\dfrac{b}{a}$일 때, 서로소인 두 자연수 a, b에 대하여 $a+b$의 값을 구하시오.

9 곡선 $y=\sqrt{x}$와 직선 $y=ax$로 둘러싸인 도형의 넓이가 $\dfrac{4}{3}$일 때, 양수 a의 값을 구하시오.

10 두 곡선 $y=x^2\,(x\geq0)$, $y=\dfrac{1}{x}$ 및 직선 $y=4$로 둘러싸인 도형의 넓이를 구하시오.

🔶출제유력
11 곡선 $y=\ln x$와 원점에서 이 곡선에 그은 접선 및 x축으로 둘러싸인 도형의 넓이를 구하시오.

🔶출제유력
12 오른쪽 그림과 같이 곡선 $y=\sqrt{x}$와 y축 및 두 직선 $x=a\,(a>4)$, $y=2$로 둘러싸인 두 도형의 넓이가 서로 같을 때, 상수 a의 값을 구하시오.

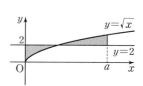

13 함수 $f(x)=\sqrt{4x-3}$의 역함수를 $g(x)$라고 할 때, 두 곡선 $y=f(x)$, $y=g(x)$로 둘러싸인 도형의 넓이를 구하시오.

14 오른쪽 그림과 같이 곡선 $y=\dfrac{3\ln x}{x}$와 직선 $x=a\,(a>1)$ 및 x축으로 둘러싸인 도형의 넓이를 $S(a)$라고 할 때, $\displaystyle\lim_{a\to1+}\dfrac{S(a)}{(a-1)^2}$의 값을 구하시오.

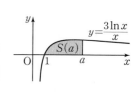

17
18

15 높이가 $\frac{\pi}{2}$인 어떤 그릇에 물을 넣으면 물의 깊이가 x일 때의 수면은 반지름의 길이가 $\sqrt{e^{\sin x}\cos x+1}$인 원이다. 이 그릇에 물을 가득 채웠을 때, 물의 부피는?

① $\pi(e-1)+\dfrac{1}{2}$ ② $\pi(e-1)+\dfrac{\pi^2}{2}$

③ $\pi e+2$ ④ $\pi e+\dfrac{\pi^2}{2}$

⑤ $\pi e+2\pi^2$

출제유력
16 곡선 $y=\sqrt{4\ln x}$와 직선 $x=e^2$ 및 x축으로 둘러싸인 도형을 밑면으로 하는 입체도형을 x축에 수직인 평면으로 자른 단면이 모두 정삼각형일 때, 이 입체도형의 부피를 구하시오.

17 곡선 $y=\dfrac{1}{2}x^2+2$와 직선 $y=4$로 둘러싸인 도형을 밑면으로 하는 입체도형을 y축에 수직인 평면으로 자른 단면이 모두 반원일 때, 이 입체도형의 부피는?

① 2π ② 3π ③ 4π
④ 5π ⑤ 6π

18 수직선 위를 움직이는 점 P의 시각 t에서의 속도가 $v(t)=\cos\dfrac{t}{2}$일 때, 점 P가 출발한 후 처음으로 운동 방향을 바꿀 때까지 움직인 거리를 구하시오.

19 좌표평면 위를 움직이는 점 P의 시각 t에서의 위치가 $(x,\ y)$이고, $x=\dfrac{1}{3}t^3-t+2$, $y=t^2+3$이다. 시각 $t=0$에서 $t=a$까지 점 P가 움직인 거리가 12일 때, 양수 a의 값을 구하시오.

20 좌표평면 위의 곡선 $y=\dfrac{e^x+e^{-x}}{2}$에 대하여 $x=0$에서 $x=3$까지의 곡선의 길이를 구하시오.

21 $0\le t\le1$에서 곡선 $x=1+2t^3$, $y=3t^2$의 길이는?

① $2\sqrt{2}-2$ ② $4\sqrt{2}-2$ ③ $2\sqrt{2}+2$
④ $4\sqrt{2}$ ⑤ $4\sqrt{2}+2$

✤ 만점! 도전 문제

22 곡선 $y=\cos x \left(0 \le x \le \dfrac{\pi}{2}\right)$와 x축 및 y축으로 둘러싸인 도형의 넓이를 곡선 $y=a \sin x$가 이등분할 때, 양수 a의 값을 구하시오.

23 오른쪽 그림과 같이 밑면의 반지름의 길이가 1이고 높이가 2인 원기둥이 있다. 이 원기둥을 밑면의 중심을 지나고 밑면과 $60°$의 각을 이루는 평면으로 자를 때 생기는 두 입체도형 중 작은 쪽의 부피를 구하시오.

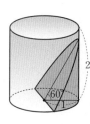

24 $x>0$에서 미분가능한 함수 $f(x)$에 대하여 곡선 $y=f(x)$ 위의 점 $(1, -4)$에서 곡선 위의 점 $(t, f(t))$ $(t>1)$까지의 곡선의 길이가 $2\sqrt{t}+f(t)+2$일 때, $f'(4)$의 값을 구하시오.

✤ 서술형 문제

25 다음 그림과 같이 곡선 $y=\dfrac{2x}{x^2+3}$와 직선 $y=\dfrac{1}{2}x$로 둘러싸인 도형의 넓이가 $a+2\ln b$일 때, 유리수 a, b에 대하여 ab의 값을 구하시오. [6점]

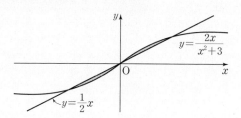

| 풀이 |

26 오른쪽 그림과 같이 곡선 $y=\log_2 x$와 x축 및 두 직선 $x=e$, $x=e^2$으로 둘러싸인 도형을 곡선 $y=\log_3 x$가 두 부분 A, B로 나눌 때, A, B의 넓이를 각각 S_A, S_B라고 하자. 이때 $\dfrac{S_B}{S_A}=\log_2 k$를 만족하는 상수 k의 값을 구하시오. [6점]

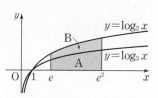

| 풀이 |

27 지름의 길이가 4인 반원을 밑면으로 하는 입체도형을 지름에 수직인 평면으로 자른 단면이 모두 정사각형일 때, 이 입체도형의 부피를 구하시오. [7점]

| 풀이 |

내공 점검

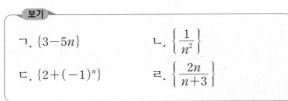

• 수열의 극한
• 수열의 극한의 대소 관계 / 등비수열의 극한

점수

／100점

1 다음 보기 중 수렴하는 수열인 것만을 있는 대로 고른 것은?
[7점]

보기
ㄱ. $\{3-5n\}$ ㄴ. $\left\{\dfrac{1}{n^2}\right\}$

ㄷ. $\{2+(-1)^n\}$ ㄹ. $\left\{\dfrac{2n}{n+3}\right\}$

① ㄱ, ㄷ   ② ㄴ, ㄹ   ③ ㄷ, ㄹ

④ ㄱ, ㄴ, ㄹ   ⑤ ㄱ, ㄴ, ㄷ, ㄹ

2 수열 $\{a_n\}$이 0이 아닌 실수에 수렴하고

$$a_n+\frac{4}{a_{n+1}}+4=0 \ (n=1, 2, 3, \cdots)$$

을 만족할 때, $\lim\limits_{n\to\infty}(a_n+6)$의 값은? [7점]

① -4 ② -2 ③ 1

④ 2   ⑤ 4

3 다음 중 극한값이 존재하지 <u>않는</u> 것은? [7점]

① $\lim\limits_{n\to\infty}\dfrac{n+3}{2n^2-1}$ ② $\lim\limits_{n\to\infty}\dfrac{(-1)^n}{2n+1}$

③ $\lim\limits_{n\to\infty}\dfrac{(n+1)^2}{n^2-3}$ ④ $\lim\limits_{n\to\infty}\dfrac{n}{\sqrt{n^2+4}}$

⑤ $\lim\limits_{n\to\infty}\dfrac{n\sqrt{n}}{3n+2}$

4 $\lim\limits_{n\to\infty}\dfrac{n^3}{1\times 2+2\times 3+3\times 4+\cdots+n(n+1)}$의 값은? [7점]

① $\dfrac{1}{3}$ ② $\dfrac{1}{2}$ ③ 1

④ 2   ⑤ 3

5 수열 $\{a_n\}$에 대하여 $\lim\limits_{n\to\infty}(2n+3)a_n=2$일 때,
$\lim\limits_{n\to\infty}(n+4)a_n$의 값은? [7점]

① 1   ② 2   ③ 3

④ 4   ⑤ 5

6 $\lim\limits_{n\to\infty}(\sqrt{n^2+an}+bn)=4$일 때, 상수 a, b에 대하여 $a+b$의 값은? [7점]

① 1   ② 3   ③ 5

④ 7   ⑤ 9

7 수열 $\{a_n\}$이 $n>2$인 모든 자연수 n에 대하여

$$2n^2-4n<a_n<2n^2+4n$$

을 만족할 때, $\lim\limits_{n\to\infty}\dfrac{n^2}{a_n}$의 값은? [7점]

① $\dfrac{1}{4}$ ② $\dfrac{1}{2}$ ③ 1

④ 2   ⑤ 4

8 등비수열
$$(x-1)(2x-1),\ (x-1)(2x-1)^2,\ (x-1)(2x-1)^3,\ \cdots$$
이 수렴하기 위한 실수 x의 값의 범위는? [7점]

① $0 \le x \le \dfrac{1}{2}$ ② $0 \le x < 1$

③ $0 < x \le 1$ ④ $\dfrac{1}{2} < x \le 2$

⑤ $1 < x \le 2$

9 두 수열 $\{a_n\}$, $\{b_n\}$에 대하여
$$\log_2 a_n = n,\ \log_3 b_n = n+1$$
일 때, $\displaystyle\lim_{n\to\infty}\dfrac{a_n - b_n}{a_n + b_n}$의 값은? [7점]

① -2 ② -1 ③ 0
④ 1 ⑤ 2

10 $r > 0$일 때, $\displaystyle\lim_{n\to\infty}\dfrac{r^{n+2}+2r+5}{r^n+1}=4$를 만족하는 모든 실수 r의 값의 합을 구하시오. [7점]

11 수열 $\{a_n\}$이 모든 자연수 n에 대하여
$$a_n > 0,\ \dfrac{a_{n+1}}{a_n} \le \dfrac{2}{3}$$
를 만족할 때, $\displaystyle\lim_{n\to\infty}\dfrac{4a_n + n + 3}{a_n + n + 2}$의 값을 구하시오. [7점]

12 수렴하는 수열 $\{a_n\}$에 대하여 이차방정식
$$x^2 + 2a_n x + a_{n+1} + 2 = 0$$
이 중근을 가질 때, $\displaystyle\lim_{n\to\infty} a_n$의 값을 구하시오. (단, $a_n > 0$)
[8점]

〔풀이〕

13 두 수열 $\{a_n\}$, $\{b_n\}$에 대하여
$$\lim_{n\to\infty} a_n = \infty,\ \lim_{n\to\infty}(2a_n - b_n) = 3$$
일 때, 다음 물음에 답하시오.

(1) $\displaystyle\lim_{n\to\infty}\dfrac{b_n}{a_n}$의 값을 구하시오. [4점]

〔풀이〕

(2) $\displaystyle\lim_{n\to\infty}\dfrac{a_n + 2b_n}{2a_n + b_n}$의 값을 구하시오. [3점]

〔풀이〕

14 두 등비수열 $\left\{\left(\dfrac{2x-1}{3}\right)^n\right\}$, $\left\{\left(\dfrac{\log_3 x}{2}\right)^n\right\}$이 모두 수렴하기 위한 정수 x의 개수를 구하시오. [8점]

〔풀이〕

03~04강 내공 점검

· 급수
· 등비급수

점수 　/100점

1 $\dfrac{3}{1^2\times 2^2}+\dfrac{5}{2^2\times 3^2}+\dfrac{7}{3^2\times 4^2}+\dfrac{9}{4^2\times 5^2}+\cdots$의 값은? [7점]

① $\dfrac{1}{5}$ 　　② $\dfrac{1}{4}$ 　　③ $\dfrac{1}{3}$

④ $\dfrac{1}{2}$ 　　⑤ 1

2 수열 $\{a_n\}$의 첫째항부터 제 n 항까지의 합 S_n이 $S_n=2n^2+5n$일 때, $\displaystyle\sum_{n=1}^{\infty}\dfrac{1}{a_n a_{n+1}}$의 값은? [7점]

① $\dfrac{1}{28}$ 　　② $\dfrac{1}{12}$ 　　③ $\dfrac{1}{7}$

④ $\dfrac{1}{4}$ 　　⑤ $\dfrac{1}{2}$

3 수열 $\{a_n\}$에 대하여 $\displaystyle\sum_{n=1}^{\infty}(4-2a_n)=3$일 때, $\displaystyle\lim_{n\to\infty}\dfrac{3a_n+2}{a_n+2}$의 값은? [7점]

① $\dfrac{7}{5}$ 　　② 2 　　③ 3

④ $\dfrac{17}{5}$ 　　⑤ 4

4 두 수열 $\{a_n\}$, $\{b_n\}$에 대하여 다음 보기 중 옳은 것만을 있는 대로 고르시오. [7점]

보기

ㄱ. $\displaystyle\lim_{n\to\infty}a_n=0$이면 $\displaystyle\sum_{n=1}^{\infty}a_n$은 수렴한다.

ㄴ. $\displaystyle\sum_{n=1}^{\infty}(a_n-2b_n)$과 $\displaystyle\sum_{n=1}^{\infty}b_n$이 모두 수렴하면 $\displaystyle\sum_{n=1}^{\infty}a_n$도 수렴한다.

ㄷ. $\displaystyle\sum_{n=1}^{\infty}(a_n-b_n)$이 수렴하면 $\displaystyle\lim_{n\to\infty}a_n=\lim_{n\to\infty}b_n=\alpha$ (α는 실수)이다.

5 다음 보기 중 수렴하는 급수인 것만을 있는 대로 고르시오. [7점]

보기

ㄱ. $1+3+5+7+9+11+\cdots$

ㄴ. $2-4+6-8+10-12+\cdots$

ㄷ. $5-\dfrac{5}{2}+\dfrac{5}{2^2}-\dfrac{5}{2^3}+\dfrac{5}{2^4}-\dfrac{5}{2^5}+\cdots$

6 등비급수 $1+\dfrac{x^2}{3}+\dfrac{x^4}{9}+\dfrac{x^6}{27}+\cdots$이 수렴하기 위한 정수 x의 개수를 구하시오. [7점]

7 이차방정식 $6x^2-5x+1=0$의 두 근을 α, β라고 할 때, $\displaystyle\sum_{n=1}^{\infty}(\alpha^n+\beta^n)$의 값을 구하시오. [7점]

8 수열 $\{a_n\}$에 대하여

$$a_1=2,\ a_{n+1}=(a_n^2+a_n\text{을 5로 나누었을 때의 나머지})$$

일 때, $\displaystyle\sum_{n=1}^{\infty}\frac{a_n}{3^n}$의 값을 구하시오. [7점]

9 각 항이 실수인 등비수열 $\{a_n\}$에 대하여 제2항이 $0.3\dot{5}$, 제5항이 $0.04\dot{4}$일 때, $\displaystyle\sum_{n=1}^{\infty}a_n$의 값은? [7점]

① $0.4\dot{5}$ ② $0.8\dot{4}$ ③ $0.\dot{8}\dot{4}$

④ $1.4\dot{2}$ ⑤ $1.\dot{4}\dot{2}$

10 다음 그림과 같이 원점 O를 A_0이라고 할 때, 점 A_0과 x축 위의 점 A_1, 제1사분면 위의 점 B_1을 꼭짓점으로 하고 넓이가 $\sqrt{3}$인 정삼각형 $A_0A_1B_1$을 그린다. 또 점 A_1과 x축 위의 점 A_2, 제1사분면 위의 점 B_2를 꼭짓점으로 하고 넓이가 $\dfrac{\sqrt{3}}{4}$인 정삼각형 $A_1A_2B_2$를 그린다. 이와 같은 과정을 반복하여 넓이가 $\dfrac{\sqrt{3}}{16}$인 정삼각형 $A_2A_3B_3$, 넓이가 $\dfrac{\sqrt{3}}{64}$인 정삼각형 $A_3A_4B_4$, $\cdots$를 그린다. 점 B_n의 x좌표를 x_n이라고 할 때, $\displaystyle\lim_{n\to\infty}x_n$의 값을 구하시오. [7점]

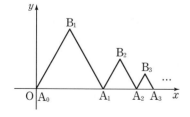

11 수열 $\{a_n\}$에 대하여 $\displaystyle\sum_{n=1}^{\infty}a_n=5$, $\displaystyle\lim_{n\to\infty}(2n-1)a_n=4$ 일 때, $\displaystyle\sum_{n=1}^{\infty}n(a_n-a_{n+1})$의 값을 구하시오. [10점]

〔풀이〕

12 두 등비수열 $\{a_n\}$, $\{b_n\}$에 대하여 $a_1=1$, $b_1=2$이고 $\displaystyle\sum_{n=1}^{\infty}(a_n+2b_n)=8$, $\displaystyle\sum_{n=1}^{\infty}(2a_n+b_n)=7$일 때, $\displaystyle\sum_{n=1}^{\infty}(a_n^2+b_n^2)$의 값을 구하시오. [10점]

〔풀이〕

13 오른쪽 그림과 같이 한 변의 길이가 2인 정사각형 ABCD의 각 변을 $1:m$으로 내분한 점을 이어서 정사각형 $A_1B_1C_1D_1$을 만든다. 또 정사각형 $A_1B_1C_1D_1$의 각 변을 $1:m$으로 내분한 점을 이어서 정사각형 $A_2B_2C_2D_2$를 만든다. 이와 같은 과정을 한없이 반복할 때, 정사각형 $A_nB_nC_nD_n$의 넓이를 S_n이라고 하자. $\displaystyle\sum_{n=1}^{\infty}S_n=\dfrac{20}{3}$일 때, 상수 m의 값을 구하시오.

(단, $m>1$) [10점]

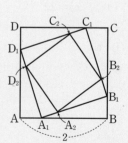

〔풀이〕

1 $\displaystyle\lim_{x\to\infty}\dfrac{2^{x+1}+5^{x+1}}{2^x-5^x}$의 값을 구하시오. [7점]

2 $\displaystyle\lim_{x\to2+}\{\ln(2x-4)-\ln(2x^2-5x+2)\}$의 값은? [7점]

① $-\ln 2$ ② $\ln\dfrac{2}{3}$ ③ 0

④ $\ln\dfrac{3}{2}$ ⑤ $\ln 2$

3 다음 보기 중 $\displaystyle\lim_{x\to\infty}\left(1+\dfrac{1}{x}\right)^{f(x)}$의 값이 존재하는 함수인 것만을 있는 대로 고른 것은? [7점]

ㄱ. $f(x)=2x$ ㄴ. $f(x)=\sqrt{2x}$
ㄷ. $f(x)=2x^2$

① ㄱ   ② ㄷ   ③ ㄱ, ㄴ
④ ㄴ, ㄷ   ⑤ ㄱ, ㄴ, ㄷ

4 자연수 n에 대하여 $f(n)=\displaystyle\lim_{x\to0}\dfrac{e^{2nx}-e^x}{x}$일 때, $\displaystyle\sum_{n=1}^{10}f(n)$의 값은? [7점]

① 81   ② 87   ③ 94
④ 100   ⑤ 106

5 $\displaystyle\lim_{x\to0}\dfrac{e^{6x}-ae^{3x}+1}{x\ln(1+2x)}=b$를 만족하는 상수 a, b에 대하여 $a+b$의 값은? [7점]

① $\dfrac{9}{2}$ ② 5 ③ $\dfrac{11}{2}$

④ 6 ⑤ $\dfrac{13}{2}$

6 오른쪽 그림과 같이 곡선 $y=e^{2x}-1$ 위의 점 P에서 x축에 내린 수선의 발을 H, 선분 PH가 직선 $y=\dfrac{1}{3}x$와 만나는 점을 Q라 하고, 삼각형 POQ와 삼각형 QOH의 넓이를 각각 S, T라고 하자. 점 P가 원점 O에 한없이 가까워질 때, $\dfrac{S}{T}$의 극한값을 구하시오.

(단, 점 P는 제1사분면 위의 점이다.) [7점]

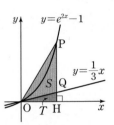

7 함수 $f(x)=2^x-e^{x-2}\ln x$에 대하여 $f'(2)$의 값은? [7점]

① $3\ln 2-1$ ② $3\ln 2-\dfrac{1}{2}$ ③ $3\ln 2$

④ $5\ln 2+\dfrac{1}{2}$ ⑤ $5\ln 2+1$

8 함수 $f(x)=x^{2n}e^x$에 대하여 수열 $\{a_n\}$의 일반항을

$$a_n=\lim_{h\to 0}\frac{f(1+h)-f(1-h)}{h}$$

라고 할 때, $\lim_{n\to\infty}\dfrac{a_n}{n}$의 값은? [7점]

① $\dfrac{e}{4}$ ② $\dfrac{e}{2}$ ③ e

④ $2e$ ⑤ $4e$

9 함수 $f(x)=e^x\ln 3x$에 대하여 $g(x)=\dfrac{f'(x)-f(x)}{e^x}$일

때, $g\Big(\dfrac{1}{2}\Big)$의 값은? [7점]

① $\dfrac{1}{6}$ ② $\dfrac{1}{2}$ ③ 1

④ 2 ⑤ 6

10 함수 $f(x)=(2x^2+ax)\ln x$의 도함수 $f'(x)$가

$\lim_{x\to 1}\dfrac{f'(x)}{x-1}=b$를 만족할 때, 상수 a, b에 대하여 $a+b$의 값

은? [7점]

① -2 ② 2 ③ 4

④ 8 ⑤ 12

11 $\lim_{x\to 1}x^{\frac{3}{x-1}}=e^a$일 때, 다음 물음에 답하시오.

(단, a는 상수)

(1) a의 값을 구하시오. [6점]

〔풀이〕

(2) $\lim_{x\to\infty}\Big(1+\dfrac{a}{x}\Big)^{ax}$의 값을 구하시오. [4점]

〔풀이〕

12 함수 $f(x)=\begin{cases} \dfrac{e^x+e^{-x}-a}{2x^2} & (x\neq 0) \\ b & (x=0) \end{cases}$ 가 모든 실수 x에

서 연속일 때, 상수 a, b에 대하여 ab의 값을 구하시오.

[10점]

〔풀이〕

13 함수 $f(x)=(x^3-4x+4)e^x$에 대하여 $f'(a)=0$을

만족하는 모든 실수 a의 값의 합을 구하시오. [10점]

〔풀이〕

07~08강 내공 점검
• 삼각함수의 덧셈정리
• 삼각함수의 극한과 미분

점수
／100점

1 $\sin\theta+\cos\theta=\dfrac{1}{2}$일 때, $\csc\theta+\sec\theta$의 값은? [7점]

① $-\dfrac{4}{3}$ ② $-\dfrac{2}{3}$ ③ $-\dfrac{1}{3}$

④ $\dfrac{1}{3}$ ⑤ 1

2 원점 O와 점 P(2, 1)에 대하여 직선 OP와 x축의 양의 방향이 이루는 예각의 크기를 θ라고 할 때, $\sqrt{10}\sin\left(\theta+\dfrac{\pi}{4}\right)$의 값을 구하시오. [7점]

3 방정식 $\tan x+3\cot x=\dfrac{15}{4}$의 두 근을 α, β라고 할 때, $\tan(\alpha+\beta)$의 값은? $\left(\text{단, }0<x<\dfrac{\pi}{2}\right)$ [7점]

① $-\dfrac{15}{4}$ ② $-\dfrac{15}{8}$ ③ 0

④ $\dfrac{15}{8}$ ⑤ $\dfrac{15}{4}$

4 두 직선 $y=x+2$, $y=3x-1$이 이루는 예각의 크기를 θ라고 할 때, $\tan\theta$의 값은? [7점]

① $\dfrac{1}{2}$ ② $\dfrac{\sqrt{3}}{3}$ ③ $\dfrac{\sqrt{2}}{2}$

④ $\sqrt{2}$ ⑤ $\sqrt{3}$

5 오른쪽 그림과 같이 $\overline{AB}=4$, $\overline{BC}=8$인 직사각형 ABCD가 있다. 변 BC의 중점을 P, 변 CD의 중점을 Q라 하고, $\angle PAQ=\theta$라고 할 때, $\tan\theta$의 값은? [7점]

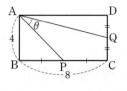

① $\dfrac{1}{3}$ ② $\dfrac{1}{2}$ ③ $\dfrac{3}{5}$

④ $\dfrac{\sqrt{2}}{2}$ ⑤ 1

6 $0<\theta<\pi$에서 $3\sin\theta-4\cos\theta=0$일 때, $50\sin 2\theta$의 값은? [7점]

① 46 ② 48 ③ 50

④ 52 ⑤ 54

7 함수 $f(x)=\cos 2x+4\cos x-3$의 최댓값을 M, 최솟값을 m이라고 할 때, $M-m$의 값은? [7점]

① -8 ② -3 ③ 3

④ 5 ⑤ 8

8 $\lim\limits_{x \to 2\pi} \dfrac{\sec x - 1}{\tan^2 x}$의 값은? [7점]

① $-\dfrac{1}{2}$ ② $-\dfrac{1}{4}$ ③ $\dfrac{1}{4}$

④ $\dfrac{1}{2}$ ⑤ 1

9 $\lim\limits_{x \to 0} \dfrac{2\sin x - \sin 2x}{x \sin^2 x}$의 값은? [7점]

① -2 ② -1 ③ 0
④ 1 ⑤ 2

10 $\lim\limits_{x \to 0} \dfrac{\sqrt{6x + a} + b}{\tan x} = \dfrac{3}{2}$을 만족하는 상수 a, b에 대하여 ab의 값은? [7점]

① -8 ② -6 ③ -4
④ 2 ⑤ 4

11 함수 $f(x) = e^x(\sin x + \cos x)$에 대하여 $f'(x) = g(x)$, $g'(x) = h(x)$라고 하면 $h(x) = af(x) + bg(x)$일 때, 상수 a, b에 대하여 $a + b$의 값은? [7점]

① 0 ② 1 ③ 2
④ 3 ⑤ 4

12 오른쪽 그림과 같이 점 P(2, a)를 중심으로 하고 점 H에서 x축에 접하며 y축과 두 점 F, G에서 만나는 원이 있다. 부채꼴 PGH의 넓이를 S, 삼각형 FGP의 넓이를 T라고 할 때, $\lim\limits_{a \to \infty} \dfrac{T}{S}$의 값을 구하시오. (단, $a > 2$) [8점]

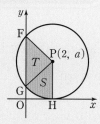

〔풀이〕

13 함수 $f(x) = \begin{cases} \sin 2x + x^2 \cos \dfrac{1}{x} & (x \neq 0) \\ 0 & (x = 0) \end{cases}$에 대하여 $f'(0)$의 값을 구하시오. [8점]

〔풀이〕

14 함수 $f(x) = (1 + \sin x)\cos x$에 대하여

$$\lim\limits_{h \to 0} \dfrac{f\left(\dfrac{\pi}{2} + h\right) - f\left(\dfrac{\pi}{2} - h\right)}{h}$$

의 값을 구하시오. [7점]

〔풀이〕

09~10강 내공 점검

- 여러 가지 미분법 (1)
- 여러 가지 미분법 (2)

점수

/100점

1 함수 $f(x)=\dfrac{3x+1}{x^2+1}$ 에 대하여 $\displaystyle\lim_{x\to-1}\dfrac{f(x)-f(-1)}{x+1}$ 의 값은? [7점]

① $\dfrac{1}{2}$ ② $\dfrac{3}{4}$ ③ 1

④ $\dfrac{5}{4}$ ⑤ $\dfrac{3}{2}$

2 함수 $f(x)=\dfrac{e^x}{\sin x-\cos x}$ 에 대하여 $f'(\theta)=0$ 을 만족하는 모든 θ 의 값의 합은? (단, $0\le\theta\le2\pi$) [7점]

① π ② $\dfrac{3}{2}\pi$ ③ 2π

④ $\dfrac{5}{2}\pi$ ⑤ 3π

3 함수 $f(x)=\dfrac{\ln(x+1)}{ax+b}$ 에 대하여 $f(2)=2\ln 3$,

$\displaystyle\lim_{h\to0}\dfrac{f(h)}{h}=-\dfrac{2}{3}$ 일 때, 상수 a, b에 대하여 $a+b$의 값을 구하시오. (단, $b\ne0$) [7점]

4 미분가능한 함수 $f(x)$에 대하여 $f(1)=-1$, $f'(1)=2$이다. 함수 $g(x)$가 $g(x)=\{1+2f(x)\}^3$일 때, $g'(1)$의 값을 구하시오. [7점]

5 두 함수 $f(x)=(1-x^2)^5$, $g(x)=\sec x$에 대하여 함수 $h(x)$를 $h(x)=f(g(x))$라고 할 때, $h'\left(\dfrac{\pi}{4}\right)$의 값은? [7점]

① -20 ② $-10\sqrt{2}$ ③ 0

④ $10\sqrt{2}$ ⑤ 20

6 미분가능한 함수 $f(x)$에 대하여

$\displaystyle\lim_{x\to0}\dfrac{f(1+e^{3x})-f(2)}{x}=12$일 때, $f'(2)$의 값은? [7점]

① -3 ② 0 ③ 2

④ 4 ⑤ 12

7 함수 $f(x)=\dfrac{3x(x-5)^2}{(x+2)^3}$일 때, $f'(x)=f(x)g(x)$를 만족하는 함수 $g(x)$에 대하여 $\displaystyle\lim_{x\to4}g(x)$의 값은? [7점]

① $-\dfrac{9}{4}$ ② $-\dfrac{4}{9}$ ③ $-\dfrac{2}{27}$

④ $\dfrac{1}{2}$ ⑤ $\dfrac{8}{3}$

8 매개변수 t로 나타낸 곡선 $x=t-\cos t$, $y=2t+\sin t$에 대하여 $\dfrac{dy}{dx}=1$이 되는 t의 값은? (단, $0<t<\pi$) [7점]

① $\dfrac{\pi}{6}$ ② $\dfrac{\pi}{4}$ ③ $\dfrac{\pi}{3}$

④ $\dfrac{\pi}{2}$ ⑤ $\dfrac{2}{3}\pi$

9 함수 $x=\ln(e^y+1)$에 대하여 $x=\ln 2$에서의 $\dfrac{dy}{dx}$의 값을 구하시오. [7점]

10 함수 $f(x)=x^3-x^2+x+a$의 역함수를 $g(x)$라고 할 때, 곡선 $y=g(x)$는 점 $(5,\ 2)$를 지난다. $g'(5)=b$일 때, 상수 a, b에 대하여 $b-a$의 값을 구하시오. [7점]

11 함수 $f(x)=x^2\sin\pi x$에 대하여 $f''(1)$의 값은? [7점]

① -8π ② -6π ③ -4π

④ 2π ⑤ π^2

12 미분가능한 함수 $f(x)$가 모든 실수 x에 대하여
$$f(2x-1)=x^4+x^2-4$$
를 만족할 때, $f'(-3)$의 값을 구하시오. [7점]

〔풀이〕

13 함수 $f(x)=\sqrt{\dfrac{(2+3x^2)^5}{(1+x^2)^3}}$일 때, $\dfrac{f'(1)}{f(1)}$의 값을 구하시오. [8점]

〔풀이〕

14 곡선 $x^2+y^2+xy-6x-2=0$에 대하여 $\dfrac{dy}{dx}=1$을 만족하는 서로 다른 두 점의 x좌표를 각각 α, β라고 할 때, $\alpha+\beta$의 값을 구하시오. [8점]

〔풀이〕

🍃 정답과 해설 72쪽

11~13강 **내공 점검**
- 접선의 방정식과 함수의 극대, 극소
- 변곡점과 함수의 그래프
- 방정식과 부등식에의 활용 / 속도와 가속도

점수 /100점

1 곡선 $y = \tan \dfrac{x}{4}$ 위의 점 $(\pi, 1)$에서의 접선의 x절편을 구하시오. [7점]

2 점 $(-2, 2)$에서 곡선 $y = \ln(x+2)$에 그은 접선과 x축 및 y축으로 둘러싸인 도형의 넓이는? [7점]

① $e^3 + \dfrac{1}{e^3} + 2$ ② $2e^3 + \dfrac{2}{e^3} + 2$ ③ $2e^3 + \dfrac{2}{e^3} + 4$

④ $4e^3 + \dfrac{4}{e^3} + 2$ ⑤ $4e^3 + \dfrac{4}{e^3} + 8$

3 함수 $f(x) = (x+1)^2 e^x$의 모든 극값의 합을 구하시오. [7점]

4 함수 $f(x) = e^{-x} \sin x \, (0 \le x \le \pi)$가 $x = a$에서 극댓값을 갖고, 곡선 $y = f(x)$의 변곡점의 x좌표가 b일 때, 상수 a, b에 대하여 $a + b$의 값은? [7점]

① $\dfrac{\pi}{2}$ ② $\dfrac{2}{3}\pi$ ③ $\dfrac{3}{4}\pi$

④ $\dfrac{5}{6}\pi$ ⑤ π

5 구간 (a, b)에서 곡선 $y = x^2 + 4\sin x$가 아래로 볼록할 때, 상수 a, b에 대하여 $b - a$의 최댓값은?

$\left(\text{단, } -\dfrac{\pi}{2} \le x \le \dfrac{\pi}{2}\right)$ [7점]

① $\dfrac{\pi}{3}$ ② $\dfrac{\pi}{2}$ ③ $\dfrac{2}{3}\pi$

④ $\dfrac{3}{4}\pi$ ⑤ $\dfrac{5}{6}\pi$

6 다음 보기 중 함수 $f(x) = x + \dfrac{4}{x}$의 그래프에 대한 설명으로 옳은 것만을 있는 대로 고른 것은? [7점]

> **보기**
> ㄱ. $x = 2$에서 극댓값을 갖는다.
> ㄴ. 변곡점을 갖지 않는다.
> ㄷ. y축은 점근선이다.

① ㄱ   ② ㄷ   ③ ㄱ, ㄴ

④ ㄴ, ㄷ   ⑤ ㄱ, ㄴ, ㄷ

7 $-3 \le x \le 3$에서 함수 $f(x) = x^2 - a + \ln(10 - x^2)$의 최댓값과 최솟값의 합이 $\ln 10$일 때, 상수 a의 값은? [7점]

① $\dfrac{5}{2}$ ② 3 ③ $\dfrac{7}{2}$

④ 4 ⑤ $\dfrac{9}{2}$

8 방정식 $2x - x \ln x - a = 0$이 실근을 갖도록 하는 자연수 a의 개수는? [7점]

① 1   ② 2   ③ 3

④ 4   ⑤ 5

9 $x > 0$일 때, 부등식 $\dfrac{1}{x} + 3 \geq a \ln \dfrac{3x+1}{2x}$이 항상 성립하도록 하는 상수 a의 최댓값은? [7점]

① $\dfrac{1}{e}$ ② $\dfrac{2}{e}$ ③ 1

④ e ⑤ $2e$

10 좌표평면 위를 움직이는 점 P의 시각 t에서의 위치가 (x, y)이고 $x = \sin t$, $y = 2t - \cos t$이다. 점 P의 속력이 최대일 때, 점 P의 가속도는? (단, $0 \leq t \leq 2\pi$) [7점]

① $(-1, -1)$ ② $(-1, 0)$ ③ $(-1, 1)$

④ $(1, -1)$ ⑤ $(1, 1)$

11 곡선 $y = \sqrt{2x+5}$와 직선 $y = \dfrac{1}{3}x + a$가 서로 접할 때, 상수 a의 값을 구하시오. [10점]

〔풀이〕

12 함수 $f(x) = \dfrac{bx}{x^2 + a}$가 $x = -2$에서 극값을 갖고, 곡선 $y = f(x)$가 점 $(1, 1)$을 지날 때, 다음 물음에 답하시오.

(단, a, b는 상수)

(1) a, b의 값을 구하시오. [5점]

〔풀이〕

(2) 곡선 $y = f(x)$의 변곡점의 개수를 구하시오. [5점]

〔풀이〕

13 곡선 $y = 2\sqrt{2x+1}$과 직선 $y = 2x + a$가 서로 다른 두 점에서 만날 때, 상수 a의 값의 범위를 구하시오. [10점]

〔풀이〕

정답과 해설 75쪽

14~16강 **내공 점검**
- 여러 가지 함수의 적분
- 치환적분법
- 부분적분법

점수 ／100점

1 함수 $f(x)=\int \dfrac{\sqrt[3]{x}+2}{x}\,dx$에 대하여 $f(1)=-3$일 때, $f(8)$의 값은? [7점]

① $2\ln 2$ ② $3\ln 2$ ③ $4\ln 2$
④ $5\ln 2$ ⑤ $6\ln 2$

2 정적분 $\displaystyle\int_{\frac{\pi}{4}}^{\frac{\pi}{3}} \dfrac{1}{\sin^2 x \cos^2 x}\,dx$의 값은? [7점]

① $\dfrac{1}{3}$ ② $\dfrac{\sqrt{3}}{3}$ ③ $\dfrac{2}{3}$
④ $\dfrac{2\sqrt{3}}{3}$ ⑤ $\sqrt{3}$

3 $f(x)=e^{x-2}+\displaystyle\int_2^4 f(t)\,dt$를 만족하는 함수 $f(x)$에 대하여 $f(4)$의 값을 구하시오. [7점]

4 점 $(0,\,1)$을 지나는 곡선 $y=f(x)$ 위의 임의의 점 $(x,\,y)$에서의 접선의 기울기가 $\dfrac{4x}{\sqrt{x^2+1}}$일 때, $f(\sqrt{3})$의 값은? [7점]

① 4 ② 5 ③ 6
④ 7 ⑤ 8

5 함수 $f(x)$에 대하여
$$f'(x)=\dfrac{4}{4x^2+8x+3},\ f(0)=-\ln 3$$
일 때, $f\left(\dfrac{1}{2}\right)$의 값은? [7점]

① $-2\ln 2$ ② $-\ln 2$ ③ 0
④ $\ln 2$ ⑤ $2\ln 2$

6 정적분 $\displaystyle\int_0^{2\pi} |\sin 3x|\,dx$의 값은? [7점]

① $\dfrac{8}{3}$ ② 4 ③ $\dfrac{14}{3}$
④ 5 ⑤ $\dfrac{16}{3}$

7 정적분 $\displaystyle\int_0^{\frac{\pi}{2}} \dfrac{\cos x}{(1+\sin x)^2}\,dx+\int_0^{\frac{\pi}{2}} \dfrac{\sin x \cos x}{(1+\sin x)^2}\,dx$의 값을 구하시오. [7점]

8 정적분 $\displaystyle\int_0^{\frac{1}{2}} \dfrac{6}{\sqrt{1-x^2}}\,dx$의 값을 구하시오. [7점]

9 함수 $f(x)=\displaystyle\int 3x^2\ln x\,dx$에 대하여 $f(1)=-\dfrac{1}{3}$일 때, $f(e^2)$의 값은? [7점]

① $\dfrac{7}{6}e^4$ ② $\dfrac{4}{3}e^4$ ③ $\dfrac{5}{3}e^6$

④ $2e^6$ ⑤ $\dfrac{7}{3}e^6$

10 미분가능한 함수 $f(x)$에 대하여
$$\frac{d}{dx}e^{f(x)}=xe^{2x+f(x)},\ f(0)=-\frac{1}{4}$$
일 때, $f(1)$의 값은? [7점]

① $\dfrac{e^2}{4}$ ② $\dfrac{e^2}{2}$ ③ e^2

④ $2e^2$ ⑤ $4e^2$

11 모든 실수 x에서 연속인 함수 $f(x)$에 대하여
$\displaystyle\int_0^x \frac{f(t)}{e^t}dt=2\sin x$일 때, 정적분 $\displaystyle\int_0^\pi f(x)\,dx$의 값은?

[7점]

① $-2e^\pi$ ② $-e^\pi-2$ ③ $-e^\pi-1$
④ $e^\pi-2$ ⑤ $2e^\pi-1$

12 함수 $f(x)=\displaystyle\int (3e^{3x}+6e^{-3x})\,dx$에 대하여
$f(1)-f(-1)=ae^3+be^{-3}$일 때, 유리수 a, b에 대하여
$a-b$의 값을 구하시오. [7점]

〔풀이〕

13 함수 $f(x)=\displaystyle\int_2^x \frac{4t}{t^2+4}dt$가 $x=a$에서 극솟값 b를 가질 때, $a-b$의 값을 구하시오. [8점]

〔풀이〕

14 $x>0$에서 미분가능한 함수 $f(x)$에 대하여
$$\int f(x)\,dx=xf(x)+x^2e^x,\ f(2)=-3e^2+2$$
일 때, $f(1)$의 값을 구하시오. [8점]

〔풀이〕

정답과 해설 77쪽

17~18강 내공 점검

· 정적분과 급수 / 넓이
· 부피 / 속도와 거리

점수 /100점

1 함수 $f(x)=3x^2-2x$에 대하여
$$\lim_{n\to\infty}\frac{1}{n}\left\{f\left(1+\frac{2}{n}\right)+f\left(1+\frac{4}{n}\right)+\cdots+f\left(1+\frac{2n}{n}\right)\right\}$$
의 값을 구하시오. [7점]

2 $\lim\limits_{n\to\infty}\frac{1}{\sqrt{n}}\left(\dfrac{1}{\sqrt{n+1}}+\dfrac{1}{\sqrt{n+2}}+\dfrac{1}{\sqrt{n+3}}+\cdots+\dfrac{1}{\sqrt{n+n}}\right)$의
값을 구하시오. [7점]

3 곡선 $y=1+\ln x$와 x축 및 직선 $x=e$로 둘러싸인 도형의
넓이는? [7점]

① $e-1$ ② $e-\dfrac{1}{e}$ ③ e

④ $e+\dfrac{1}{e}$ ⑤ $e+1$

4 $0\le x\le\dfrac{3}{2}\pi$에서 두 곡선 $y=1+\sin x$, $y=\cos x$로 둘러
싸인 도형이 x축에 의하여 나누어지는 두 부분의 넓이의 차를
구하시오. [7점]

5 $0\le x<2\pi$에서 정의된 함수 $f(x)=\tan\dfrac{x}{4}$의 역함수를
$g(x)$라고 할 때, 곡선 $y=g(x)$와 x축 및 직선 $x=1$로 둘러
싸인 도형의 넓이는? [7점]

① $\pi-2\ln 2$ ② $\pi-\ln 3$ ③ $\pi-\ln 2$

④ $2\pi-2\ln 2$ ⑤ $2\pi-\ln 3$

6 곡선 $y=\sqrt{4x+4}$와 x축 및 직선 $y=x-2$로 둘러싸인 도형
의 넓이는? [7점]

① 12 ② 18 ③ 24

④ 30 ⑤ 36

7 높이가 $4\,\mathrm{cm}$인 입체도형을 밑면으로부터의 높이가 $x\,\mathrm{cm}$인
지점에서 밑면에 평행한 평면으로 자른 단면의 넓이가
$a\sqrt{4-x}\,\mathrm{cm^2}$이다. 이 입체도형의 부피가 $16\,\mathrm{cm^3}$일 때, 상수
a의 값은? [7점]

① $\dfrac{3}{2}$ ② 2 ③ $\dfrac{5}{2}$

④ 3 ⑤ $\dfrac{7}{2}$

8 높이가 $\dfrac{\pi}{4}$인 어떤 용기에 물을 넣으면 물의 깊이가 x일 때의 수면은 한 변의 길이가 $2\sqrt{\sin 2x}$인 정육각형 모양이다. 이 용기의 부피는? [7점]

① $2\sqrt{3}$ ② $3\sqrt{3}$ ③ $4\sqrt{3}$
④ $5\sqrt{3}$ ⑤ $6\sqrt{3}$

9 좌표평면 위를 움직이는 점 P의 시각 $t\,(t>0)$에서의 위치가 $(x,\ y)$이고 $x=2\ln t$, $y=t+\dfrac{1}{t}$이다. 점 P의 속력이 $\dfrac{5}{4}$인 시각을 $t=a$라고 할 때, 시각 $t=a$에서 $t=4$까지 점 P가 움직인 거리는? (단, $0<a<4$) [7점]

① $\dfrac{5}{4}$ ② $\dfrac{3}{2}$ ③ $\dfrac{7}{4}$
④ 2 ⑤ $\dfrac{9}{4}$

10 곡선 $y=\dfrac{1}{12}x^3+\dfrac{1}{x}$에 대하여 $x=1$에서 $x=2$까지의 곡선의 길이는? [7점]

① $\dfrac{3}{4}$ ② $\dfrac{5}{6}$ ③ $\dfrac{11}{12}$
④ $\dfrac{13}{12}$ ⑤ $\dfrac{7}{6}$

11 $\displaystyle\lim_{n\to\infty}\dfrac{\pi}{n^2}\sum_{k=1}^{n}k\cos\dfrac{k}{n}\pi$의 값을 구하시오. [10점]

〔풀이〕

12 오른쪽 그림과 같이 곡선 $y=\sqrt[3]{x}\ (x\ge0)$ 위의 점 P에서의 접선과 y축의 교점을 Q라 하고, 점 P에서 x축, y축에 내린 수선의 발을 각각 A, B라고 하자. 곡선 $y=\sqrt[3]{x}$와 x축 및 직선 AP로 둘러싸인 도형의 넓이를 S_1, 삼각형 PBQ의 넓이를 S_2라고 할 때, $\dfrac{S_2}{S_1}$의 값을 구하시오. [10점]

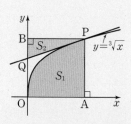

〔풀이〕

13 곡선 $y=e^x$과 원점에서 이 곡선에 그은 접선 및 y축으로 둘러싸인 도형을 밑면으로 하는 입체도형을 x축에 수직인 평면으로 자른 단면이 모두 정사각형일 때, 이 입체도형의 부피를 구하시오. [10점]

〔풀이〕

memo

2015
개정 교육과정

내공의 힘

핵심만 빠르게~ 단기간에
내신 공부의 힘을
키운다

정답과 해설 과학고

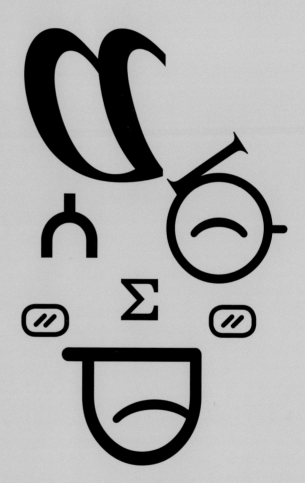

미적분

visang

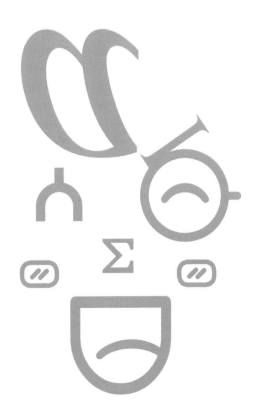

확인 문제 p.6

1 (1) 수렴   (2) 발산

2 (1) $\lim\limits_{n\to\infty}(a_n+b_n)=\lim\limits_{n\to\infty}a_n+\lim\limits_{n\to\infty}b_n$
$$=-2+5=3$$

(2) $\lim\limits_{n\to\infty}(2a_n-b_n)=2\lim\limits_{n\to\infty}a_n-\lim\limits_{n\to\infty}b_n$
$$=2\times(-2)-5=-9$$

(3) $\lim\limits_{n\to\infty}3a_nb_n=3\lim\limits_{n\to\infty}a_n\times\lim\limits_{n\to\infty}b_n$
$$=3\times(-2)\times5=-30$$

(4) $\lim\limits_{n\to\infty}\dfrac{5a_n}{b_n}=\dfrac{5\lim\limits_{n\to\infty}a_n}{\lim\limits_{n\to\infty}b_n}=\dfrac{5\times(-2)}{5}=-2$

교/과/서/속 **핵심유형+ 실전 문제** p.7

1 (1) 주어진 수열의 일반항을
$a_n=\dfrac{n-2}{n}$라고 하면 오른쪽
그림과 같이 n의 값이 한없이
커질 때, a_n의 값은 1에 한없
이 가까워지므로 주어진 수열은 수렴하고, 그 극한값은
1이다.

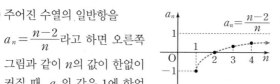

(2) 주어진 수열의 일반항을
$a_n=(-1)^n\times\dfrac{n}{5}$이라고 하면
오른쪽 그림과 같이 n의 값이
한없이 커질 때, a_n의 절댓값
은 한없이 커지고 그 부호는
양과 음이 교대로 나타나므로 주어진 수열은 발산(진동)
한다.

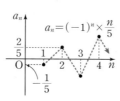

2 ㄱ. 주어진 수열의 일반항을
$a_n=\dfrac{n-3}{4}$이라고 하면 오른
쪽 그림과 같이 n의 값이 한
없이 커질 때, a_n의 값은 한
없이 커지므로 주어진 수열은 발산한다.

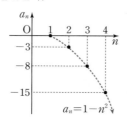

ㄴ. 주어진 수열의 일반항을
$a_n=1-n^2$이라고 하면 오른
쪽 그림과 같이 n의 값이 한
없이 커질 때, a_n의 값은 한
없이 작아지므로 주어진 수열
은 발산한다.

ㄷ. 주어진 수열의 일반항을
$a_n=\dfrac{n}{n+1}$이라고 하면 오른
쪽 그림과 같이 n의 값이 한
없이 커질 때, a_n의 값은 1에
한없이 가까워지므로 주어진 수열은 수렴하고, 그 극한
값은 1이다.

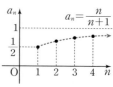

ㄹ. 주어진 수열의 일반항을
$a_n=1+\left(\dfrac{1}{3}\right)^n$이라고 하면
오른쪽 그림과 같이 n의 값
이 한없이 커질 때, a_n의 값
은 1에 한없이 가까워지므로
주어진 수열은 수렴하고, 그 극한값은 1이다.

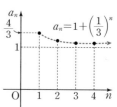

따라서 보기 중 발산하는 수열은 ㄱ, ㄴ이다.

3 (1) $\lim\limits_{n\to\infty}\dfrac{4n}{2n^2+n-2}=\lim\limits_{n\to\infty}\dfrac{\dfrac{4}{n}}{2+\dfrac{1}{n}-\dfrac{2}{n^2}}=0$ (수렴)

(2) $\lim\limits_{n\to\infty}\dfrac{3n^2-5n+1}{5n^2+2}=\lim\limits_{n\to\infty}\dfrac{3-\dfrac{5}{n}+\dfrac{1}{n^2}}{5+\dfrac{2}{n^2}}=\dfrac{3}{5}$ (수렴)

(3) $\lim\limits_{n\to\infty}\dfrac{(3n-4)(2n+3)}{(2n+1)(n-1)}=\lim\limits_{n\to\infty}\dfrac{6n^2+n-12}{2n^2-n-1}$
$$=\lim\limits_{n\to\infty}\dfrac{6+\dfrac{1}{n}-\dfrac{12}{n^2}}{2-\dfrac{1}{n}-\dfrac{1}{n^2}}$$
$$=\dfrac{6}{2}=3 \text{ (수렴)}$$

(4) $\lim\limits_{n\to\infty}\dfrac{2n^3}{4n^2-16n+15}=\lim\limits_{n\to\infty}\dfrac{2n}{4-\dfrac{16}{n}+\dfrac{15}{n^2}}=\infty$ (발산)

4 $1^2+2^2+3^2+\cdots+n^2=\displaystyle\sum_{k=1}^{n}k^2=\dfrac{n(n+1)(2n+1)}{6}$이므로
$\lim\limits_{n\to\infty}\dfrac{n^3+n-3}{1^2+2^2+3^2+\cdots+n^2}=\lim\limits_{n\to\infty}\dfrac{n^3+n-3}{\dfrac{n(n+1)(2n+1)}{6}}$
$$=\lim\limits_{n\to\infty}\dfrac{6+\dfrac{6}{n^2}-\dfrac{18}{n^3}}{\left(1+\dfrac{1}{n}\right)\left(2+\dfrac{1}{n}\right)}$$
$$=\dfrac{6}{2}=3$$
따라서 구하는 값은 ④이다.

5 (1) $\lim\limits_{n\to\infty}(\sqrt{n^2-5n}-n)$
$$=\lim\limits_{n\to\infty}\dfrac{(\sqrt{n^2-5n}-n)(\sqrt{n^2-5n}+n)}{\sqrt{n^2-5n}+n}$$
$$=\lim\limits_{n\to\infty}\dfrac{-5n}{\sqrt{n^2-5n}+n}=\lim\limits_{n\to\infty}\dfrac{-5}{\sqrt{1-\dfrac{5}{n}}+1}=-\dfrac{5}{2}$$

(2) $\displaystyle\lim_{n\to\infty}\dfrac{2}{\sqrt{4n^2-n}-2n}$

$=\displaystyle\lim_{n\to\infty}\dfrac{2(\sqrt{4n^2-n}+2n)}{(\sqrt{4n^2-n}-2n)(\sqrt{4n^2-n}+2n)}$

$=\displaystyle\lim_{n\to\infty}\dfrac{2(\sqrt{4n^2-n}+2n)}{-n}$

$=\displaystyle\lim_{n\to\infty}\dfrac{2\left(\sqrt{4-\dfrac{1}{n}}+2\right)}{-1}=\dfrac{2\times4}{-1}=-8$

6 $\displaystyle\lim_{n\to\infty}\dfrac{\sqrt{n+1}-\sqrt{n}}{\sqrt{n+4}-\sqrt{n+3}}$

$=\displaystyle\lim_{n\to\infty}\dfrac{(\sqrt{n+1}-\sqrt{n})(\sqrt{n+1}+\sqrt{n})(\sqrt{n+4}+\sqrt{n+3})}{(\sqrt{n+4}-\sqrt{n+3})(\sqrt{n+4}+\sqrt{n+3})(\sqrt{n+1}+\sqrt{n})}$

$=\displaystyle\lim_{n\to\infty}\dfrac{\sqrt{n+4}+\sqrt{n+3}}{\sqrt{n+1}+\sqrt{n}}$

$=\displaystyle\lim_{n\to\infty}\dfrac{\sqrt{1+\dfrac{4}{n}}+\sqrt{1+\dfrac{3}{n}}}{\sqrt{1+\dfrac{1}{n}}+\sqrt{1}}=\dfrac{2}{2}=1$

02강 수열의 극한의 대소 관계/ 등비수열의 극한

확인 문제 p.8

1 (1) $\displaystyle\lim_{n\to\infty}\left(5-\dfrac{1}{n}\right)=5$, $\displaystyle\lim_{n\to\infty}\left(5+\dfrac{1}{n}\right)=5$이므로

$\displaystyle\lim_{n\to\infty}a_n=5$

(2) $\displaystyle\lim_{n\to\infty}\dfrac{n+1}{n}=\lim_{n\to\infty}\left(1+\dfrac{1}{n}\right)=1$,

$\displaystyle\lim_{n\to\infty}\dfrac{n+4}{n}=\lim_{n\to\infty}\left(1+\dfrac{4}{n}\right)=1$이므로

$\displaystyle\lim_{n\to\infty}a_n=1$

2 (1) 주어진 등비수열의 공비는 $\dfrac{1}{7}$이고, $-1<\dfrac{1}{7}<1$이므로 수렴하고, 그 극한값은 0이다.

(2) 주어진 등비수열의 공비는 $\sqrt{5}$이고 $\sqrt{5}>1$이므로 발산한다.

(3) 주어진 등비수열의 공비는 $-\dfrac{4}{9}$이고 $-1<-\dfrac{4}{9}<1$이므로 수렴하고, 그 극한값은 0이다.

(4) 주어진 등비수열의 공비는 $-\dfrac{5}{2}$이고 $-\dfrac{5}{2}<-1$이므로 발산한다.

1 (1) $\displaystyle\lim_{n\to\infty}\dfrac{6n-2}{2n+5}=\lim_{n\to\infty}\dfrac{6-\dfrac{2}{n}}{2+\dfrac{5}{n}}=3$,

$\displaystyle\lim_{n\to\infty}\dfrac{6n}{2n+5}=\lim_{n\to\infty}\dfrac{6}{2+\dfrac{5}{n}}=3$이므로

$\displaystyle\lim_{n\to\infty}a_n=3$

(2) 주어진 부등식의 각 변을 n으로 나누면

$\dfrac{4n^2}{n^2+3}<a_n<\dfrac{4n^2+3}{n^2+1}$

이때 $\displaystyle\lim_{n\to\infty}\dfrac{4n^2}{n^2+3}=\lim_{n\to\infty}\dfrac{4}{1+\dfrac{3}{n^2}}=4$,

$\displaystyle\lim_{n\to\infty}\dfrac{4n^2+3}{n^2+1}=\lim_{n\to\infty}\dfrac{4+\dfrac{3}{n^2}}{1+\dfrac{1}{n^2}}=4$이므로

$\displaystyle\lim_{n\to\infty}a_n=4$

2 주어진 부등식의 각 변을 n^2으로 나누면

$\dfrac{2n^2-4n-6}{n^2}<\dfrac{a_n}{n^2}<\dfrac{2n^2+5n+7}{n^2}$

이때 $\displaystyle\lim_{n\to\infty}\dfrac{2n^2-4n-6}{n^2}=\lim_{n\to\infty}\left(2-\dfrac{4}{n}-\dfrac{6}{n^2}\right)=2$,

$\displaystyle\lim_{n\to\infty}\dfrac{2n^2+5n+7}{n^2}=\lim_{n\to\infty}\left(2+\dfrac{5}{n}+\dfrac{7}{n^2}\right)=2$이므로

$\displaystyle\lim_{n\to\infty}\dfrac{a_n}{n^2}=2$

3 (1) 주어진 등비수열의 공비는 $3x$이므로 이 등비수열이 수렴하려면

$-1<3x\le1$ $\qquad\therefore -\dfrac{1}{3}<x\le\dfrac{1}{3}$

(2) 주어진 등비수열의 공비는 $-\dfrac{x}{2}$이므로 이 등비수열이 수렴하려면

$-1<-\dfrac{x}{2}\le1$ $\qquad\therefore -2\le x<2$

(3) 주어진 등비수열의 첫째항은 $x+1$, 공비는 $\dfrac{5x-1}{9}$이므로 이 등비수열이 수렴하려면

$x+1=0$ 또는 $-1<\dfrac{5x-1}{9}\le1$

$\therefore -\dfrac{8}{5}<x\le2$

4 주어진 등비수열의 첫째항은 $x+2$, 공비는 $\dfrac{x-x^2}{6}$이므로 이 등비수열이 수렴하려면

$x+2=0$ 또는 $-1<\dfrac{x-x^2}{6}\le1$

$\therefore x=-2$ 또는 $-6<x-x^2\le6$ $\qquad$ …… ㉠

(ⅰ) $-6 < x-x^2$에서 $x^2-x-6 < 0$
   $(x+2)(x-3) < 0$ ∴ $-2 < x < 3$
(ⅱ) $x-x^2 \le 6$에서 $x^2-x+6 \ge 0$
   $\left(x-\dfrac{1}{2}\right)^2 + \dfrac{23}{4} \ge 0$ ∴ x는 모든 실수
(ⅰ), (ⅱ)에서 $-2 < x < 3$
즉, ㉠을 만족하는 x의 값의 범위는
$-2 \le x < 3$
따라서 정수 x는 -2, -1, 0, 1, 2의 5개이다.

5 (1) $\displaystyle\lim_{n\to\infty} \dfrac{3^{n+1}}{2^n-3^n} = \lim_{n\to\infty} \dfrac{3}{\left(\frac{2}{3}\right)^n - 1} = \dfrac{3}{0-1} = -3$ (수렴)

(2) $\displaystyle\lim_{n\to\infty} \dfrac{5^{n+1}-3^n}{5^n+7^{n+1}} = \lim_{n\to\infty} \dfrac{5\left(\frac{5}{7}\right)^n - \left(\frac{3}{7}\right)^n}{\left(\frac{5}{7}\right)^n + 7} = \dfrac{0-0}{0+7} = 0$ (수렴)

(3) $\displaystyle\lim_{n\to\infty}(6^n-2^n) = \lim_{n\to\infty} 6^n\left\{1-\left(\dfrac{1}{3}\right)^n\right\} = \infty$ (발산)

6 $\displaystyle\lim_{n\to\infty} \dfrac{6^{n+1}+2^n}{6^n-5^{n-1}} = \lim_{n\to\infty} \dfrac{6+\left(\frac{1}{3}\right)^n}{1-\frac{1}{5}\left(\frac{5}{6}\right)^n} = \dfrac{6+0}{1-0} = 6$

따라서 구하는 극한값은 ⑤이다.

계산력 다지기

1 (1) 주어진 수열의 일반항을
$a_n = -3$이라고 하면 오른쪽
그림과 같이 n의 값이 한없
이 커질 때, a_n의 값은 -3이
므로 주어진 수열은 수렴하
고, 그 극한값은 -3이다.

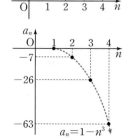

(2) 주어진 수열의 일반항을
$a_n = n^2+1$이라고 하면 오른
쪽 그림과 같이 n의 값이 한
없이 커질 때, a_n의 값은 한
없이 커지므로 주어진 수열
은 발산한다.

(3) 주어진 수열의 일반항을
$a_n = 1-n^3$이라고 하면 오른
쪽 그림과 같이 n의 값이 한
없이 커질 때, a_n의 값은 한
없이 작아지므로 주어진 수
열은 발산한다.

(4) 주어진 수열의 일반항을
$a_n = \dfrac{(-1)^n}{n}$이라고 하면 오
른쪽 그림과 같이 n의 값이
한없이 커질 때, a_n의 값은 0
에 한없이 가까워지므로 주
어진 수열은 수렴하고, 그 극한값은 0이다.

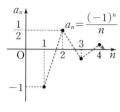

2 (1) $\displaystyle\lim_{n\to\infty}(a_n+4) = \lim_{n\to\infty}a_n + \lim_{n\to\infty}4$
   $= 3+4 = 7$

(2) $\displaystyle\lim_{n\to\infty}(a_n-2b_n) = \lim_{n\to\infty}a_n - 2\lim_{n\to\infty}b_n$
   $= 3-2\times(-1) = 5$

(3) $\displaystyle\lim_{n\to\infty}3a_n^2 b_n^3 = 3\lim_{n\to\infty}a_n \times \lim_{n\to\infty}a_n \times \lim_{n\to\infty}b_n \times \lim_{n\to\infty}b_n \times \lim_{n\to\infty}b_n$
   $= 3\times3\times3\times(-1)\times(-1)\times(-1) = -27$

(4) $\displaystyle\lim_{n\to\infty}\dfrac{a_n}{2b_n^2} = \dfrac{\lim_{n\to\infty}a_n}{2\lim_{n\to\infty}b_n \times \lim_{n\to\infty}b_n}$
   $= \dfrac{3}{2\times(-1)\times(-1)} = \dfrac{3}{2}$

3 (1) $\displaystyle\lim_{n\to\infty}\dfrac{n+3}{n^2+n} = \lim_{n\to\infty}\dfrac{\frac{1}{n}+\frac{3}{n^2}}{1+\frac{1}{n}} = 0$

(2) $\displaystyle\lim_{n\to\infty}\dfrac{n^3-2n}{4n^3+n^2-3} = \lim_{n\to\infty}\dfrac{1-\frac{2}{n^2}}{4+\frac{1}{n}-\frac{3}{n^3}} = \dfrac{1}{4}$

(3) $\displaystyle\lim_{n\to\infty}\dfrac{2n^2-5n+1}{3n-n^2} = \lim_{n\to\infty}\dfrac{2-\frac{5}{n}+\frac{1}{n^2}}{\frac{3}{n}-1} = -2$

(4) $\displaystyle\lim_{n\to\infty}\dfrac{(2n+5)(3n-5)}{(n+2)(2n-1)} = \lim_{n\to\infty}\dfrac{6n^2+5n-25}{2n^2+3n-2}$
   $= \lim_{n\to\infty}\dfrac{6+\frac{5}{n}-\frac{25}{n^2}}{2+\frac{3}{n}-\frac{2}{n^2}} = 3$

(5) $\displaystyle\lim_{n\to\infty}\{\log_3(3n+1)-\log_3(n+2)\}$
   $= \lim_{n\to\infty}\log_3\dfrac{3n+1}{n+2}$
   $= \lim_{n\to\infty}\log_3\dfrac{3+\frac{1}{n}}{1+\frac{2}{n}}$
   $= \lim_{n\to\infty}\log_3 3 = 1$

(6) $\displaystyle\lim_{n\to\infty}\{\log_2(4n^2-2n+1)-\log_2(n^2+2)\}$
   $= \lim_{n\to\infty}\log_2\dfrac{4n^2-2n+1}{n^2+2}$
   $= \lim_{n\to\infty}\log_2\dfrac{4-\frac{2}{n}+\frac{1}{n^2}}{1+\frac{2}{n^2}}$
   $= \lim_{n\to\infty}\log_2 4 = 2$

(7) $1+2+3+\cdots+n=\sum\limits_{k=1}^{n}k=\dfrac{n(n+1)}{2}$

$\therefore \lim\limits_{n\to\infty}\dfrac{1+2+3+\cdots+n}{2n^2}=\lim\limits_{n\to\infty}\dfrac{n(n+1)}{2\times 2n^2}$

$\qquad\qquad\qquad\qquad =\lim\limits_{n\to\infty}\dfrac{n^2+n}{4n^2}$

$\qquad\qquad\qquad\qquad =\lim\limits_{n\to\infty}\dfrac{1+\dfrac{1}{n}}{4}=\dfrac{1}{4}$

(8) $1^3+2^3+3^3+\cdots+n^3=\sum\limits_{k=1}^{n}k^3=\left\{\dfrac{n(n+1)}{2}\right\}^2$

$\qquad\qquad\qquad\qquad\qquad =\dfrac{n^4+2n^3+n^2}{4}$

$\therefore \lim\limits_{n\to\infty}\dfrac{n^4+1}{1^3+2^3+3^3+\cdots+n^3}=\lim\limits_{n\to\infty}\dfrac{4(n^4+1)}{n^4+2n^3+n^2}$

$\qquad\qquad\qquad\qquad\qquad =\lim\limits_{n\to\infty}\dfrac{4n^4+4}{n^4+2n^3+n^2}$

$\qquad\qquad\qquad\qquad\qquad =\lim\limits_{n\to\infty}\dfrac{4+\dfrac{4}{n^4}}{1+\dfrac{2}{n}+\dfrac{1}{n^2}}=4$

4 (1) $\lim\limits_{n\to\infty}(n-\sqrt{n^2-3n})$

$=\lim\limits_{n\to\infty}\dfrac{(n-\sqrt{n^2-3n})(n+\sqrt{n^2-3n})}{n+\sqrt{n^2-3n}}$

$=\lim\limits_{n\to\infty}\dfrac{3n}{n+\sqrt{n^2-3n}}$

$=\lim\limits_{n\to\infty}\dfrac{3}{1+\sqrt{1-\dfrac{3}{n}}}=\dfrac{3}{2}$

(2) $\lim\limits_{n\to\infty}(\sqrt{n^2+2}-\sqrt{n^2+n})$

$=\lim\limits_{n\to\infty}\dfrac{(\sqrt{n^2+2}-\sqrt{n^2+n})(\sqrt{n^2+2}+\sqrt{n^2+n})}{\sqrt{n^2+2}+\sqrt{n^2+n}}$

$=\lim\limits_{n\to\infty}\dfrac{2-n}{\sqrt{n^2+2}+\sqrt{n^2+n}}$

$=\lim\limits_{n\to\infty}\dfrac{\dfrac{2}{n}-1}{\sqrt{1+\dfrac{2}{n^2}}+\sqrt{1+\dfrac{1}{n}}}=-\dfrac{1}{2}$

(3) $\lim\limits_{n\to\infty}\dfrac{1}{\sqrt{n^2+2n}-n}$

$=\lim\limits_{n\to\infty}\dfrac{\sqrt{n^2+2n}+n}{(\sqrt{n^2+2n}-n)(\sqrt{n^2+2n}+n)}$

$=\lim\limits_{n\to\infty}\dfrac{\sqrt{n^2+2n}+n}{2n}$

$=\lim\limits_{n\to\infty}\dfrac{\sqrt{1+\dfrac{2}{n}}+1}{2}=1$

(4) $\lim\limits_{n\to\infty}\dfrac{\sqrt{n-3}-\sqrt{n}}{\sqrt{n+3}-\sqrt{n}}$

$=\lim\limits_{n\to\infty}\dfrac{(\sqrt{n-3}-\sqrt{n})(\sqrt{n-3}+\sqrt{n})(\sqrt{n+3}+\sqrt{n})}{(\sqrt{n+3}-\sqrt{n})(\sqrt{n+3}+\sqrt{n})(\sqrt{n-3}+\sqrt{n})}$

$=\lim\limits_{n\to\infty}\dfrac{-3(\sqrt{n+3}+\sqrt{n})}{3(\sqrt{n-3}+\sqrt{n})}=-\lim\limits_{n\to\infty}\dfrac{\sqrt{1+\dfrac{3}{n}}+1}{\sqrt{1-\dfrac{3}{n}}+1}=-1$

5 (1) $\lim\limits_{n\to\infty}\dfrac{n}{n+1}=\lim\limits_{n\to\infty}\dfrac{1}{1+\dfrac{1}{n}}=1,$

$\lim\limits_{n\to\infty}\dfrac{n+2}{n+1}=\lim\limits_{n\to\infty}\dfrac{1+\dfrac{2}{n}}{1+\dfrac{1}{n}}=1$이므로

$\lim\limits_{n\to\infty}a_n=1$

(2) $\lim\limits_{n\to\infty}\dfrac{4n+1}{2n-1}=\lim\limits_{n\to\infty}\dfrac{4+\dfrac{1}{n}}{2-\dfrac{1}{n}}=2,$

$\lim\limits_{n\to\infty}\dfrac{4n+9}{2n-1}=\lim\limits_{n\to\infty}\dfrac{4+\dfrac{9}{n}}{2-\dfrac{1}{n}}=2$이므로

$\lim\limits_{n\to\infty}a_n=2$

(3) 주어진 부등식의 각 변을 n으로 나누면

$\dfrac{3n-4}{n}<a_n<\dfrac{3n+3}{n}$

이때 $\lim\limits_{n\to\infty}\dfrac{3n-4}{n}=\lim\limits_{n\to\infty}\left(3-\dfrac{4}{n}\right)=3,$

$\lim\limits_{n\to\infty}\dfrac{3n+3}{n}=\lim\limits_{n\to\infty}\left(3+\dfrac{3}{n}\right)=3$이므로

$\lim\limits_{n\to\infty}a_n=3$

(4) 주어진 부등식의 각 변을 $2n^2+1$로 나누면

$\dfrac{n^3-5}{2n^3+n}<a_n<\dfrac{n^3-2}{2n^3+n}$

이때 $\lim\limits_{n\to\infty}\dfrac{n^3-5}{2n^3+n}=\lim\limits_{n\to\infty}\dfrac{1-\dfrac{5}{n^3}}{2+\dfrac{1}{n^2}}=\dfrac{1}{2},$

$\lim\limits_{n\to\infty}\dfrac{n^3-2}{2n^3+n}=\lim\limits_{n\to\infty}\dfrac{1-\dfrac{2}{n^3}}{2+\dfrac{1}{n^2}}=\dfrac{1}{2}$이므로 $\lim\limits_{n\to\infty}a_n=\dfrac{1}{2}$

6 (1) 주어진 등비수열의 공비는 $2x$이므로 이 등비수열이 수렴하려면

$-1<2x\le 1$ $\quad\therefore -\dfrac{1}{2}<x\le\dfrac{1}{2}$

(2) 주어진 등비수열의 첫째항은 $-\dfrac{x}{3}$, 공비는 $-\dfrac{x}{3}$이므로 이 등비수열이 수렴하려면

$-1<-\dfrac{x}{3}\le 1$ $\quad\therefore -3\le x<3$

(3) 주어진 등비수열의 첫째항은 x, 공비는 $x-1$이므로 이 등비수열이 수렴하려면

$x=0$ 또는 $-1<x-1\le 1$ $\quad\therefore 0\le x\le 2$

(4) 주어진 등비수열의 첫째항은 $x+1$, 공비는 $\dfrac{4x-1}{3}$이므로 이 등비수열이 수렴하려면

$x+1=0$ 또는 $-1<\dfrac{4x-1}{3}\le 1$

$\therefore x=-1$ 또는 $-\dfrac{1}{2}<x\le 1$

7

(1) $\displaystyle\lim_{n\to\infty}\frac{4^n}{4^n-1}=\lim_{n\to\infty}\frac{1}{1-\left(\frac{1}{4}\right)^n}=1$ (수렴)

(2) $\displaystyle\lim_{n\to\infty}\frac{2^{n+1}}{2^n+1}=\lim_{n\to\infty}\frac{2}{1+\left(\frac{1}{2}\right)^n}=2$ (수렴)

(3) $\displaystyle\lim_{n\to\infty}\frac{7^n+6^n}{6^n-3^n}=\lim_{n\to\infty}\frac{\left(\frac{7}{6}\right)^n+1}{1-\left(\frac{1}{2}\right)^n}=\infty$ (발산)

(4) $\displaystyle\lim_{n\to\infty}(2^n-5^n)=\lim_{n\to\infty}5^n\left\{\left(\frac{2}{5}\right)^n-1\right\}=-\infty$ (발산)

01~02강 족집게 기출문제 p. 12~15

1 ⑤	2 ③	3 ④	4 6	5 35
6 ④	7 ③	8 12	9 ④	10 ①
11 ④	12 ②	13 1	14 ④	15 ④
16 3	17 ②	18 ③	19 ②	20 ③
21 ①	22 π	23 $\frac{1}{2}$		

24 (1) $2n^2+2n<a_1+a_2+a_3+\cdots+a_n<2n^2+3n$ (2) $\frac{1}{4}$

25 $\frac{2}{3}$

1
$$\lim_{n\to\infty}(a_n^2+b_n^2)=\lim_{n\to\infty}\{(a_n+b_n)^2-2a_nb_n\}$$
$$=\lim_{n\to\infty}(a_n+b_n)\times\lim_{n\to\infty}(a_n+b_n)-2\lim_{n\to\infty}a_nb_n$$
$$=4\times4-2\times2=12$$

2 수열 $\{a_n\}$이 수렴하므로 $\displaystyle\lim_{n\to\infty}a_n=\lim_{n\to\infty}a_{n+1}=a$ (a는 실수)
라고 하자.

$a_{n+1}=\frac{2}{3}a_n+5$에서 $\displaystyle\lim_{n\to\infty}a_{n+1}=\frac{2}{3}\lim_{n\to\infty}a_n+5$

$a=\frac{2}{3}a+5$ $\therefore a=15$

따라서 $\displaystyle\lim_{n\to\infty}a_n=15$이므로

$\displaystyle\lim_{n\to\infty}(4a_n-15)=4\lim_{n\to\infty}a_n-15=4\times15-15=45$

3
① $\displaystyle\lim_{n\to\infty}\frac{2n}{3n^2+1}=\lim_{n\to\infty}\frac{\frac{2}{n}}{3+\frac{1}{n^2}}=0$

② $\displaystyle\lim_{n\to\infty}\frac{n^2+4n}{n-1}=\lim_{n\to\infty}\frac{n+4}{1-\frac{1}{n}}=\infty$

③ $\displaystyle\lim_{n\to\infty}\left\{1+\frac{(-1)^n}{n}\right\}=1$

④ $\displaystyle\lim_{n\to\infty}\frac{\sqrt{n-2}}{\sqrt{n^2+1}}=\lim_{n\to\infty}\frac{\sqrt{\frac{1}{n}-\frac{2}{n^2}}}{\sqrt{1+\frac{1}{n^2}}}=0$

⑤ $\displaystyle\lim_{n\to\infty}\{\log_3(n+1)-\log_3(n^2+1)+\log_3(3n+1)\}$

$\qquad=\displaystyle\lim_{n\to\infty}\log_3\frac{(n+1)(3n+1)}{n^2+1}$

$\qquad=\displaystyle\lim_{n\to\infty}\log_3\frac{3n^2+4n+1}{n^2+1}$

$\qquad=\displaystyle\lim_{n\to\infty}\log_3\frac{3+\frac{4}{n}+\frac{1}{n^2}}{1+\frac{1}{n^2}}$

$\qquad=\log_3 3=1$

따라서 옳은 것은 ④이다.

4 $a\neq0$이면 $\displaystyle\lim_{n\to\infty}\frac{an^3+bn^2-3n+1}{3n^2+2n-1}=\infty$(또는 $-\infty$)이므로

$a=0$

$\therefore \displaystyle\lim_{n\to\infty}\frac{an^3+bn^2-3n+1}{3n^2+2n-1}=\lim_{n\to\infty}\frac{bn^2-3n+1}{3n^2+2n-1}=\frac{b}{3}$

즉, $\frac{b}{3}=2$에서 $b=6$

$\therefore a+b=6$

5
$$\lim_{n\to\infty}\frac{(10n+1)b_n}{a_n}$$
$$=\lim_{n\to\infty}\left\{\frac{(n^2+1)b_n}{(n+1)a_n}\times\frac{(n+1)(10n+1)}{n^2+1}\right\}$$
$$=\frac{\displaystyle\lim_{n\to\infty}(n^2+1)b_n}{\displaystyle\lim_{n\to\infty}(n+1)a_n}\times\lim_{n\to\infty}\frac{10n^2+11n+1}{n^2+1}$$
$$=\frac{7}{2}\times10=35$$

6
$$\lim_{n\to\infty}(\sqrt{n^2+n}+\sqrt{n^2+2n}+\cdots+\sqrt{n^2+100n}-100n)$$
$$=\lim_{n\to\infty}\{(\sqrt{n^2+n}-n)+(\sqrt{n^2+2n}-n)$$
$$+\cdots+(\sqrt{n^2+100n}-n)\}$$
$$=\lim_{n\to\infty}\left\{\frac{(\sqrt{n^2+n}-n)(\sqrt{n^2+n}+n)}{\sqrt{n^2+n}+n}\right.$$
$$+\frac{(\sqrt{n^2+2n}-n)(\sqrt{n^2+2n}+n)}{\sqrt{n^2+2n}+n}$$
$$\left.+\cdots+\frac{(\sqrt{n^2+100n}-n)(\sqrt{n^2+100n}+n)}{\sqrt{n^2+100n}+n}\right\}$$
$$=\lim_{n\to\infty}\left(\frac{n}{\sqrt{n^2+n}+n}+\frac{2n}{\sqrt{n^2+2n}+n}\right.$$
$$\left.+\cdots+\frac{100n}{\sqrt{n^2+100n}+n}\right)$$
$$=\frac{1}{2}+\frac{2}{2}+\frac{3}{2}+\cdots+\frac{100}{2}$$
$$=\frac{1}{2}(1+2+3+\cdots+100)$$
$$=\frac{1}{2}\times\frac{100\times101}{2}=2525$$

7
$$\lim_{n\to\infty}(an-\sqrt{4n^2-3n})$$
$$=\lim_{n\to\infty}\frac{(an-\sqrt{4n^2-3n})(an+\sqrt{4n^2-3n})}{an+\sqrt{4n^2-3n}}$$
$$=\lim_{n\to\infty}\frac{(a^2-4)n^2+3n}{an+\sqrt{4n^2-3n}}$$

$a^2-4\neq0$이면 $\lim\limits_{n\to\infty}\dfrac{(a^2-4)n^2+3n}{an+\sqrt{4n^2-3n}}=\infty$(또는 $-\infty$)이므로

$a^2-4=0$ $\quad\therefore\ a=-2$ 또는 $a=2$ $\quad\cdots\cdots$ ㉠

$\lim\limits_{n\to\infty}\dfrac{3n}{an+\sqrt{4n^2-3n}}=\dfrac{3}{a+2}$이므로 $\dfrac{3}{a+2}=\dfrac{3}{4}$에서

$a+2=4$ $\quad\therefore\ a=2$ $\quad\cdots\cdots$ ㉡

㉠, ㉡에서 $a=2$

8 $f(x)=2x^2-2nx+\dfrac{n^2}{2}+6n+1=2\left(x-\dfrac{n}{2}\right)^2+6n+1$이

므로 $\mathrm{P}\left(\dfrac{n}{2},\ 6n+1\right)$

따라서 $x_n=\dfrac{n}{2},\ y_n=6n+1$이므로

$$\lim_{n\to\infty}\frac{y_n}{x_n}=\lim_{n\to\infty}\frac{6n+1}{\dfrac{n}{2}}=12$$

9 직각삼각형 ABC_n에서 $\overline{\mathrm{AC}_n}=\sqrt{n^2+12^2}$

$\triangle\mathrm{AP}_n\mathrm{D}_1\backsim\triangle\mathrm{AC}_n\mathrm{D}_n$이고 닮음비가 $1:n$이므로

$1:n=\overline{\mathrm{D}_1\mathrm{P}_n}:12$ $\quad\therefore\ \overline{\mathrm{D}_1\mathrm{P}_n}=\dfrac{12}{n}$

$$\therefore\ \lim_{n\to\infty}\frac{\overline{\mathrm{AC}_n}-\overline{\mathrm{BC}_n}}{\overline{\mathrm{D}_1\mathrm{P}_n}}$$
$$=\lim_{n\to\infty}\frac{\sqrt{n^2+12^2}-n}{\dfrac{12}{n}}$$
$$=\lim_{n\to\infty}\frac{n(\sqrt{n^2+12^2}-n)(\sqrt{n^2+12^2}+n)}{12(\sqrt{n^2+12^2}+n)}$$
$$=\lim_{n\to\infty}\frac{12n}{\sqrt{n^2+12^2}+n}=6$$

10 모든 자연수 n에 대하여 $-1\leq\cos n\pi\leq1$이므로 각 변을 $\sqrt{n}$으로 나누면

$$-\frac{1}{\sqrt{n}}\leq\frac{\cos n\pi}{\sqrt{n}}\leq\frac{1}{\sqrt{n}}$$

이때 $\lim\limits_{n\to\infty}\left(-\dfrac{1}{\sqrt{n}}\right)=0,\ \lim\limits_{n\to\infty}\dfrac{1}{\sqrt{n}}=0$이므로

$$\lim_{n\to\infty}\frac{\cos n\pi}{\sqrt{n}}=0$$

11 $1\leq n<10$일 때, $a_n=1,\ 0\leq\log n<1$

$10\leq n<100$일 때, $a_n=2,\ 1\leq\log n<2$

$100\leq n<1000$일 때, $a_n=3,\ 2\leq\log n<3$

$\qquad\qquad\vdots$

$\therefore\ a_n-1\leq\log n<a_n$

위의 부등식의 각 변을 a_n으로 나누면

$$1-\frac{1}{a_n}\leq\frac{\log n}{a_n}<1$$

이때 $\lim\limits_{n\to\infty}a_n=\infty$이므로 $\lim\limits_{n\to\infty}\left(1-\dfrac{1}{a_n}\right)=1$

$$\therefore\ \lim_{n\to\infty}\frac{\log n}{a_n}=1$$

12 ㄱ. [반례] $\{a_n\}:\ 1,\ 0,\ 1,\ 0,\ \cdots$

　　　 $\{b_n\}:\ 0,\ 1,\ 0,\ 1,\ \cdots$

이면 $\lim\limits_{n\to\infty}a_nb_n=0$이지만 $\lim\limits_{n\to\infty}a_n\neq0,\ \lim\limits_{n\to\infty}b_n\neq0$이다.

ㄴ. $\lim\limits_{n\to\infty}\dfrac{a_n-b_n}{a_n}=0$이므로 $\lim\limits_{n\to\infty}\left(1-\dfrac{b_n}{a_n}\right)=0$

$\therefore\ \lim\limits_{n\to\infty}\dfrac{b_n}{a_n}=1$

ㄷ. [반례] $a_n=1-\dfrac{1}{n},\ b_n=1+\dfrac{1}{n}$이면 $a_n<b_n$이지만

$\lim\limits_{n\to\infty}a_n=\lim\limits_{n\to\infty}b_n=1$이다.

ㄹ. [반례] $a_n=n-\dfrac{1}{n},\ b_n=n,\ c_n=n+\dfrac{1}{n}$이면

$a_n<b_n<c_n$이고 $\lim\limits_{n\to\infty}(a_n-c_n)=\lim\limits_{n\to\infty}\left(-\dfrac{2}{n}\right)=0$이지만

$\lim\limits_{n\to\infty}b_n=\infty$이므로 수열 $\{b_n\}$은 발산한다.

따라서 보기 중 옳은 것은 ㄴ이다.

13 등비수열 $\{(x-1)^n\}$의 첫째항은 $x-1$, 공비는 $x-1$이므로 이 등비수열이 수렴하려면

$-1<x-1\leq1$ $\quad\therefore\ 0<x\leq2$ $\quad\cdots\cdots$ ㉠

등비수열 $\left\{\dfrac{(2x+1)^n}{3^{n+1}}\right\}$의 첫째항은 $\dfrac{2x+1}{9}$, 공비는 $\dfrac{2x+1}{3}$

이므로 이 등비수열이 수렴하려면

$-1<\dfrac{2x+1}{3}\leq1$ $\quad\therefore\ -2<x\leq1$ $\quad\cdots\cdots$ ㉡

㉠, ㉡에서 $0<x\leq1$이므로 정수 x는 1이다.

14 등비수열 $\{r^n\}$이 수렴하므로 $-1<r\leq1$

① $0\leq r^2\leq1$이므로 수열 $\{r^{2n}\}$은 수렴한다.

② $-\dfrac{1}{5}<\dfrac{r}{5}\leq\dfrac{1}{5}$이므로 수열 $\left\{\left(\dfrac{r}{5}\right)^n\right\}$은 수렴한다.

③ $-\dfrac{1}{2}\leq-\dfrac{r}{2}<\dfrac{1}{2}$이므로 수열 $\left\{\left(-\dfrac{r}{2}\right)^n\right\}$은 수렴한다.

④ $0<r+1\leq2$이므로 수열 $\{(r+1)^n\}$은 수렴하지 않는 경우가 있다.

⑤ $0\leq\dfrac{1-r}{2}<1$이므로 수열 $\left\{\left(\dfrac{1-r}{2}\right)^n\right\}$은 수렴한다.

따라서 항상 수렴하는 수열이 아닌 것은 ④이다.

15 $1+4+4^2+4^3+\cdots+4^n=\dfrac{4^{n+1}-1}{4-1}=\dfrac{4}{3}\times4^n-\dfrac{1}{3}$

$$\therefore\ \lim_{n\to\infty}\frac{2^{2n+1}-3^n}{1+4+4^2+4^3+\cdots+4^n}=\lim_{n\to\infty}\frac{2\times4^n-3^n}{\dfrac{4}{3}\times4^n-\dfrac{1}{3}}$$
$$=\lim_{n\to\infty}\frac{2-\left(\dfrac{3}{4}\right)^n}{\dfrac{4}{3}-\dfrac{1}{3}\left(\dfrac{1}{4}\right)^n}=\frac{3}{2}$$

16 $f(4, 5)=\lim_{n\to\infty}\dfrac{5\times 4^n+4\times 5^n}{4^n+5^n}$

$\qquad =\lim_{n\to\infty}\dfrac{5\left(\dfrac{4}{5}\right)^n+4}{\left(\dfrac{4}{5}\right)^n+1}=4$

$\therefore f(f(4, 5), 3)=f(4, 3)$

$\qquad =\lim_{n\to\infty}\dfrac{3\times 4^n+4\times 3^n}{4^n+3^n}$

$\qquad =\lim_{n\to\infty}\dfrac{3+4\left(\dfrac{3}{4}\right)^n}{1+\left(\dfrac{3}{4}\right)^n}=3$

17 $\dfrac{5^n\times a_n+3^n}{3^n\times a_n-5^n}=b_n$이라고 하면

$5^n\times a_n+3^n=b_n(3^n\times a_n-5^n)$

$\therefore a_n=\dfrac{3^n+5^n\times b_n}{3^n\times b_n-5^n}$

이때 $\lim_{n\to\infty}b_n=1$이므로

$\lim_{n\to\infty}a_n=\lim_{n\to\infty}\dfrac{3^n+5^n\times b_n}{3^n\times b_n-5^n}=\lim_{n\to\infty}\dfrac{\left(\dfrac{3}{5}\right)^n+b_n}{\left(\dfrac{3}{5}\right)^n\times b_n-1}$

$\qquad =\dfrac{0+1}{0\times 1-1}=-1$

18 (i) $|r|>1$일 때, $\lim_{n\to\infty}\left(\dfrac{1}{r}\right)^{2n}=0$이므로

$\qquad \lim_{n\to\infty}\dfrac{r^{2n}}{1+r^{2n}}=\lim_{n\to\infty}\dfrac{1}{\left(\dfrac{1}{r}\right)^{2n}+1}=\dfrac{1}{0+1}=1$

(ii) $|r|<1$일 때, $\lim_{n\to\infty}r^{2n}=0$이므로

$\qquad \lim_{n\to\infty}\dfrac{r^{2n}}{1+r^{2n}}=\dfrac{0}{1+0}=0$

(iii) $|r|=1$일 때, $\lim_{n\to\infty}r^{2n}=1$이므로

$\qquad \lim_{n\to\infty}\dfrac{r^{2n}}{1+r^{2n}}=\dfrac{1}{1+1}=\dfrac{1}{2}$

따라서 $-1<r<0$일 때, 0으로 수렴하므로 옳지 않은 것은 ③이다.

19 (i) $|x|>1$일 때, $\lim_{n\to\infty}\left(\dfrac{1}{x}\right)^n=0$이므로

$\qquad f(x)=\lim_{n\to\infty}\dfrac{x^{n+1}-2}{x^n+1}=\lim_{n\to\infty}\dfrac{x-2\left(\dfrac{1}{x}\right)^n}{1+\left(\dfrac{1}{x}\right)^n}$

$\qquad =\dfrac{x-0}{1+0}=x$

(ii) $|x|<1$일 때, $\lim_{n\to\infty}x^n=0$이므로

$\qquad f(x)=\lim_{n\to\infty}\dfrac{x^{n+1}-2}{x^n+1}=\dfrac{0-2}{0+1}=-2$

(iii) $x=1$일 때, $\lim_{n\to\infty}x^n=1$이므로

$\qquad f(x)=\lim_{n\to\infty}\dfrac{x^{n+1}-2}{x^n+1}=\dfrac{1-2}{1+1}=-\dfrac{1}{2}$

따라서 함수 $y=f(x)$의 그래프는 오른쪽 그림과 같다.

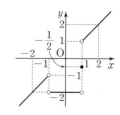

20 이차방정식 $x^2-2a_{2n}x+a_n+6=0$이 중근을 가지므로 이 이차방정식의 판별식을 D라고 하면

$\dfrac{D}{4}=(-a_{2n})^2-a_n-6=0$

$\therefore a_{2n}{}^2-a_n-6=0$

즉, $\lim_{n\to\infty}(a_{2n}{}^2-a_n-6)=0$이고 수열 $\{a_n\}$이 수렴하므로

$\lim_{n\to\infty}a_n=\lim_{n\to\infty}a_{2n}=\alpha$ (α는 실수)라고 하면

$\alpha^2-\alpha-6=0,\ (\alpha+2)(\alpha-3)=0$

$\therefore \alpha=-2$ 또는 $\alpha=3$

이때 수열 $\{a_n\}$의 각 항이 양수이므로 $\alpha=3$

따라서 $\lim_{n\to\infty}a_n=3$이므로 $\lim_{n\to\infty}a_{n+1}=3$

$\therefore \lim_{n\to\infty}\sqrt{a_{n+1}+1}=\sqrt{3+1}=2$

21 $\lim_{n\to\infty}\dfrac{\sqrt{4n+k^3}-\sqrt{4n+l^3}}{\sqrt{16n+k^2}-\sqrt{16n+l^2}}$

$=\lim_{n\to\infty}\left\{\dfrac{(\sqrt{4n+k^3}-\sqrt{4n+l^3})(\sqrt{4n+k^3}+\sqrt{4n+l^3})}{(\sqrt{16n+k^2}-\sqrt{16n+l^2})(\sqrt{16n+k^2}+\sqrt{16n+l^2})}\right.$

$\qquad\qquad\left.\times\dfrac{\sqrt{16n+k^2}+\sqrt{16n+l^2}}{\sqrt{4n+k^3}+\sqrt{4n+l^3}}\right\}$

$=\lim_{n\to\infty}\dfrac{(k^3-l^3)(\sqrt{16n+k^2}+\sqrt{16n+l^2})}{(k^2-l^2)(\sqrt{4n+k^3}+\sqrt{4n+l^3})}$

$=\dfrac{(k-l)(k^2+kl+l^2)}{(k-l)(k+l)}\lim_{n\to\infty}\dfrac{\sqrt{16n+k^2}+\sqrt{16n+l^2}}{\sqrt{4n+k^3}+\sqrt{4n+l^3}}$

$=\dfrac{k^2+kl+l^2}{k+l}\times 2$

$=\dfrac{2}{3}(k^2+kl+l^2)$

즉, $\dfrac{2}{3}(k^2+kl+l^2)=8$에서

$k^2+kl+l^2=12,\ (k+l)^2-kl=12$

이때 $k+l=3$이므로

$9-kl=12$ $\quad\therefore kl=-3$

$\therefore k^2+l^2=(k+l)^2-2kl=9-2\times(-3)=15$

22 원 $x^2+y^2=n^2$에 접하고 기울기가 n, y절편이 양수인 직선의 방정식은

$y=nx+n\sqrt{n^2+1}$

$\therefore P_n(-\sqrt{n^2+1}, 0),\ Q_n(0, n\sqrt{n^2+1})$

$l_n=\overline{P_nQ_n}=\sqrt{(\sqrt{n^2+1})^2+(n\sqrt{n^2+1})^2}$

$\qquad =\sqrt{n^4+2n^2+1}=\sqrt{(n^2+1)^2}=n^2+1$

$S_n=\pi n^2$

$\therefore \lim_{n\to\infty}\dfrac{S_n}{l_n}=\lim_{n\to\infty}\dfrac{\pi n^2}{n^2+1}=\pi$

23 $n^2 < n^2+n+1 < (n+1)^2$에서

$n < \sqrt{n^2+n+1} < n+1$

즉, $n < a_n < n+1$이므로 $[a_n] = n$ ...... (가)

$\therefore \lim_{n \to \infty} (a_n - [a_n])$

$= \lim_{n \to \infty} (\sqrt{n^2+n+1} - n)$

$= \lim_{n \to \infty} \dfrac{(\sqrt{n^2+n+1} - n)(\sqrt{n^2+n+1} + n)}{\sqrt{n^2+n+1} + n}$

$= \lim_{n \to \infty} \dfrac{n+1}{\sqrt{n^2+n+1} + n}$

$= \dfrac{1}{2}$ ...... (나)

채점 기준	배점
(가) $[a_n]$을 구한다.	3점
(나) $\lim\limits_{n \to \infty} (a_n - [a_n])$의 값을 구한다.	3점

24 (1) $4n < a_n < 4n+1$에서

$\sum\limits_{k=1}^{n} 4k < \sum\limits_{k=1}^{n} a_k < \sum\limits_{k=1}^{n} (4k+1)$

$4 \times \dfrac{n(n+1)}{2} < \sum\limits_{k=1}^{n} a_k < 4 \times \dfrac{n(n+1)}{2} + n$

$\therefore 2n^2+2n < a_1+a_2+a_3+\cdots+a_n < 2n^2+3n$ ...... (가)

(2) (1)에서 구한 부등식의 각 변을 $8n^2+5$로 나누면

$\dfrac{2n^2+2n}{8n^2+5} < \dfrac{a_1+a_2+a_3+\cdots+a_n}{8n^2+5} < \dfrac{2n^2+3n}{8n^2+5}$ ...... (나)

이때 $\lim\limits_{n \to \infty} \dfrac{2n^2+2n}{8n^2+5} = \dfrac{1}{4}$, $\lim\limits_{n \to \infty} \dfrac{2n^2+3n}{8n^2+5} = \dfrac{1}{4}$이므로

$\lim\limits_{n \to \infty} \dfrac{a_1+a_2+a_3+\cdots+a_n}{8n^2+5} = \dfrac{1}{4}$ ...... (다)

채점 기준	배점
(가) $a_1+a_2+a_3+\cdots+a_n$의 값의 범위를 구한다.	2점
(나) $\dfrac{a_1+a_2+a_3+\cdots+a_n}{8n^2+5}$의 값의 범위를 구한다.	1점
(다) $\lim\limits_{n \to \infty} \dfrac{a_1+a_2+a_3+\cdots+a_n}{8n^2+5}$의 값을 구한다.	3점

25 $a_n = 4 \times 3^{n-1}$ ...... (가)

$S_n = \dfrac{4(3^n-1)}{3-1} = 2(3^n-1)$ ...... (나)

$\therefore \lim_{n \to \infty} \dfrac{a_n}{S_n} = \lim_{n \to \infty} \dfrac{4 \times 3^{n-1}}{2(3^n-1)}$

$= \lim_{n \to \infty} \dfrac{\dfrac{4}{3}}{2 - 2\left(\dfrac{1}{3}\right)^n}$

$= \dfrac{2}{3}$ ...... (다)

채점 기준	배점
(가) 수열 $\{a_n\}$의 일반항을 구한다.	1점
(나) S_n을 구한다.	2점
(다) $\lim\limits_{n \to \infty} \dfrac{a_n}{S_n}$의 값을 구한다.	2점

03강 | 급수

확인 문제   p. 16

1 급수의 제n항까지의 부분합을 S_n이라고 하면

(1) $S_n = 1+3+5+\cdots+(2n-1)$

$= \sum\limits_{k=1}^{n} (2k-1)$

$= 2 \times \dfrac{n(n+1)}{2} - n = n^2$

$\therefore \lim_{n \to \infty} S_n = \lim_{n \to \infty} n^2 = \infty$

따라서 주어진 급수는 발산한다.

(2) $S_n = 1 + \dfrac{1}{5} + \left(\dfrac{1}{5}\right)^2 + \cdots + \left(\dfrac{1}{5}\right)^{n-1}$

$= \dfrac{1 - \left(\dfrac{1}{5}\right)^n}{1 - \dfrac{1}{5}} = \dfrac{5}{4}\left\{1 - \left(\dfrac{1}{5}\right)^n\right\}$

$\therefore \lim_{n \to \infty} S_n = \lim_{n \to \infty} \dfrac{5}{4}\left\{1 - \left(\dfrac{1}{5}\right)^n\right\} = \dfrac{5}{4}$

따라서 주어진 급수는 수렴하고, 그 합은 $\dfrac{5}{4}$이다.

2 $\lim\limits_{n \to \infty} \dfrac{n}{6n-7} = \dfrac{1}{6} \neq 0$이므로 주어진 급수는 발산한다.

3 (1) $\sum\limits_{n=1}^{\infty} (2a_n+b_n) = 2\sum\limits_{n=1}^{\infty} a_n + \sum\limits_{n=1}^{\infty} b_n$

$= 2 \times 2 + (-5) = -1$

(2) $\sum\limits_{n=1}^{\infty} (3a_n-2b_n) = 3\sum\limits_{n=1}^{\infty} a_n - 2\sum\limits_{n=1}^{\infty} b_n$

$= 3 \times 2 - 2 \times (-5) = 16$

교/과/서/속 핵심유형+ 실전 문제   p. 17

1 급수의 제n항까지의 부분합을 S_n이라고 하면

(1) $\dfrac{1}{n^2+3n} = \dfrac{1}{n(n+3)} = \dfrac{1}{3}\left(\dfrac{1}{n} - \dfrac{1}{n+3}\right)$이므로

$S_n = \dfrac{1}{3}\left\{\left(1 - \dfrac{1}{4}\right) + \left(\dfrac{1}{2} - \dfrac{1}{5}\right) + \left(\dfrac{1}{3} - \dfrac{1}{6}\right) + \left(\dfrac{1}{4} - \dfrac{1}{7}\right)\right.$

$\left. \qquad +\cdots+\left(\dfrac{1}{n} - \dfrac{1}{n+3}\right)\right\}$

$= \dfrac{1}{3}\left(1 + \dfrac{1}{2} + \dfrac{1}{3} - \dfrac{1}{n+1} - \dfrac{1}{n+2} - \dfrac{1}{n+3}\right)$

$\therefore \lim_{n \to \infty} S_n$

$= \lim_{n \to \infty} \dfrac{1}{3}\left(1 + \dfrac{1}{2} + \dfrac{1}{3} - \dfrac{1}{n+1} - \dfrac{1}{n+2} - \dfrac{1}{n+3}\right)$

$= \dfrac{11}{18}$

따라서 주어진 급수는 수렴하고, 그 합은 $\dfrac{11}{18}$이다.

(2) $\dfrac{1}{\sqrt{n+1}+\sqrt{n+2}}=\sqrt{n+2}-\sqrt{n+1}$이므로

$$S_n=(\sqrt{3}-\sqrt{2})+(\sqrt{4}-\sqrt{3})+(\sqrt{5}-\sqrt{4})$$
$$+\cdots+(\sqrt{n+2}-\sqrt{n+1})$$
$$=\sqrt{n+2}-\sqrt{2}$$
$$\therefore \lim_{n\to\infty} S_n=\lim_{n\to\infty}(\sqrt{n+2}-\sqrt{2})=\infty$$

따라서 주어진 급수는 발산한다.

2 주어진 급수의 제n항을 a_n이라고 하면

$$a_n=\dfrac{1}{(n+1)(n+2)}=\dfrac{1}{n+1}-\dfrac{1}{n+2}$$

이때 급수의 제n항까지의 부분합을 S_n이라고 하면

$$S_n=\left(\dfrac{1}{2}-\dfrac{1}{3}\right)+\left(\dfrac{1}{3}-\dfrac{1}{4}\right)+\left(\dfrac{1}{4}-\dfrac{1}{5}\right)$$
$$+\cdots+\left(\dfrac{1}{n+1}-\dfrac{1}{n+2}\right)$$
$$=\dfrac{1}{2}-\dfrac{1}{n+2}$$
$$\therefore \lim_{n\to\infty} S_n=\lim_{n\to\infty}\left(\dfrac{1}{2}-\dfrac{1}{n+2}\right)=\dfrac{1}{2}$$

따라서 주어진 급수의 합은 ③이다.

3 (1) $\lim\limits_{n\to\infty}\dfrac{3n^2-2n+6}{3n^2+n-5}=1\neq 0$이므로 주어진 급수는 발산한다.

(2) $\lim\limits_{n\to\infty}\dfrac{n}{\sqrt{n+4}+\sqrt{n-2}}=\infty$

즉, $\lim\limits_{n\to\infty}\dfrac{n}{\sqrt{n+4}+\sqrt{n-2}}\neq 0$이므로 주어진 급수는 발산한다.

(3) $\lim\limits_{n\to\infty}(-1)^n\dfrac{n}{3n+1}$은 발산(진동)한다.

즉, $\lim\limits_{n\to\infty}(-1)^n\dfrac{n}{3n+1}\neq 0$이므로 주어진 급수는 발산한다.

4 ㄱ. $\lim\limits_{n\to\infty}\dfrac{2n}{4n-1}=\dfrac{1}{2}\neq 0$이므로 주어진 급수는 발산한다.

ㄴ. $\lim\limits_{n\to\infty}(-1)^n$은 발산(진동)한다.

즉, $\lim\limits_{n\to\infty}(-1)^n\neq 0$이므로 주어진 급수는 발산한다.

ㄷ. $\lim\limits_{n\to\infty}(\sqrt{n^2+6n}-n)=\lim\limits_{n\to\infty}\dfrac{6n}{\sqrt{n^2+6n}+n}=3\neq 0$이므로 주어진 급수는 발산한다.

ㄹ. $\lim\limits_{n\to\infty}\ln\dfrac{3n^2}{n^2+2}=\ln 3\neq 0$이므로 주어진 급수는 발산한다.

따라서 보기 중 발산하는 급수의 개수는 4이다.

5 $\displaystyle\sum_{n=1}^{\infty}(a_n-7b_n)=\sum_{n=1}^{\infty}a_n-7\sum_{n=1}^{\infty}b_n$
$$=\sum_{n=1}^{\infty}a_n-7\times 2=-15$$
$$\therefore \sum_{n=1}^{\infty}a_n=-1$$

6 $\displaystyle\sum_{n=1}^{\infty}a_n=\alpha$, $\displaystyle\sum_{n=1}^{\infty}b_n=\beta$ (α, β는 실수)라고 하면

$\displaystyle\sum_{n=1}^{\infty}(a_n+2b_n)=5$에서

$\displaystyle\sum_{n=1}^{\infty}a_n+2\sum_{n=1}^{\infty}b_n=5$ $\quad\therefore \alpha+2\beta=5$ $\quad\cdots\cdots$ ㉠

$\displaystyle\sum_{n=1}^{\infty}(4a_n+5b_n)=8$에서

$4\displaystyle\sum_{n=1}^{\infty}a_n+5\sum_{n=1}^{\infty}b_n=8$ $\quad\therefore 4\alpha+5\beta=8$ $\quad\cdots\cdots$ ㉡

㉠, ㉡을 연립하여 풀면 $\alpha=-3$, $\beta=4$

즉, $\displaystyle\sum_{n=1}^{\infty}a_n=-3$, $\displaystyle\sum_{n=1}^{\infty}b_n=4$이므로

$\displaystyle\sum_{n=1}^{\infty}(a_n-2b_n)=\sum_{n=1}^{\infty}a_n-2\sum_{n=1}^{\infty}b_n=-3-2\times 4=-11$

따라서 구하는 값은 ②이다.

4강 등비급수

확인 문제 p. 18

1 (1) 주어진 등비급수의 공비는 1이고, $|1|\geq 1$이므로 이 등비급수는 발산한다.

(2) 주어진 등비급수의 첫째항은 1, 공비는 $\dfrac{3}{5}$이고, $\left|\dfrac{3}{5}\right|<1$이므로 이 등비급수는 수렴한다.

따라서 그 합은 $\dfrac{1}{1-\dfrac{3}{5}}=\dfrac{5}{2}$

(3) 주어진 등비급수의 공비는 -1이고, $|-1|\geq 1$이므로 이 등비급수는 발산한다.

(4) 주어진 등비급수의 첫째항은 1, 공비는 $-\dfrac{2}{3}$이고, $\left|-\dfrac{2}{3}\right|<1$이므로 이 등비급수는 수렴한다.

따라서 그 합은 $\dfrac{1}{1-\left(-\dfrac{2}{3}\right)}=\dfrac{3}{5}$

핵심 유형+ 교/과/서/속 실전 문제 p. 19

1 (1) 주어진 등비급수의 첫째항은 4, 공비는 $1-x$이므로 이 등비급수가 수렴하려면

$-1<1-x<1$ $\quad\therefore 0<x<2$

(2) 주어진 등비급수의 첫째항은 x, 공비는 $x-3$이므로 이 등비급수가 수렴하려면

$x=0$ 또는 $-1<x-3<1$ $\quad\therefore x=0$ 또는 $2<x<4$

2 주어진 등비급수의 첫째항은 $(x-1)(x-5)$, 공비는 $x-5$ 이므로 이 등비급수가 수렴하려면

$(x-1)(x-5)=0$ 또는 $-1<x-5<1$

$\therefore x=1$ 또는 $4<x<6$

따라서 정수 x는 1, 5의 2개이다.

3 (1) $\displaystyle\sum_{n=1}^{\infty}\frac{2^n+3^n}{7^n}=\sum_{n=1}^{\infty}\left(\frac{2}{7}\right)^n+\sum_{n=1}^{\infty}\left(\frac{3}{7}\right)^n$

$=\dfrac{\frac{2}{7}}{1-\frac{2}{7}}+\dfrac{\frac{3}{7}}{1-\frac{3}{7}}$

$=\dfrac{2}{5}+\dfrac{3}{4}=\dfrac{23}{20}$

(2) $\displaystyle\sum_{n=1}^{\infty}\frac{(-6)^n+4^n}{(-8)^n}=\sum_{n=1}^{\infty}\left(\frac{3}{4}\right)^n+\sum_{n=1}^{\infty}\left(-\frac{1}{2}\right)^n$

$=\dfrac{\frac{3}{4}}{1-\frac{3}{4}}+\dfrac{-\frac{1}{2}}{1-\left(-\frac{1}{2}\right)}$

$=3+\left(-\dfrac{1}{3}\right)=\dfrac{8}{3}$

4 $\displaystyle\sum_{n=1}^{\infty}\frac{5^n+(-1)^{n+1}}{6^n}=\sum_{n=1}^{\infty}\left(\frac{5}{6}\right)^n-\sum_{n=1}^{\infty}\left(-\frac{1}{6}\right)^n$

$=\dfrac{\frac{5}{6}}{1-\frac{5}{6}}-\dfrac{-\frac{1}{6}}{1-\left(-\frac{1}{6}\right)}$

$=5-\left(-\dfrac{1}{7}\right)=\dfrac{36}{7}$

따라서 주어진 급수의 합은 ④이다.

5 (1) $0.0\dot{2}=0.02+0.002+0.0002+\cdots=\dfrac{\frac{2}{100}}{1-\frac{1}{10}}=\dfrac{1}{45}$

(2) $0.\dot{4}1\dot{6}=0.416+0.000416+0.000000416+\cdots$

$=\dfrac{\frac{416}{1000}}{1-\frac{1}{1000}}=\dfrac{416}{999}$

6 $1.1\dot{5}\dot{7}=1.1+0.057+0.00057+0.0000057+\cdots$

$=\dfrac{11}{10}+\dfrac{\frac{57}{1000}}{1-\frac{1}{100}}=\dfrac{11}{10}+\dfrac{19}{330}=\dfrac{191}{165}$

따라서 $p=165$, $q=191$이므로 $p+q=356$

7 직각이등변삼각형 ABC에서

$\overline{AC}:\overline{BC}=\sqrt{2}:1$, $2:\overline{BC}=\sqrt{2}:1$

$\therefore \overline{BC}=\sqrt{2}$

$\triangle ABC\varpropto\triangle AB_1C_1$이고 닮음비는 $2:1$이므로

$\overline{BC}:\overline{B_1C_1}=2:1$

$\therefore \overline{B_1C_1}=\dfrac{1}{2}\overline{BC}=\sqrt{2}\times\dfrac{1}{2}$

같은 방법으로

$\overline{B_2C_2}=\dfrac{1}{2}\overline{B_1C_1}=\sqrt{2}\times\left(\dfrac{1}{2}\right)^2$

$\overline{B_3C_3}=\dfrac{1}{2}\overline{B_2C_2}=\sqrt{2}\times\left(\dfrac{1}{2}\right)^3$

$\vdots$

따라서 수열 $\{\overline{B_nC_n}\}$은 첫째항이 $\dfrac{\sqrt{2}}{2}$, 공비가 $\dfrac{1}{2}$인 등비수열이므로

$\displaystyle\sum_{n=1}^{\infty}\overline{B_nC_n}=\dfrac{\frac{\sqrt{2}}{2}}{1-\frac{1}{2}}=\sqrt{2}$

8 $\overline{A_1B_1}=\dfrac{1}{2}\overline{AB}$, $\overline{B_1C_1}=\dfrac{1}{2}\overline{BC}$, $\overline{A_1C_1}=\dfrac{1}{2}\overline{AC}$

$\overline{A_2B_2}=\dfrac{1}{2}\overline{A_1B_1}$, $\overline{B_2C_2}=\dfrac{1}{2}\overline{B_1C_1}$, $\overline{A_2C_2}=\dfrac{1}{2}\overline{A_1C_1}$

$\vdots$

$\overline{A_{n+1}B_{n+1}}=\dfrac{1}{2}\overline{A_nB_n}$, $\overline{B_{n+1}C_{n+1}}=\dfrac{1}{2}\overline{B_nC_n}$,

$\overline{A_{n+1}C_{n+1}}=\dfrac{1}{2}\overline{A_nC_n}$

즉, $\triangle A_{n+1}B_{n+1}C_{n+1}\varpropto\triangle A_nB_nC_n$이고 닮음비는 $1:2$이므로 $\triangle A_nB_nC_n$의 넓이를 S_n, $\triangle A_{n+1}B_{n+1}C_{n+1}$의 넓이를 S_{n+1}이라고 하면

$S_{n+1}:S_n=1:2^2$ $\therefore S_{n+1}=\dfrac{1}{4}S_n$

따라서 수열 $\{S_n\}$은 첫째항이 $S_1=2\times\dfrac{1}{4}=\dfrac{1}{2}$, 공비가 $\dfrac{1}{4}$인 등비수열이므로 구하는 삼각형의 넓이의 합은

$\displaystyle\sum_{n=1}^{\infty}S_n=\dfrac{\frac{1}{2}}{1-\frac{1}{4}}=\dfrac{2}{3}$

계산력 다지기 p. 20~21

1 급수의 제n항까지의 부분합을 S_n이라고 하면

(1) $S_n=\displaystyle\sum_{k=1}^{n}4k^2=4\times\dfrac{n(n+1)(2n+1)}{6}$

$=\dfrac{2n(n+1)(2n+1)}{3}$

$\therefore \displaystyle\lim_{n\to\infty}S_n=\lim_{n\to\infty}\dfrac{2n(n+1)(2n+1)}{3}=\infty$

따라서 주어진 급수는 발산한다.

(2) $S_n=\displaystyle\sum_{k=1}^{n}\dfrac{k-1}{3}=\dfrac{1}{3}\left\{\dfrac{n(n+1)}{2}-n\right\}=\dfrac{n^2-n}{6}$

$\therefore \displaystyle\lim_{n\to\infty}S_n=\lim_{n\to\infty}\dfrac{n^2-n}{6}=\infty$

따라서 주어진 급수는 발산한다.

(3) $\dfrac{1}{n(n+2)}=\dfrac{1}{2}\left(\dfrac{1}{n}-\dfrac{1}{n+2}\right)$이므로

$$S_n=\dfrac{1}{2}\left\{\left(1-\dfrac{1}{3}\right)+\left(\dfrac{1}{2}-\dfrac{1}{4}\right)+\left(\dfrac{1}{3}-\dfrac{1}{5}\right)\right.$$
$$\left.+\cdots+\left(\dfrac{1}{n}-\dfrac{1}{n+2}\right)\right\}$$
$$=\dfrac{1}{2}\left(1+\dfrac{1}{2}-\dfrac{1}{n+1}-\dfrac{1}{n+2}\right)$$
$$\therefore \lim_{n\to\infty}S_n=\lim_{n\to\infty}\dfrac{1}{2}\left(1+\dfrac{1}{2}-\dfrac{1}{n+1}-\dfrac{1}{n+2}\right)=\dfrac{3}{4}$$

따라서 주어진 급수는 수렴하고, 그 합은 $\dfrac{3}{4}$이다.

(4) $\dfrac{1}{9n^2-3n-2}=\dfrac{1}{(3n-2)(3n+1)}$
$$=\dfrac{1}{3}\left(\dfrac{1}{3n-2}-\dfrac{1}{3n+1}\right)$$

이므로

$$S_n=\dfrac{1}{3}\left\{\left(1-\dfrac{1}{4}\right)+\left(\dfrac{1}{4}-\dfrac{1}{7}\right)+\left(\dfrac{1}{7}-\dfrac{1}{10}\right)\right.$$
$$\left.+\cdots+\left(\dfrac{1}{3n-2}-\dfrac{1}{3n+1}\right)\right\}$$
$$=\dfrac{1}{3}\left(1-\dfrac{1}{3n+1}\right)$$
$$\therefore \lim_{n\to\infty}S_n=\lim_{n\to\infty}\dfrac{1}{3}\left(1-\dfrac{1}{3n+1}\right)=\dfrac{1}{3}$$

따라서 주어진 급수는 수렴하고, 그 합은 $\dfrac{1}{3}$이다.

(5) $S_n=(\sqrt{4}-\sqrt{2})+(\sqrt{5}-\sqrt{3})+(\sqrt{6}-\sqrt{4})$
$$+\cdots+(\sqrt{n+3}-\sqrt{n+1})$$
$$=\sqrt{n+2}+\sqrt{n+3}-\sqrt{2}-\sqrt{3}$$
$$\therefore \lim_{n\to\infty}S_n=\lim_{n\to\infty}(\sqrt{n+2}+\sqrt{n+3}-\sqrt{2}-\sqrt{3})=\infty$$

따라서 주어진 급수는 발산한다.

(6) $\dfrac{2}{\sqrt{2n+1}+\sqrt{2n-1}}=\sqrt{2n+1}-\sqrt{2n-1}$이므로
$$S_n=(\sqrt{3}-\sqrt{1})+(\sqrt{5}-\sqrt{3})+(\sqrt{7}-\sqrt{5})$$
$$+\cdots+(\sqrt{2n+1}-\sqrt{2n-1})$$
$$=\sqrt{2n+1}-1$$
$$\therefore \lim_{n\to\infty}S_n=\lim_{n\to\infty}(\sqrt{2n+1}-1)=\infty$$

따라서 주어진 급수는 발산한다.

(7) $\dfrac{1}{1+2+3+\cdots+n}=\dfrac{1}{\sum\limits_{k=1}^{n}k}=\dfrac{2}{n(n+1)}$
$$=2\left(\dfrac{1}{n}-\dfrac{1}{n+1}\right)$$

이므로

$$S_n=2\left\{\left(1-\dfrac{1}{2}\right)+\left(\dfrac{1}{2}-\dfrac{1}{3}\right)+\left(\dfrac{1}{3}-\dfrac{1}{4}\right)\right.$$
$$\left.+\cdots+\left(\dfrac{1}{n}-\dfrac{1}{n+1}\right)\right\}$$
$$=2\left(1-\dfrac{1}{n+1}\right)$$
$$\therefore \lim_{n\to\infty}S_n=\lim_{n\to\infty}2\left(1-\dfrac{1}{n+1}\right)=2$$

따라서 주어진 급수는 수렴하고, 그 합은 2이다.

(8) $\log_2\dfrac{n^2}{n^2-1}=\log_2\left(\dfrac{n}{n-1}\times\dfrac{n}{n+1}\right)$이므로 $n\geq2$일 때

$$S_n=\log_2\left(2\times\dfrac{2}{3}\right)+\log_2\left(\dfrac{3}{2}\times\dfrac{3}{4}\right)+\log_2\left(\dfrac{4}{3}\times\dfrac{4}{5}\right)$$
$$+\cdots+\log_2\left(\dfrac{n}{n-1}\times\dfrac{n}{n+1}\right)$$
$$=\log_2\left(2\times\dfrac{2}{3}\times\dfrac{3}{2}\times\dfrac{3}{4}\times\dfrac{4}{3}\times\dfrac{4}{5}\right.$$
$$\left.\times\cdots\times\dfrac{n}{n-1}\times\dfrac{n}{n+1}\right)$$
$$=\log_2\dfrac{2n}{n+1}$$
$$\therefore \lim_{n\to\infty}S_n=\lim_{n\to\infty}\log_2\dfrac{2n}{n+1}=\log_2 2=1$$

따라서 주어진 급수는 수렴하고, 그 합은 1이다.

2 (1) $\lim\limits_{n\to\infty}(3n+1)=\infty$

즉, $\lim\limits_{n\to\infty}(3n+1)\neq0$이므로 주어진 급수는 발산한다.

(2) $\lim\limits_{n\to\infty}\left(\dfrac{5}{2}\right)^n=\infty$

즉, $\lim\limits_{n\to\infty}\left(\dfrac{5}{2}\right)^n\neq0$이므로 주어진 급수는 발산한다.

(3) $\lim\limits_{n\to\infty}\dfrac{n}{n+2}=1\neq0$이므로 주어진 급수는 발산한다.

(4) $\lim\limits_{n\to\infty}\dfrac{n^2+5}{(n+1)(2n-3)}=\dfrac{1}{2}\neq0$이므로 주어진 급수는 발산한다.

3 (1) $\sum\limits_{n=1}^{\infty}(7a_n+2b_n)=7\sum\limits_{n=1}^{\infty}a_n+2\sum\limits_{n=1}^{\infty}b_n$
$$=7\times(-3)+2\times1=-19$$

(2) $\sum\limits_{n=1}^{\infty}(3a_n-4b_n)=3\sum\limits_{n=1}^{\infty}a_n-4\sum\limits_{n=1}^{\infty}b_n$
$$=3\times(-3)-4\times1=-13$$

4 (1) 주어진 등비급수의 공비는 -1이고, $|-1|\geq1$이므로 이 등비급수는 발산한다.

(2) 주어진 등비급수의 첫째항은 1, 공비는 $-\dfrac{1}{4}$이고, $\left|-\dfrac{1}{4}\right|<1$이므로 이 등비급수는 수렴한다.

따라서 그 합은 $\dfrac{1}{1-\left(-\dfrac{1}{4}\right)}=\dfrac{4}{5}$

(3) 주어진 등비급수의 첫째항은 $\dfrac{36}{7}$, 공비는 $\dfrac{6}{7}$이고, $\left|\dfrac{6}{7}\right|<1$이므로 이 등비급수는 수렴한다.

따라서 그 합은 $\dfrac{\dfrac{36}{7}}{1-\dfrac{6}{7}}=36$

(4) 주어진 등비급수의 첫째항은 $1-\sqrt{2}$, 공비는 $1-\sqrt{2}$이고, $|1-\sqrt{2}|<1$이므로 이 등비급수는 수렴한다.

따라서 그 합은 $\dfrac{1-\sqrt{2}}{1-(1-\sqrt{2})}=\dfrac{1-\sqrt{2}}{\sqrt{2}}=\dfrac{\sqrt{2}}{2}-1$

5 (1) 주어진 등비급수의 첫째항은 1, 공비는 $2x$이므로 이 등비급수가 수렴하려면

$$-1 < 2x < 1 \qquad \therefore -\frac{1}{2} < x < \frac{1}{2}$$

(2) 주어진 등비급수의 첫째항은 1, 공비는 $-\frac{x}{3}$이므로 이 등비급수가 수렴하려면

$$-1 < -\frac{x}{3} < 1 \qquad \therefore -3 < x < 3$$

(3) 주어진 등비급수의 첫째항은 1, 공비는 $x-2$이므로 이 등비급수가 수렴하려면

$$-1 < x-2 < 1 \qquad \therefore 1 < x < 3$$

(4) 주어진 등비급수의 첫째항은 $(x+3)(2x-1)$, 공비는 $2x-1$이므로 이 등비급수가 수렴하려면

$$(x+3)(2x-1)=0 \text{ 또는 } -1 < 2x-1 < 1$$
$$\therefore x=-3 \text{ 또는 } 0 < x < 1$$

(5) 주어진 등비급수의 첫째항은 $(5-3x)^2$, 공비는 $5-3x$이므로 이 등비급수가 수렴하려면

$$(5-3x)^2=0 \text{ 또는 } -1 < 5-3x < 1 \qquad \therefore \frac{4}{3} < x < 2$$

(6) 주어진 등비급수의 첫째항은 1, 공비는 x^2+3x+1이므로 이 등비급수가 수렴하려면

$$-1 < x^2+3x+1 < 1$$
$x^2+3x+1 > -1$에서 $x^2+3x+2 > 0$
$(x+2)(x+1) > 0$
$$\therefore x < -2 \text{ 또는 } x > -1 \qquad \cdots\cdots \text{㉠}$$
$x^2+3x+1 < 1$에서 $x^2+3x < 0$
$x(x+3) < 0 \qquad \therefore -3 < x < 0 \qquad \cdots\cdots \text{㉡}$
㉠, ㉡을 모두 만족하는 x의 값의 범위는
$$-3 < x < -2 \text{ 또는 } -1 < x < 0$$

6 (1) $\displaystyle\sum_{n=1}^{\infty}\left\{\left(\frac{1}{2}\right)^n-\left(\frac{1}{3}\right)^n\right\}=\sum_{n=1}^{\infty}\left(\frac{1}{2}\right)^n-\sum_{n=1}^{\infty}\left(\frac{1}{3}\right)^n$

$$=\frac{\frac{1}{2}}{1-\frac{1}{2}}-\frac{\frac{1}{3}}{1-\frac{1}{3}}$$

$$=1-\frac{1}{2}=\frac{1}{2}$$

(2) $\displaystyle\sum_{n=1}^{\infty}\left\{(2^n-1)\left(\frac{1}{3}\right)^{n-1}\right\}=\sum_{n=1}^{\infty}2\left(\frac{2}{3}\right)^{n-1}-\sum_{n=1}^{\infty}\left(\frac{1}{3}\right)^{n-1}$

$$=\frac{2}{1-\frac{2}{3}}-\frac{1}{1-\frac{1}{3}}$$

$$=6-\frac{3}{2}=\frac{9}{2}$$

(3) $\displaystyle\sum_{n=1}^{\infty}\frac{5^n-(-4)^n}{(-6)^n}=\sum_{n=1}^{\infty}\left(-\frac{5}{6}\right)^n-\sum_{n=1}^{\infty}\left(\frac{2}{3}\right)^n$

$$=\frac{-\frac{5}{6}}{1-\left(-\frac{5}{6}\right)}-\frac{\frac{2}{3}}{1-\frac{2}{3}}$$

$$=-\frac{5}{11}-2=-\frac{27}{11}$$

(4) $\displaystyle\sum_{n=1}^{\infty}\frac{3^n\times\cos n\pi}{4^n}$

$$=\frac{3}{4}\cos\pi+\left(\frac{3}{4}\right)^2\cos 2\pi+\left(\frac{3}{4}\right)^3\cos 3\pi+\cdots$$

$$=-\frac{3}{4}+\left(-\frac{3}{4}\right)^2+\left(-\frac{3}{4}\right)^3+\cdots$$

$$=\frac{-\frac{3}{4}}{1-\left(-\frac{3}{4}\right)}=-\frac{3}{7}$$

03~04강 족집게 기출문제 p. 22~25

1 ③	2 4	3 1	4 ①	5 1
6 $\frac{3}{2}$	7 ㄹ	8 ②	9 21	10 ①
11 ③	12 ③	13 ②	14 $-\frac{2}{3}$	15 $\frac{36}{5}$
16 ④	17 $\frac{1}{6}$	18 ①	19 $\frac{9}{2}\pi$	
20 24억 원	21 $\frac{100}{9}$	22 6	23 $\frac{1}{2}$	24 $\frac{5}{3}$
25 $\frac{45}{41}$				

1 $\displaystyle\lim_{n\to\infty}(S_n-2)=\lim_{n\to\infty}S_n-\lim_{n\to\infty}2=\sum_{n=1}^{\infty}a_n-2=3-2=1$

2 주어진 급수의 제n항을 a_n이라고 하면

$$a_n=\frac{n(n+1)}{\displaystyle\sum_{k=1}^{n}k^3}=\frac{n(n+1)}{\left\{\frac{n(n+1)}{2}\right\}^2}=\frac{4}{n(n+1)}$$

$$=4\left(\frac{1}{n}-\frac{1}{n+1}\right)$$

이때 급수의 제n항까지의 부분합을 S_n이라고 하면

$$S_n=4\left\{\left(1-\frac{1}{2}\right)+\left(\frac{1}{2}-\frac{1}{3}\right)+\left(\frac{1}{3}-\frac{1}{4}\right)\right.$$
$$\left.+\cdots+\left(\frac{1}{n}-\frac{1}{n+1}\right)\right\}$$

$$=4\left(1-\frac{1}{n+1}\right)$$

따라서 구하는 급수의 합은

$$\lim_{n\to\infty}S_n=\lim_{n\to\infty}4\left(1-\frac{1}{n+1}\right)=4$$

3 $(4n^2-1)x^2-4nx+1=0$에서
$\{(2n-1)x-1\}\{(2n+1)x-1\}=0$
$$\therefore x=\frac{1}{2n-1} \text{ 또는 } x=\frac{1}{2n+1}$$
이때 $\alpha_n > \beta_n$이고 n이 자연수이므로
$$\alpha_n=\frac{1}{2n-1}, \ \beta_n=\frac{1}{2n+1}$$
$$\therefore \alpha_n-\beta_n=\frac{1}{2n-1}-\frac{1}{2n+1}$$

이때 급수의 제n항까지의 부분합을 S_n이라고 하면

$$S_n = \left(1 - \frac{1}{3}\right) + \left(\frac{1}{3} - \frac{1}{5}\right) + \left(\frac{1}{5} - \frac{1}{7}\right)$$
$$+ \cdots + \left(\frac{1}{2n-1} - \frac{1}{2n+1}\right)$$
$$= 1 - \frac{1}{2n+1}$$

$$\therefore \sum_{n=1}^{\infty} (\alpha_n - \beta_n) = \lim_{n \to \infty} S_n$$
$$= \lim_{n \to \infty} \left(1 - \frac{1}{2n+1}\right) = 1$$

4 $\log_2 \left(1 - \frac{1}{n^2}\right) = \log_2 \frac{n^2 - 1}{n^2} = \log_2 \left(\frac{n-1}{n} \times \frac{n+1}{n}\right)$

이때 급수의 제n항까지의 부분합을 S_n이라고 하면 $n \geq 2$일 때

$$S_n = \log_2 \left(\frac{1}{2} \times \frac{3}{2}\right) + \log_2 \left(\frac{2}{3} \times \frac{4}{3}\right) + \log_2 \left(\frac{3}{4} \times \frac{5}{4}\right)$$
$$+ \cdots + \log_2 \left(\frac{n-1}{n} \times \frac{n+1}{n}\right)$$
$$= \log_2 \left(\frac{1}{2} \times \frac{3}{2} \times \frac{2}{3} \times \frac{4}{3} \times \frac{3}{4} \times \frac{5}{4} \times \cdots \times \frac{n-1}{n} \times \frac{n+1}{n}\right)$$
$$= \log_2 \frac{n+1}{2n}$$

따라서 구하는 급수는

$$\sum_{n=2}^{\infty} \log_2 \left(1 - \frac{1}{n^2}\right) = \lim_{n \to \infty} \log_2 \frac{n+1}{2n}$$
$$= \log_2 \frac{1}{2} = -1$$

5 $S_n = \sum_{k=1}^{n} k = \frac{n(n+1)}{2}$ 이므로 $S_1 = 1$, $\lim_{n \to \infty} S_n = \infty$

$$\therefore \sum_{n=1}^{\infty} \frac{\sqrt{S_{n+1}} - \sqrt{S_n}}{\sqrt{S_n}\sqrt{S_{n+1}}} = \sum_{n=1}^{\infty} \left(\frac{1}{\sqrt{S_n}} - \frac{1}{\sqrt{S_{n+1}}}\right)$$
$$= \lim_{n \to \infty} \sum_{k=1}^{n} \left(\frac{1}{\sqrt{S_k}} - \frac{1}{\sqrt{S_{k+1}}}\right)$$
$$= \lim_{n \to \infty} \left\{\left(\frac{1}{\sqrt{S_1}} - \frac{1}{\sqrt{S_2}}\right) + \left(\frac{1}{\sqrt{S_2}} - \frac{1}{\sqrt{S_3}}\right)\right.$$
$$\left. + \cdots + \left(\frac{1}{\sqrt{S_n}} - \frac{1}{\sqrt{S_{n+1}}}\right)\right\}$$
$$= \lim_{n \to \infty} \left(\frac{1}{\sqrt{S_1}} - \frac{1}{\sqrt{S_{n+1}}}\right)$$
$$= \lim_{n \to \infty} \left(1 - \frac{1}{\sqrt{S_{n+1}}}\right) = 1$$

6 오른쪽 그림과 같이 네 직선으로 둘러싸인 사각형은 평행인 두 변의 길이가 각각 1, $n+1$이고 높이가 n인 사다리꼴이므로

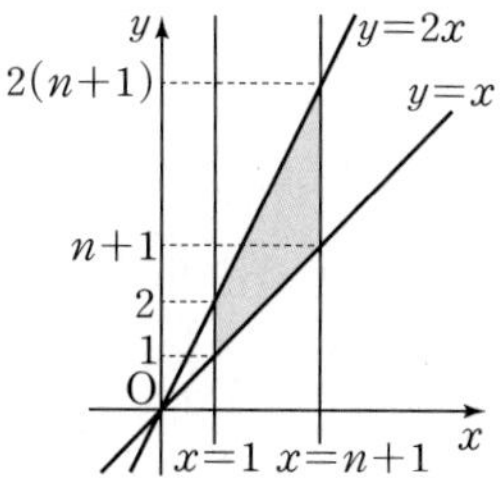

$$S_n = \frac{1}{2}\{1 + (n+1)\}n$$
$$= \frac{n(n+2)}{2}$$

$$\therefore \sum_{n=1}^{\infty} \frac{1}{S_n} = \sum_{n=1}^{\infty} \frac{2}{n(n+2)}$$
$$= \lim_{n \to \infty} \sum_{k=1}^{n} \frac{2}{k(k+2)}$$
$$= \lim_{n \to \infty} \sum_{k=1}^{n} \left(\frac{1}{k} - \frac{1}{k+2}\right)$$
$$= \lim_{n \to \infty} \left\{\left(1 - \frac{1}{3}\right) + \left(\frac{1}{2} - \frac{1}{4}\right) + \left(\frac{1}{3} - \frac{1}{5}\right)\right.$$
$$\left. + \cdots + \left(\frac{1}{n} - \frac{1}{n+2}\right)\right\}$$
$$= \lim_{n \to \infty} \left(1 + \frac{1}{2} - \frac{1}{n+1} - \frac{1}{n+2}\right)$$
$$= \frac{3}{2}$$

7 급수의 제n항까지의 부분합을 S_n이라고 하면 $\lim_{n \to \infty} S_{2n-1} = \lim_{n \to \infty} S_{2n} = \alpha$ (α는 실수)일 때 급수는 α로 수렴한다.

ㄱ. $S_1 = 1$, $S_2 = 0$, $S_3 = 1$, $S_4 = 0$, $S_5 = 1$, $S_6 = 0$, $\cdots$이므로
$S_{2n-1} = 1$, $S_{2n} = 0$
$\therefore \lim_{n \to \infty} S_{2n-1} = 1$, $\lim_{n \to \infty} S_{2n} = 0$
따라서 주어진 급수는 발산한다.

ㄴ. $S_1 = 1$, $S_2 = -1$, $S_3 = 2$, $S_4 = -2$, $S_5 = 3$, $S_6 = -3$, $\cdots$이므로
$S_{2n-1} = n$, $S_{2n} = -n$
$\therefore \lim_{n \to \infty} S_{2n-1} = \infty$, $\lim_{n \to \infty} S_{2n} = -\infty$
따라서 주어진 급수는 발산한다.

ㄷ. $S_1 = \frac{1}{2}$, $S_2 = \frac{1}{2} - \frac{2}{3}$, $S_3 = \frac{1}{2}$, $S_4 = \frac{1}{2} - \frac{3}{4}$, $S_5 = \frac{1}{2}$,
$S_6 = \frac{1}{2} - \frac{4}{5}$, $\cdots$이므로
$S_{2n-1} = \frac{1}{2}$, $S_{2n} = \frac{1}{2} - \frac{n+1}{n+2}$
$\therefore \lim_{n \to \infty} S_{2n-1} = \frac{1}{2}$, $\lim_{n \to \infty} S_{2n} = -\frac{1}{2}$
따라서 주어진 급수는 발산한다.

ㄹ. $S_1 = 1$, $S_2 = 1 - \frac{1}{2}$, $S_3 = 1$, $S_4 = 1 - \frac{1}{3}$, $S_5 = 1$,
$S_6 = 1 - \frac{1}{4}$, $\cdots$이므로
$S_{2n-1} = 1$, $S_{2n} = 1 - \frac{1}{n+1}$
$\therefore \lim_{n \to \infty} S_{2n-1} = 1$, $\lim_{n \to \infty} S_{2n} = 1$
따라서 주어진 급수는 1로 수렴한다.
따라서 보기 중 수렴하는 급수는 ㄹ이다.

다른 풀이

ㄱ. $1 - 1 + 1 - 1 + 1 - 1 + \cdots = \sum_{n=1}^{\infty} (-1)^{n-1}$에서
$\lim_{n \to \infty} (-1)^{n-1} \neq 0$이므로 주어진 급수는 발산한다.

ㄴ. $1 - 2 + 3 - 4 + 5 - 6 + \cdots = \sum_{n=1}^{\infty} \{(-1)^{n-1} \times n\}$에서
$\lim_{n \to \infty} \{(-1)^{n-1} \times n\} \neq 0$이므로 주어진 급수는 발산한다.

8 $\sum\limits_{n=1}^{\infty}\left(a_n-\dfrac{3n}{n+1}\right)$이 수렴하므로 $\lim\limits_{n\to\infty}\left(a_n-\dfrac{3n}{n+1}\right)=0$

$\therefore \lim\limits_{n\to\infty}a_n=\lim\limits_{n\to\infty}\left(a_n-\dfrac{3n}{n+1}+\dfrac{3n}{n+1}\right)$

$\qquad\quad=\lim\limits_{n\to\infty}\left(a_n-\dfrac{3n}{n+1}\right)+\lim\limits_{n\to\infty}\dfrac{3n}{n+1}$

$\qquad\quad=0+3=3$

$\sum\limits_{n=1}^{\infty}(a_n+b_n)$이 수렴하므로 $\lim\limits_{n\to\infty}(a_n+b_n)=0$

$\therefore \lim\limits_{n\to\infty}b_n=\lim\limits_{n\to\infty}(a_n+b_n-a_n)$

$\qquad\quad=\lim\limits_{n\to\infty}(a_n+b_n)-\lim\limits_{n\to\infty}a_n$

$\qquad\quad=0-3=-3$

$\therefore \lim\limits_{n\to\infty}\dfrac{3-b_n}{a_n}=\dfrac{3-(-3)}{3}=2$

9 $\dfrac{a_n}{2}-b_n=c_n$이라고 하면 $a_n=2b_n+2c_n$

$\sum\limits_{n=1}^{\infty}b_n=3,\ \sum\limits_{n=1}^{\infty}c_n=6$이므로

$\sum\limits_{n=1}^{\infty}(a_n+b_n)=\sum\limits_{n=1}^{\infty}(2b_n+2c_n+b_n)=\sum\limits_{n=1}^{\infty}(3b_n+2c_n)$

$\qquad\qquad\qquad=3\sum\limits_{n=1}^{\infty}b_n+2\sum\limits_{n=1}^{\infty}c_n=3\times3+2\times6=21$

10 ㄱ. $\lim\limits_{n\to\infty}\dfrac{n}{1+2n}=\dfrac{1}{2}\ne0$이므로 주어진 급수는 발산한다.

ㄴ. $\lim\limits_{n\to\infty}\dfrac{n^3}{(n-3)(n+3)}=\infty$

즉, $\lim\limits_{n\to\infty}\dfrac{n^3}{(n-3)(n+3)}\ne0$이므로 주어진 급수는 발산한다.

ㄷ. 주어진 등비급수의 공비는 $-\dfrac{1}{3}$이고, $\left|-\dfrac{1}{3}\right|<1$이므로 이 급수는 수렴한다.

ㄹ. $\lim\limits_{n\to\infty}\dfrac{3^n-2^n}{3^n+2^n}=\lim\limits_{n\to\infty}\dfrac{1-\left(\dfrac{2}{3}\right)^n}{1+\left(\dfrac{2}{3}\right)^n}=1\ne0$이므로 주어진 급수는 발산한다.

따라서 보기 중 수렴하는 급수는 ㄷ이다.

11 등비수열 $\left\{\left(\dfrac{x+1}{2}\right)^n\right\}$이 수렴하려면

$-1<\dfrac{x+1}{2}\le1 \quad \therefore -3<x\le1 \qquad \cdots\cdots ㉠$

등비급수 $\sum\limits_{n=1}^{\infty}\left(\dfrac{x^2-2x}{3}\right)^n$이 수렴하려면

$-1<\dfrac{x^2-2x}{3}<1,\ -3<x^2-2x<3$

(i) $-3<x^2-2x$에서 $x^2-2x+3>0$

$\qquad(x-1)^2+2>0 \quad \therefore x$는 모든 실수

(ii) $x^2-2x<3$에서 $x^2-2x-3<0$

$\qquad(x+1)(x-3)<0 \quad \therefore -1<x<3$

(i), (ii)에서 $-1<x<3 \qquad \cdots\cdots ㉡$

㉠, ㉡을 모두 만족하는 x의 값의 범위는

$-1<x\le1$

따라서 $a=-1,\ b=1$이므로 $a+b=0$

12 등비수열 $\{a_n\}$의 공비를 r라고 하자.

ㄱ. $\sum\limits_{n=1}^{\infty}a_n$이 수렴하면 $-1<r<1$

이때 $0\le r^2<1$이므로 $\sum\limits_{n=1}^{\infty}a_{2n}$도 수렴한다.

ㄴ. $\sum\limits_{n=1}^{\infty}a_n$이 발산하면 $r\le-1$ 또는 $r\ge1$

이때 $r^2\ge1$이므로 $\sum\limits_{n=1}^{\infty}a_{2n}$도 발산한다.

ㄷ. $\sum\limits_{n=1}^{\infty}a_n$이 수렴하면 $\lim\limits_{n\to\infty}a_n=0$

$\lim\limits_{n\to\infty}\dfrac{a_n-1}{2}=-\dfrac{1}{2}\ne0$이므로 $\sum\limits_{n=1}^{\infty}\dfrac{a_n-1}{2}$은 발산한다.

따라서 보기 중 옳은 것은 ㄱ, ㄴ이다.

13 $\log_2 2+\log_2\sqrt{2}+\log_2\sqrt[4]{2}+\log_2\sqrt[8]{2}+\cdots$

$=\log_2 2+\dfrac{1}{2}\log_2 2+\dfrac{1}{4}\log_2 2+\dfrac{1}{8}\log_2 2+\cdots$

$=1+\dfrac{1}{2}+\dfrac{1}{4}+\dfrac{1}{8}+\cdots$

$=\dfrac{1}{1-\dfrac{1}{2}}=2$

14 첫째항이 1, 공비가 $\dfrac{1-x}{2}$인 등비급수의 합이 6이므로

$\dfrac{1}{1-\dfrac{1-x}{2}}=6,\ \dfrac{2}{1+x}=6 \quad \therefore x=-\dfrac{2}{3}$

15 나머지정리에 의하여

$a_n=\left(\dfrac{4}{5}\right)^{n+1}+\left(\dfrac{4}{5}\right)^n=\dfrac{9}{5}\left(\dfrac{4}{5}\right)^n$

$\therefore \sum\limits_{n=1}^{\infty}a_n=\sum\limits_{n=1}^{\infty}\dfrac{9}{5}\left(\dfrac{4}{5}\right)^n=\dfrac{\dfrac{36}{25}}{1-\dfrac{4}{5}}=\dfrac{36}{5}$

16 등비수열 $\{a_n\}$의 첫째항을 a, 공비를 r라고 하면

$\sum\limits_{n=1}^{\infty}a_n=2$에서 $\dfrac{a}{1-r}=2 \qquad \cdots\cdots ㉠$

$\sum\limits_{n=1}^{\infty}a_n^2=\dfrac{4}{3}$에서 $\dfrac{a^2}{1-r^2}=\dfrac{4}{3} \qquad \cdots\cdots ㉡$

㉡÷㉠을 하면 $\dfrac{a}{1+r}=\dfrac{2}{3} \qquad \cdots\cdots ㉢$

㉠, ㉢을 연립하여 풀면

$a=1,\ r=\dfrac{1}{2}$

$\therefore \sum\limits_{n=1}^{\infty}a_n^3=\dfrac{a^3}{1-r^3}=\dfrac{1}{1-\dfrac{1}{8}}=\dfrac{8}{7}$

17
$$a_n=S_n-S_{n-1}$$
$$=(2^{n+1}-2)-(2^n-2)=(2-1)2^n$$
$$=2^n \ (단, \ n \geq 2)$$

이때 $a_1=S_1=2$이므로

$$a_n=2^n$$

$$\therefore \sum_{n=1}^{\infty} \frac{1}{a_n a_{n+1}} = \sum_{n=1}^{\infty} \frac{1}{2^n 2^{n+1}} = \sum_{n=1}^{\infty} \frac{1}{2} \left(\frac{1}{4}\right)^n$$

$$= \frac{\frac{1}{8}}{1-\frac{1}{4}} = \frac{1}{6}$$

18 $0.\dot{6}=0.6+0.06+0.006+\cdots$

$$= \frac{\frac{6}{10}}{1-\frac{1}{10}} = \frac{2}{3}$$

$0.\dot{5}\dot{4}=0.54+0.0054+0.000054+\cdots$

$$= \frac{\frac{54}{100}}{1-\frac{1}{100}} = \frac{6}{11}$$

$\sum_{n=1}^{\infty} a_n = 0.\dot{5}\dot{4}$에서

$$\frac{a_1}{1-\frac{2}{3}} = \frac{6}{11} \qquad \therefore a_1 = \frac{2}{11}$$

19 길이가 6인 반원의 지름을 $1:2$로 내분하여 만든 두 반원의 지름의 길이는 각각 2, 4이므로 두 반원의 넓이의 합 S_1은

$$S_1 = \frac{1}{2}(\pi \times 1^2 + \pi \times 2^2) = \frac{5}{2}\pi$$

첫 번째 만들어진 두 반원 중 큰 반원의 지름을 $1:2$로 내분하여 만든 두 반원의 지름의 길이는 각각 $\frac{4}{3}$, $\frac{8}{3}$이고, 첫 번째 만들어진 도형과 두 번째 만들어진 도형은 닮음이다. 이때 닮음비는 $3:2$이므로 넓이의 비는 $9:4$이다.

따라서 $S_{n+1}=\frac{4}{9}S_n$이므로

$$S_1+S_2+S_3+S_4+\cdots = \frac{\frac{5}{2}\pi}{1-\frac{4}{9}} = \frac{9}{2}\pi$$

20 첫 번째 해에 지급하는 장학금은

$(14 \times 1.2 \times 0.4)$억 원

두 번째 해에 지급하는 장학금은

$(14 \times 1.2 \times 0.6 \times 1.2 \times 0.4)$억 원

세 번째 해에 지급하는 장학금은

$(14 \times 1.2 \times 0.6 \times 1.2 \times 0.6 \times 1.2 \times 0.4)$억 원

$\vdots$

따라서 해마다 지급하는 장학금의 총액은 첫째항이 $(14 \times 1.2 \times 0.4)$억 원, 공비가 1.2×0.6인 등비급수이므로

$$\frac{14 \times 1.2 \times 0.4}{1-1.2 \times 0.6} = 24(억 원)$$

21

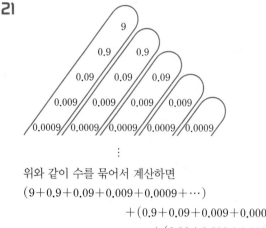

위와 같이 수를 묶어서 계산하면

$(9+0.9+0.09+0.009+0.0009+\cdots)$

$+(0.9+0.09+0.009+0.0009+\cdots)$

$+(0.09+0.009+0.0009+\cdots)$

$+(0.009+0.0009+\cdots)+\cdots$

$$= \frac{9}{1-\frac{1}{10}} + \frac{\frac{9}{10}}{1-\frac{1}{10}} + \frac{\frac{9}{100}}{1-\frac{1}{10}} + \frac{\frac{9}{1000}}{1-\frac{1}{10}} + \cdots$$

$$= 10+1+\frac{1}{10}+\frac{1}{100}+\cdots = \frac{10}{1-\frac{1}{10}} = \frac{100}{9}$$

22 오른쪽 그림과 같이 정사각형 $A_1B_1C_1D_1$의 한 변의 길이를 a라고 하면 $\overline{AA_1}=\frac{1-a}{2}$

$\overline{AC_1}=1$이므로 직각삼각형 AB_1C_1에서 $\left(\frac{1-a}{2}+a\right)^2+a^2=1^2$

$5a^2+2a-3=0, \ (a+1)(5a-3)=0$

$$\therefore a=\frac{3}{5} \ (\because a>0)$$

$$\therefore l_1=4 \times \frac{3}{5} = \frac{12}{5}$$

이때 정사각형 $A_nB_nC_nD_n$과 정사각형 $A_{n+1}B_{n+1}C_{n+1}D_{n+1}$의 닮음비는 정사각형 $ABCD$와 정사각형 $A_1B_1C_1D_1$의 닮음비와 같으므로 $5:3$이다.

따라서 $l_{n+1}=\frac{3}{5}l_n$이므로

$$\sum_{n=1}^{\infty} l_n = \frac{\frac{12}{5}}{1-\frac{3}{5}} = 6$$

23 $a_{n+2}=a_{n+1}+a_n$에서 $a_n=a_{n+2}-a_{n+1}$이므로

$$\frac{a_n}{a_{n+1}a_{n+2}} = \frac{a_{n+2}-a_{n+1}}{a_{n+1}a_{n+2}} = \frac{1}{a_{n+1}} - \frac{1}{a_{n+2}} \qquad \cdots\cdots (가)$$

$$\therefore \sum_{k=1}^{n} \frac{a_k}{a_{k+1}a_{k+2}} = \sum_{k=1}^{n} \left(\frac{1}{a_{k+1}} - \frac{1}{a_{k+2}}\right)$$

$$= \left(\frac{1}{a_2} - \frac{1}{a_3}\right) + \left(\frac{1}{a_3} - \frac{1}{a_4}\right) + \left(\frac{1}{a_4} - \frac{1}{a_5}\right)$$

$$+ \cdots + \left(\frac{1}{a_{n+1}} - \frac{1}{a_{n+2}}\right)$$

$$= \frac{1}{a_2} - \frac{1}{a_{n+2}} = \frac{1}{2} - \frac{1}{a_{n+2}} \qquad \cdots\cdots (나)$$

이때 $a_1=1$, $a_2=2$에서 $a_3=3$, $a_4=5$, $a_5=8$, $\cdots$이므로

$a_{n+1}>a_n$

따라서 $\lim\limits_{n\to\infty}\dfrac{1}{a_{n+2}}=0$이므로

$$\sum_{n=1}^{\infty}\frac{a_n}{a_{n+1}a_{n+2}}=\lim_{n\to\infty}\sum_{k=1}^{n}\frac{a_k}{a_{k+1}a_{k+2}}$$
$$=\lim_{n\to\infty}\left(\frac{1}{2}-\frac{1}{a_{n+2}}\right)=\frac{1}{2}\qquad\cdots\cdots\text{(다)}$$

채점 기준	배점
(가) $\dfrac{a_n}{a_{n+1}a_{n+2}}$을 두 분수의 차로 나타낸다.	1점
(나) $\sum\limits_{k=1}^{n}\dfrac{a_k}{a_{k+1}a_{k+2}}$를 간단히 한다.	2점
(다) $\sum\limits_{n=1}^{\infty}\dfrac{a_n}{a_{n+1}a_{n+2}}$의 값을 구한다.	3점

24 $\dfrac{13}{99}=0.\dot{1}\dot{3}$이므로

$a_1=1$, $a_2=3$, $a_3=1$, $a_4=3$, $\cdots$ $\qquad\cdots\cdots$ (가)

$\therefore \sum\limits_{n=1}^{\infty}\dfrac{a_n}{2^n}=\dfrac{1}{2}+\dfrac{3}{2^2}+\dfrac{1}{2^3}+\dfrac{3}{2^4}+\dfrac{1}{2^5}+\dfrac{3}{2^6}+\cdots$

$\qquad=\left(\dfrac{1}{2}+\dfrac{1}{2^3}+\dfrac{1}{2^5}+\cdots\right)+\left(\dfrac{3}{2^2}+\dfrac{3}{2^4}+\dfrac{3}{2^6}+\cdots\right)$

$\qquad\qquad\qquad\qquad\qquad\qquad\qquad\cdots\cdots$ (나)

$\qquad=\dfrac{\dfrac{1}{2}}{1-\dfrac{1}{4}}+\dfrac{\dfrac{3}{4}}{1-\dfrac{1}{4}}=\dfrac{2}{3}+1=\dfrac{5}{3}\qquad\cdots\cdots$ (다)

채점 기준	배점
(가) a_1, a_2, a_3, a_4, $\cdots$를 구한다.	1점
(나) $\sum\limits_{n=1}^{\infty}\dfrac{a_n}{2^n}$을 두 급수의 합으로 나타낸다.	3점
(다) $\sum\limits_{n=1}^{\infty}\dfrac{a_n}{2^n}$의 값을 구한다.	2점

25 $x=\overline{\mathrm{OP_1}}-\overline{\mathrm{P_2P_3}}+\overline{\mathrm{P_4P_5}}-\overline{\mathrm{P_6P_7}}+\cdots$

$\qquad=1-\left(\dfrac{4}{5}\right)^2+\left(\dfrac{4}{5}\right)^4-\left(\dfrac{4}{5}\right)^6+\cdots$

$\qquad=\dfrac{1}{1-\left(-\dfrac{16}{25}\right)}=\dfrac{25}{41}\qquad\cdots\cdots$ (가)

$y=\overline{\mathrm{P_1P_2}}-\overline{\mathrm{P_3P_4}}+\overline{\mathrm{P_5P_6}}-\overline{\mathrm{P_7P_8}}+\cdots$

$\qquad=\dfrac{4}{5}-\left(\dfrac{4}{5}\right)^3+\left(\dfrac{4}{5}\right)^5-\left(\dfrac{4}{5}\right)^7+\cdots$

$\qquad=\dfrac{\dfrac{4}{5}}{1-\left(-\dfrac{16}{25}\right)}=\dfrac{20}{41}\qquad\cdots\cdots$ (나)

$\therefore x+y=\dfrac{25}{41}+\dfrac{20}{41}=\dfrac{45}{41}\qquad\cdots\cdots$ (다)

채점 기준	배점
(가) 점 $\mathrm{P_n}$의 x좌표를 구한다.	3점
(나) 점 $\mathrm{P_n}$의 y좌표를 구한다.	3점
(다) $x+y$의 값을 구한다.	1점

$\boxed{5}$강 지수함수와 로그함수의 극한

확인 문제 p. 26

1 (1) $\lim\limits_{x\to\infty}\left(\dfrac{1}{2}\right)^x=0$

$\quad$ (2) $\lim\limits_{x\to2}3^x=3^2=9$

$\quad$ (3) $\lim\limits_{x\to\infty}\log_5 x=\infty$

$\quad$ (4) $\lim\limits_{x\to4}\log_{\frac{1}{2}}x=\log_{\frac{1}{2}}4=-2$

2 (1) $\ln\dfrac{1}{e^2}=\ln e^{-2}=-2$

$\quad$ (2) $\ln\sqrt[3]{e}=\ln e^{\frac{1}{3}}=\dfrac{1}{3}$

3 (1) $5x=t$로 놓으면 $x\to0$일 때 $t\to0$이므로

$\quad\lim\limits_{x\to0}(1+5x)^{\frac{1}{5x}}=\lim\limits_{t\to0}(1+t)^{\frac{1}{t}}=e$

$\quad$ (2) $2x=t$로 놓으면 $x\to\infty$일 때 $t\to\infty$이므로

$\quad\lim\limits_{x\to\infty}\left(1+\dfrac{1}{2x}\right)^{2x}=\lim\limits_{t\to\infty}\left(1+\dfrac{1}{t}\right)^{t}=e$

핵심유형 + 실전 문제 교/과/서/속 p. 27

1 (1) 분모, 분자를 4^x으로 나누면

$\quad\lim\limits_{x\to\infty}\dfrac{2^x}{4^x-1}=\lim\limits_{x\to\infty}\dfrac{\left(\dfrac{1}{2}\right)^x}{1-\left(\dfrac{1}{4}\right)^x}=\dfrac{0}{1-0}=0$ (수렴)

$\quad$ (2) $\lim\limits_{x\to0+}(4^x+5^x)=4^0+5^0=2$

$\quad\lim\limits_{x\to0+}(4^x-5^x)=4^0-5^0=0$

$\quad$ 그런데 $x>0$일 때 $4^x<5^x$이므로

$\quad\lim\limits_{x\to0+}\dfrac{4^x+5^x}{4^x-5^x}=-\infty$ (발산)

2 분모, 분자를 3^x으로 나누면

$\lim\limits_{x\to\infty}\dfrac{2^x-3^x}{2^{x+1}-3^{x+1}}=\lim\limits_{x\to\infty}\dfrac{\left(\dfrac{2}{3}\right)^x-1}{2\left(\dfrac{2}{3}\right)^x-3}=\dfrac{0-1}{0-3}=\dfrac{1}{3}$

따라서 구하는 값은 ④이다.

3 (1) $\lim\limits_{x\to\infty}\{\log_2(2x+1)-\log_2 x\}=\lim\limits_{x\to\infty}\log_2\dfrac{2x+1}{x}$

$\qquad\qquad\qquad\qquad\qquad\qquad=\log_2 2=1$ (수렴)

$\quad$ (2) $\lim\limits_{x\to1+}\log_3(4x-1)=\log_3 3=1$

$\quad\lim\limits_{x\to1+}\log_5 x=\log_5 1=0$

$\quad$ 그런데 $x>1$일 때 $\log_5 x>0$이므로

$\quad\lim\limits_{x\to1+}\dfrac{\log_3(4x-1)}{\log_5 x}=\infty$ (발산)

4 $\lim_{x \to 1} (\log_2 |x^2 - 1| - \log_2 |x - 1|)$

$\quad = \lim_{x \to 1} \log_2 \left| \dfrac{x^2 - 1}{x - 1} \right|$

$\quad = \lim_{x \to 1} \log_2 \left| \dfrac{(x+1)(x-1)}{x-1} \right|$

$\quad = \lim_{x \to 1} \log_2 |x + 1| = \log_2 2 = 1$

따라서 구하는 값은 ②이다.

5 (1) $\lim_{x \to 0} (1 + 2x)^{\frac{2}{x}} = \lim_{x \to 0} \{ (1 + 2x)^{\frac{1}{2x}} \}^4$

$\qquad\qquad\qquad\quad = e^4$

$\quad$ (2) $\lim_{x \to \infty} \left(1 - \dfrac{1}{3x} \right)^x = \lim_{x \to \infty} \left\{ \left(1 - \dfrac{1}{3x} \right)^{-3x} \right\}^{-\frac{1}{3}}$

$\qquad\qquad\qquad\qquad = e^{-\frac{1}{3}} = \dfrac{1}{\sqrt[3]{e}}$

6 $\lim_{x \to 0} (1 - 4x)^{\frac{1}{2x}} = \lim_{x \to 0} \{ (1 - 4x)^{-\frac{1}{4x}} \}^{-2}$

$\qquad\qquad\qquad\quad = e^{-2} = \dfrac{1}{e^2}$

$\therefore k = 2$

따라서 구하는 값은 ①이다.

6강 지수함수와 로그함수의 미분

확인 문제   p. 28

1 (1) $-x = t$로 놓으면 $x \to 0$일 때 $t \to 0$이므로

$\qquad \lim_{x \to 0} \dfrac{\ln(1-x)}{-x} = \lim_{t \to 0} \dfrac{\ln(1+t)}{t} = 1$

$\quad$ (2) $4x = t$로 놓으면 $x \to 0$일 때 $t \to 0$이므로

$\qquad \lim_{x \to 0} \dfrac{\log_3(1+4x)}{4x} = \lim_{t \to 0} \dfrac{\log_3(1+t)}{t} = \dfrac{1}{\ln 3}$

$\quad$ (3) $5x = t$로 놓으면 $x \to 0$일 때 $t \to 0$이므로

$\qquad \lim_{x \to 0} \dfrac{e^{5x} - 1}{5x} = \lim_{t \to 0} \dfrac{e^t - 1}{t} = 1$

$\quad$ (4) $2x = t$로 놓으면 $x \to 0$일 때 $t \to 0$이므로

$\qquad \lim_{x \to 0} \dfrac{7^{2x} - 1}{2x} = \lim_{t \to 0} \dfrac{7^t - 1}{t} = \ln 7$

2 (1) $y' = -2(e^x)' = -2e^x$

$\quad$ (2) $y' = 3^x \ln 3$

$\quad$ (3) $y = \ln x^4 = 4 \ln x$이므로

$\qquad y' = 4(\ln x)' = 4 \times \dfrac{1}{x} = \dfrac{4}{x}$

$\quad$ (4) $y' = \dfrac{1}{x \ln 5}$

---

1 (1) $\lim_{x \to 0} \dfrac{\ln(1+7x)}{4x} = \lim_{x \to 0} \dfrac{\ln(1+7x)}{7x} \times \dfrac{7}{4}$

$\qquad\qquad\qquad\qquad = 1 \times \dfrac{7}{4} = \dfrac{7}{4}$

$\quad$ (2) $\lim_{x \to 0} \dfrac{x}{\log_5(1+2x)} = \lim_{x \to 0} \dfrac{2x}{\log_5(1+2x)} \times \dfrac{1}{2}$

$\qquad\qquad\qquad\qquad = \lim_{x \to 0} \dfrac{1}{\dfrac{\log_5(1+2x)}{2x}} \times \dfrac{1}{2}$

$\qquad\qquad\qquad\qquad = \dfrac{1}{\dfrac{1}{\ln 5}} \times \dfrac{1}{2} = \dfrac{\ln 5}{2}$

2 $\lim_{x \to 0} \dfrac{\ln(1+x)}{\ln(1-x)} = \lim_{x \to 0} \dfrac{\dfrac{\ln(1+x)}{x}}{\dfrac{\ln(1-x)}{-x}} \times (-1)$

$\qquad\qquad\qquad\quad = 1 \times (-1) = -1$

3 (1) $\lim_{x \to 0} \dfrac{e^{3x} - 1}{2x} = \lim_{x \to 0} \dfrac{e^{3x} - 1}{3x} \times \dfrac{3}{2} = 1 \times \dfrac{3}{2} = \dfrac{3}{2}$

$\quad$ (2) $\lim_{x \to 0} \dfrac{x}{3^{2x} - 1} = \lim_{x \to 0} \dfrac{2x}{3^{2x} - 1} \times \dfrac{1}{2}$

$\qquad\qquad\qquad\quad = \lim_{x \to 0} \dfrac{1}{\dfrac{3^{2x} - 1}{2x}} \times \dfrac{1}{2}$

$\qquad\qquad\qquad\quad = \dfrac{1}{\ln 3} \times \dfrac{1}{2} = \dfrac{1}{2 \ln 3}$

4 $\lim_{x \to 0} \dfrac{e^x - 5^{-x}}{x} = \lim_{x \to 0} \dfrac{(e^x - 1) - (5^{-x} - 1)}{x}$

$\qquad\qquad\qquad\quad = \lim_{x \to 0} \left(\dfrac{e^x - 1}{x} - \dfrac{5^{-x} - 1}{x} \right)$

$\qquad\qquad\qquad\quad = \lim_{x \to 0} \left(\dfrac{e^x - 1}{x} + \dfrac{5^{-x} - 1}{-x} \right)$

$\qquad\qquad\qquad\quad = 1 + \ln 5$

5 (1) $y = e^{x-1} = \dfrac{1}{e} \times e^x$이므로 $\quad y' = \dfrac{1}{e} \times (e^x)' = \dfrac{1}{e} \times e^x = e^{x-1}$

$\quad$ (2) $y = 5^{2x} = 25^x$이므로 $\quad y' = 25^x \ln 25 = 2 \times 5^{2x} \ln 5$

6 $f(x) = xe^x + 3^{x+1} = xe^x + 3 \times 3^x$이므로

$\quad f'(x) = (x)' e^x + x(e^x)' + 3 \times 3^x \ln 3$

$\qquad\quad = e^x + xe^x + 3^{x+1} \ln 3$

$\qquad\quad = (x+1)e^x + 3^{x+1} \ln 3$

$\quad \therefore f'(0) = 1 + 3 \ln 3$

7 (1) $y = \ln(3x)^4 = 4 \ln 3x = 4(\ln 3 + \ln x)$이므로 $\quad y' = \dfrac{4}{x}$

$\quad$ (2) $y = \log_2 8x = \log_2 8 + \log_2 x$이므로 $\quad y' = \dfrac{1}{x \ln 2}$

8 $f'(x)=(x)'\log_2 x+x(\log_2 x)'$

$\qquad =\log_2 x+x\times\dfrac{1}{x\ln 2}=\log_2 x+\dfrac{1}{\ln 2}$

$\therefore f'(e)=\log_2 e+\dfrac{1}{\ln 2}=\dfrac{1}{\ln 2}+\dfrac{1}{\ln 2}=\dfrac{2}{\ln 2}$

$\therefore a=2$

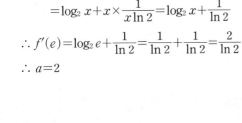

계산력 **다지기**   p. 30~31

1 (1) 분모, 분자를 4^x으로 나누면

$\displaystyle\lim_{x\to\infty}\dfrac{4^{x+1}-3^x}{4^x+3^x}=\lim_{x\to\infty}\dfrac{4-\left(\dfrac{3}{4}\right)^x}{1+\left(\dfrac{3}{4}\right)^x}=\dfrac{4-0}{1+0}=4$

(2) $\displaystyle\lim_{x\to 0+}2^{-x}=2^0=1$, $\displaystyle\lim_{x\to 0+}(1-2^x)=1-2^0=0$

그런데 $x>0$일 때 $1-2^x<0$이므로

$\displaystyle\lim_{x\to 0+}\dfrac{2^{-x}}{1-2^x}=-\infty$

(3) $\displaystyle\lim_{x\to\infty}(5^x-3^x)=\lim_{x\to\infty}5^x\left\{1-\left(\dfrac{3}{5}\right)^x\right\}$

이때 $\displaystyle\lim_{x\to\infty}\left\{1-\left(\dfrac{3}{5}\right)^x\right\}=1$이므로

$\displaystyle\lim_{x\to\infty}5^x\left\{1-\left(\dfrac{3}{5}\right)^x\right\}=\infty$

(4) 분모, 분자에 6^x을 곱하면

$\displaystyle\lim_{x\to-\infty}\dfrac{6^x+6^{-x}}{6^x-6^{-x}}=\lim_{x\to-\infty}\dfrac{6^{2x}+1}{6^{2x}-1}=\dfrac{0+1}{0-1}=-1$

2 (1) $\displaystyle\lim_{x\to\infty}\log\dfrac{1}{x}=\lim_{x\to\infty}(-\log x)=-\infty$

(2) $\displaystyle\lim_{x\to\infty}\log_2\dfrac{4x-1}{x}=\log_2 4=2$

(3) $\displaystyle\lim_{x\to\infty}\{\log_3(x^2+1)-\log_3(3x^2-1)\}$

$\quad=\displaystyle\lim_{x\to\infty}\log_3\dfrac{x^2+1}{3x^2-1}=\log_3\dfrac{1}{3}=-1$

(4) $\displaystyle\lim_{x\to 2+}\{\log_3(x^2-4)-\log_3(x-2)\}$

$\quad=\displaystyle\lim_{x\to 2+}\log_3\dfrac{x^2-4}{x-2}=\lim_{x\to 2+}\log_3\dfrac{(x+2)(x-2)}{x-2}$

$\quad=\displaystyle\lim_{x\to 2+}\log_3(x+2)=\log_3 4=2\log_3 2$

3 (1) $\ln 1=0$

(2) $\ln e=1$

(3) $\ln e^4=4\ln e=4$

(4) $\ln\sqrt{e}=\dfrac{1}{2}\ln e=\dfrac{1}{2}$

(5) $e^{\ln 2}=2^{\ln e}=2^1=2$

(6) $\dfrac{1}{\log_2 e}+\dfrac{1}{\log_3 e}=\ln 2+\ln 3=\ln 6$

4 (1) $\displaystyle\lim_{x\to 0}(1+4x)^{\frac{1}{8x}}=\lim_{x\to 0}\{(1+4x)^{\frac{1}{4x}}\}^{\frac{1}{2}}=e^{\frac{1}{2}}=\sqrt{e}$

(2) $\displaystyle\lim_{x\to 0}(1+2x)^{-\frac{1}{x}}=\lim_{x\to 0}\{(1+2x)^{\frac{1}{2x}}\}^{-2}=e^{-2}=\dfrac{1}{e^2}$

(3) $\displaystyle\lim_{x\to 0}(1-5x)^{\frac{2}{x}}=\lim_{x\to 0}\{(1-5x)^{-\frac{1}{5x}}\}^{-10}=e^{-10}=\dfrac{1}{e^{10}}$

(4) $\displaystyle\lim_{x\to\infty}\left(\dfrac{x+1}{x}\right)^{3x}=\lim_{x\to\infty}\left(1+\dfrac{1}{x}\right)^{3x}=\lim_{x\to\infty}\left\{\left(1+\dfrac{1}{x}\right)^x\right\}^3=e^3$

(5) $\displaystyle\lim_{x\to\infty}\left(1+\dfrac{2}{5x}\right)^{5x}=\lim_{x\to\infty}\left\{\left(1+\dfrac{2}{5x}\right)^{\frac{5x}{2}}\right\}^2=e^2$

(6) $\displaystyle\lim_{x\to\infty}\left(1-\dfrac{3}{x}\right)^{2x}=\lim_{x\to\infty}\left\{\left(1-\dfrac{3}{x}\right)^{-\frac{x}{3}}\right\}^{-6}=e^{-6}=\dfrac{1}{e^6}$

5 (1) $\displaystyle\lim_{x\to 0}\dfrac{\ln(1+2x)}{x}=\lim_{x\to 0}\dfrac{\ln(1+2x)}{2x}\times 2=1\times 2=2$

(2) $\displaystyle\lim_{x\to 0}\dfrac{\ln\left(1+\dfrac{x}{3}\right)}{x}=\lim_{x\to 0}\dfrac{\ln\left(1+\dfrac{x}{3}\right)}{\dfrac{x}{3}}\times\dfrac{1}{3}=1\times\dfrac{1}{3}=\dfrac{1}{3}$

(3) $\displaystyle\lim_{x\to 0}\dfrac{2x}{\log_5(1-x)}=\lim_{x\to 0}\dfrac{-x}{\log_5(1-x)}\times(-2)$

$\qquad=\displaystyle\lim_{x\to 0}\dfrac{1}{\dfrac{\log_5(1-x)}{-x}}\times(-2)$

$\qquad=\dfrac{1}{\dfrac{1}{\ln 5}}\times(-2)=-2\ln 5$

(4) $\displaystyle\lim_{x\to 0}\dfrac{\log_3(1+x)^6}{3x}=\lim_{x\to 0}\dfrac{6\log_3(1+x)}{3x}$

$\qquad=\displaystyle\lim_{x\to 0}\dfrac{2\log_3(1+x)}{x}=\dfrac{2}{\ln 3}$

6 (1) $\displaystyle\lim_{x\to 0}\dfrac{5x}{e^{4x}-1}=\lim_{x\to 0}\dfrac{4x}{e^{4x}-1}\times\dfrac{5}{4}=\lim_{x\to 0}\dfrac{1}{\dfrac{e^{4x}-1}{4x}}\times\dfrac{5}{4}$

$\qquad=1\times\dfrac{5}{4}=\dfrac{5}{4}$

(2) $\displaystyle\lim_{x\to 0}\dfrac{e^{-3x}-1}{2x}=\lim_{x\to 0}\dfrac{e^{-3x}-1}{-3x}\times\left(-\dfrac{3}{2}\right)$

$\qquad=1\times\left(-\dfrac{3}{2}\right)=-\dfrac{3}{2}$

(3) $\displaystyle\lim_{x\to 0}\dfrac{3^{2x}-1}{4x}=\lim_{x\to 0}\dfrac{3^{2x}-1}{2x}\times\dfrac{1}{2}=\ln 3\times\dfrac{1}{2}=\dfrac{\ln 3}{2}$

(4) $\displaystyle\lim_{x\to 0}\dfrac{2^{-x}-1}{5x}=\lim_{x\to 0}\dfrac{2^{-x}-1}{-x}\times\left(-\dfrac{1}{5}\right)$

$\qquad=\ln 2\times\left(-\dfrac{1}{5}\right)=-\dfrac{\ln 2}{5}$

7 (1) $y'=5\times e^x=5e^x$

(2) $y=e^{x+1}=e\times e^x$이므로 $\quad y'=e\times e^x=e^{x+1}$

(3) $y=e^{x-3}=\dfrac{1}{e^3}\times e^x$이므로 $\quad y'=\dfrac{1}{e^3}\times e^x=e^{x-3}$

(4) $y'=(x^2)'e^x+x^2(e^x)'$

$\qquad=2x\times e^x+x^2\times e^x=(x^2+2x)e^x$

(5) $y'=2^x\ln 2$

(6) $y=3^{x-2}=\dfrac{1}{3^2}\times 3^x$이므로 $\quad y'=\dfrac{1}{3^2}\times 3^x\ln 3=3^{x-2}\ln 3$

(7) $y'=5^{-x}\ln 5^{-1}=-5^{-x}\ln 5$

(8) $y=e^x+3^{2x}=e^x+9^x$이므로

$\quad y'=e^x+9^x\ln 9=e^x+2\times 3^{2x}\ln 3$

8 (1) $y'=\dfrac{1}{4x}$

(2) $y=\ln 2x=\ln 2+\ln x$이므로 $\quad y'=\dfrac{1}{x}$

(3) $y=\ln x^3=3\ln x$이므로 $\quad y'=\dfrac{3}{x}$

(4) $y'=(x+3)'\ln x+(x+3)(\ln x)'=\ln x+1+\dfrac{3}{x}$

(5) $y=\log 7x=\log 7+\log x$이므로 $\quad y'=\dfrac{1}{x\ln 10}$

(6) $y'=(x)'\log_3 x+x(\log_3 x)'$

$\quad =\log_3 x+x\times\dfrac{1}{x\ln 3}$

$\quad =\log_3 x+\dfrac{1}{\ln 3}$

(7) $y=(\log_5 x)^2=\log_5 x\times\log_5 x$이므로

$\quad y'=(\log_5 x)'\log_5 x+\log_5 x(\log_5 x)'$

$\quad =\dfrac{1}{x\ln 5}\times\log_5 x+\log_5 x\times\dfrac{1}{x\ln 5}=\dfrac{2\log_5 x}{x\ln 5}$

(8) $y'=(e^x)'\log_2 x+e^x(\log_2 x)'$

$\quad =e^x\log_2 x+e^x\times\dfrac{1}{x\ln 2}$

$\quad =e^x\left(\log_2 x+\dfrac{1}{x\ln 2}\right)$

05~06강 족집게 **기출문제**   p. 32~35

1 ④	2 ②	3 ㄴ, ㄹ	4 15	5 ②
6 ③	7 ①	8 ⑤	9 ②	10 ③
11 ④	12 ③	13 ⑤	14 $\dfrac{5}{2}$	15 3
16 ④	17 $a=\ln 3, b=-1$	18 ④	19 ③	
20 $\dfrac{1}{4}\left(e^5+\dfrac{1}{\ln 5}\right)$	21 ④	22 ②	23 12	
24 2	25 $\dfrac{\sqrt{10}}{3}$	26 4	27 3	28 e

1 $\displaystyle\lim_{x\to\infty}(1-2^x+3^x)^{\frac{1}{x}}=\lim_{x\to\infty}\left\{3^x\left(\dfrac{1}{3^x}-\dfrac{2^x}{3^x}+1\right)\right\}^{\frac{1}{x}}$

$\qquad\qquad =\displaystyle\lim_{x\to\infty}3\left\{\left(\dfrac{1}{3}\right)^x-\left(\dfrac{2}{3}\right)^x+1\right\}^{\frac{1}{x}}$

$\qquad\qquad =3\times 1=3$

2 $\displaystyle\lim_{x\to\infty}\dfrac{a\times 5^{x+1}-2}{5^{x-1}+3^x}=\lim_{x\to\infty}\dfrac{5a-2\left(\dfrac{1}{5}\right)^x}{\dfrac{1}{5}+\left(\dfrac{3}{5}\right)^x}=25a$

즉, $25a=75$에서 $\quad a=3$

---

3 ㄱ. $\displaystyle\lim_{x\to 0+}\log_2 x=-\infty$

ㄴ. $\displaystyle\lim_{x\to 0+}\dfrac{\log_2 x}{\log_4 x}=\lim_{x\to 0+}\dfrac{\log_2 x}{\dfrac{1}{2}\log_2 x}=2$

ㄷ. $\displaystyle\lim_{x\to\infty}\log_2\dfrac{x^2}{x-1}=\infty$

ㄹ. $\displaystyle\lim_{x\to\infty}\log_2\dfrac{2x+1}{x+3}=\log_2 2=1$

따라서 보기 중 극한값이 존재하는 것은 ㄴ, ㄹ이다.

4 $\displaystyle\lim_{x\to 1-}\{\log_3(x^2+ax+b)-\log_3(x^2-4x+3)\}=1$에서

$\displaystyle\lim_{x\to 1-}\log_3\dfrac{x^2+ax+b}{x^2-4x+3}=1$ $\cdots\cdots$ ㉠

㉠에서 $\displaystyle\lim_{x\to 1-}(x^2-4x+3)=0$이므로

$\displaystyle\lim_{x\to 1-}(x^2+ax+b)=0, 1+a+b=0$

$\therefore b=-a-1$ $\cdots\cdots$ ㉡

㉡을 ㉠의 좌변에 대입하면

$\displaystyle\lim_{x\to 1-}\log_3\dfrac{x^2+ax-a-1}{x^2-4x+3}=\lim_{x\to 1-}\log_3\dfrac{(x-1)(x+a+1)}{(x-1)(x-3)}$

$\qquad\qquad =\displaystyle\lim_{x\to 1-}\log_3\dfrac{x+a+1}{x-3}$

$\qquad\qquad =\log_3\dfrac{a+2}{-2}$

즉, $\log_3\dfrac{a+2}{-2}=1$에서

$-\dfrac{a+2}{2}=3$ $\therefore a=-8$

$a=-8$을 ㉡에 대입하면 $b=7$ $\therefore b-a=15$

5 $x-2=t$로 놓으면 $x\to 2$일 때 $t\to 0$이므로

$\displaystyle\lim_{x\to 2}(x-1)^{\frac{1}{2-x}}=\lim_{t\to 0}(1+t)^{\frac{1}{-t}}$

$\qquad\qquad =\displaystyle\lim_{t\to 0}\{(1+t)^{\frac{1}{t}}\}^{-1}$

$\qquad\qquad =e^{-1}=\dfrac{1}{e}$

6 $\displaystyle\lim_{x\to\infty}\left\{\dfrac{2}{3}\left(1+\dfrac{1}{2x}\right)\left(1+\dfrac{1}{2x+1}\right)\left(1+\dfrac{1}{2x+2}\right)\cdots\left(1+\dfrac{1}{3x}\right)\right\}^{3x}$

$=\displaystyle\lim_{x\to\infty}\left(\dfrac{2}{3}\times\dfrac{2x+1}{2x}\times\dfrac{2x+2}{2x+1}\times\dfrac{2x+3}{2x+2}\right.$

$\qquad\qquad\qquad\qquad\qquad\left.\times\cdots\times\dfrac{2x+x+1}{2x+x}\right)^{3x}$

$=\displaystyle\lim_{x\to\infty}\left(\dfrac{2}{3}\times\dfrac{3x+1}{2x}\right)^{3x}$

$=\displaystyle\lim_{x\to\infty}\left(1+\dfrac{1}{3x}\right)^{3x}$

$=e$

7 $\displaystyle\lim_{x\to\infty}\ln\left(\dfrac{x-a}{x}\right)^x=\lim_{x\to\infty}\ln\left\{\left(1-\dfrac{a}{x}\right)^{-\frac{x}{a}}\right\}^{-a}$

$\qquad\qquad =\ln e^{-a}=-a$

즉, $-a=4$에서 $\quad a=-4$

8 $\displaystyle\lim_{x\to 0}\frac{1}{x}\ln\frac{1+5x}{1-4x}$

$\quad=\displaystyle\lim_{x\to 0}\frac{1}{x}\{\ln(1+5x)-\ln(1-4x)\}$

$\quad=\displaystyle\lim_{x\to 0}\left\{\frac{\ln(1+5x)}{x}-\frac{\ln(1-4x)}{x}\right\}$

$\quad=\displaystyle\lim_{x\to 0}\left\{\frac{\ln(1+5x)}{5x}\times 5+\frac{\ln(1-4x)}{-4x}\times 4\right\}$

$\quad=1\times 5+1\times 4=9$

9 $\displaystyle\lim_{x\to 0}\frac{\log_3(1+3x)+\log_3(1-3x)}{3x^2}$

$\quad=\displaystyle\lim_{x\to 0}\frac{\log_3\{(1+3x)(1-3x)\}}{3x^2}$

$\quad=\displaystyle\lim_{x\to 0}\frac{\log_3(1-9x^2)}{-9x^2}\times(-3)$

$\quad=\dfrac{1}{\ln 3}\times(-3)=-\dfrac{3}{\ln 3}$

10 $\displaystyle\lim_{x\to 0}\frac{x^2}{e^{4x}-2e^{2x}+1}=\lim_{x\to 0}\frac{x^2}{(e^{2x}-1)^2}=\lim_{x\to 0}\frac{1}{4\left(\dfrac{e^{2x}-1}{2x}\right)^2}$

$\qquad\qquad\qquad\qquad\qquad\qquad=\dfrac{1}{4\times 1^2}=\dfrac{1}{4}$

11 $x+1=t$로 놓으면 $x\to -1$일 때 $t\to 0$이므로

$\quad\displaystyle\lim_{x\to -1}\frac{e^{x+1}+x}{x+1}=\lim_{t\to 0}\frac{e^t+t-1}{t}=\lim_{t\to 0}\left(\frac{e^t-1}{t}+1\right)$

$\qquad\qquad\qquad\qquad\quad=1+1=2$

12 $\displaystyle\lim_{x\to 0}\frac{8^x-2^x}{x}=\lim_{x\to 0}\frac{(8^x-1)-(2^x-1)}{x}$

$\qquad\qquad\quad=\displaystyle\lim_{x\to 0}\left(\frac{8^x-1}{x}-\frac{2^x-1}{x}\right)$

$\qquad\qquad\quad=\ln 8-\ln 2=\ln 4$

$\quad\therefore a=4$

13 $S(x)=\displaystyle\sum_{n=0}^{\infty}\frac{\ln(1-3x)}{(1-x)^n}=\ln(1-3x)\sum_{n=0}^{\infty}\left(\frac{1}{1-x}\right)^n$

$\quad$이때 $\left|\dfrac{1}{1-x}\right|<1$이므로

$\quad S(x)=\dfrac{\ln(1-3x)}{1-\dfrac{1}{1-x}}=\dfrac{(x-1)\ln(1-3x)}{x}$

$\quad\therefore\displaystyle\lim_{x\to 0-}S(x)=\lim_{x\to 0-}\frac{(x-1)\ln(1-3x)}{x}$

$\qquad\qquad\qquad=\displaystyle\lim_{x\to 0-}\left\{\frac{\ln(1-3x)}{-3x}\times(-3x+3)\right\}$

$\qquad\qquad\qquad=1\times 3=3$

14 $\displaystyle\lim_{x\to 0}\frac{f(x)}{x}=\lim_{x\to 0}\left\{\frac{f(x)}{e^{3x}-1}\times\frac{e^{3x}-1}{x}\right\}$

$\qquad\qquad\quad=\displaystyle\lim_{x\to 0}\left\{\frac{f(x)}{e^{3x}-1}\times\frac{e^{3x}-1}{3x}\times 3\right\}$

$\qquad\qquad\quad=\dfrac{5}{6}\times 1\times 3=\dfrac{5}{2}$

15 $y=\ln\left(\dfrac{x}{3}+1\right)$에서 $\dfrac{x}{3}+1=e^y$, $\dfrac{x}{3}=e^y-1$

$\quad\therefore x=3(e^y-1)$

$\quad$따라서 $g(x)=3(e^x-1)$이므로

$\quad\displaystyle\lim_{x\to 0}\frac{g(x)}{x}=\lim_{x\to 0}\frac{3(e^x-1)}{x}=3$

16 $\displaystyle\lim_{x\to 0}\frac{ae^x+b}{\ln(1+2x)}=3$에서 $\displaystyle\lim_{x\to 0}\ln(1+2x)=0$이므로

$\quad\displaystyle\lim_{x\to 0}(ae^x+b)=0$, $a+b=0$ $\quad\therefore b=-a$ $\quad\cdots\cdots$ ㉠

$\quad$㉠을 주어진 식의 좌변에 대입하면

$\quad\displaystyle\lim_{x\to 0}\frac{ae^x+b}{\ln(1+2x)}=\lim_{x\to 0}\frac{ae^x-a}{\ln(1+2x)}$

$\qquad\qquad\qquad=a\displaystyle\lim_{x\to 0}\left\{\frac{e^x-1}{x}\times\frac{1}{\dfrac{\ln(1+2x)}{2x}}\times\frac{1}{2}\right\}$

$\qquad\qquad\qquad=a\times 1\times 1\times\dfrac{1}{2}=\dfrac{1}{2}a$

$\quad$즉, $\dfrac{1}{2}a=3$에서 $a=6$

$\quad a=6$을 ㉠에 대입하면 $b=-6$ $\quad\therefore a-b=12$

17 함수 $f(x)$가 모든 실수 x에서 연속이려면 $x=0$에서 연속이어야 하므로 $\displaystyle\lim_{x\to 0}f(x)=f(0)$

$\quad\displaystyle\lim_{x\to 0}\frac{3^x-a\ln(1+x)+b}{x}=0$ $\quad\cdots\cdots$ ㉠

$\quad$㉠에서 $\displaystyle\lim_{x\to 0}x=0$이므로

$\quad\displaystyle\lim_{x\to 0}\{3^x-a\ln(1+x)+b\}=0$, $1+b=0$ $\quad\therefore b=-1$

$\quad b=-1$을 ㉠의 좌변에 대입하면

$\quad\displaystyle\lim_{x\to 0}\frac{3^x-a\ln(1+x)+b}{x}=\lim_{x\to 0}\frac{3^x-a\ln(1+x)-1}{x}$

$\qquad\qquad\qquad=\displaystyle\lim_{x\to 0}\left\{\frac{3^x-1}{x}-\frac{a\ln(1+x)}{x}\right\}$

$\qquad\qquad\qquad=\ln 3-a$

$\quad$즉, $\ln 3-a=0$에서 $a=\ln 3$

18 $\mathrm{C}(t,\ln(1+2t))$, $\mathrm{D}(3t,\ln(1+6t))$이므로

$\quad f(t)=\dfrac{1}{2}t\ln(1+2t)$

$\quad g(t)=\dfrac{1}{2}\{\ln(1+2t)+\ln(1+6t)\}\times 2t$

$\qquad\quad=t\{\ln(1+2t)+\ln(1+6t)\}$

$\quad\therefore\displaystyle\lim_{t\to 0}\frac{g(t)}{f(t)}=\lim_{t\to 0}\frac{t\{\ln(1+2t)+\ln(1+6t)\}}{\dfrac{1}{2}t\ln(1+2t)}$

$\qquad\qquad\quad=2\displaystyle\lim_{t\to 0}\frac{\ln(1+2t)+\ln(1+6t)}{\ln(1+2t)}$

$\qquad\qquad\quad=2\displaystyle\lim_{t\to 0}\left\{1+\frac{\ln(1+6t)}{\ln(1+2t)}\right\}$

$\qquad\qquad\quad=2\displaystyle\lim_{t\to 0}\left\{1+\frac{\dfrac{\ln(1+6t)}{6t}}{\dfrac{\ln(1+2t)}{2t}}\times 3\right\}$

$\qquad\qquad\quad=2(1+1\times 3)=8$

19 $f'(x)=\{(a^2)^x\}'(x^3+1)+(a^2)^x(x^3+1)'$

$\qquad=(a^2)^x\ln a^2\times(x^3+1)+(a^2)^x\times 3x^2$

$\qquad=2(x^3+1)a^{2x}\ln a+3x^2a^{2x}$

$f'(-1)=\dfrac{3}{4}$에서 $3a^{-2}=\dfrac{3}{4}$

$a^2=4$ $\therefore a=2\ (\because a>0)$

20 $\displaystyle\lim_{x\to 2}\dfrac{f(x)-f(2)}{x^2-4}=\lim_{x\to 2}\left\{\dfrac{f(x)-f(2)}{x-2}\times\dfrac{1}{x+2}\right\}$

$\qquad\qquad\qquad\qquad=\dfrac{1}{4}f'(2)$ $\cdots\cdots$ ㉠

이때 $f(x)=e^3\times e^x+\log_{\sqrt5}e+\log_{\sqrt5}x$이므로 $f'(x)$를 구하면

$f'(x)=e^3\times e^x+\dfrac{1}{x\ln\sqrt5}=e^{x+3}+\dfrac{2}{x\ln 5}$

따라서 ㉠에서 구하는 극한값은

$\dfrac{1}{4}f'(2)=\dfrac{1}{4}\left(e^5+\dfrac{1}{\ln 5}\right)$

21 $\displaystyle\lim_{h\to 0}\dfrac{f(e+h)-f(e-h)}{h}$

$\qquad=\lim_{h\to 0}\left\{\dfrac{f(e+h)-f(e)}{h}+\dfrac{f(e-h)-f(e)}{-h}\right\}$

$\qquad=f'(e)+f'(e)=2f'(e)$ $\cdots\cdots$ ㉠

이때 $f'(x)$를 구하면

$f'(x)=(x)'\ln x+x(\ln x)'=\ln x+x\times\dfrac{1}{x}=\ln x+1$

따라서 ㉠에서 구하는 극한값은

$2f'(e)=2(1+1)=4$

22 $\displaystyle\lim_{x\to 1}\dfrac{f(x)}{x-1}=-1$에서 $\lim_{x\to 1}(x-1)=0$이므로

$\displaystyle\lim_{x\to 1}f(x)=0,\ f(1)=0,\ a+b\log_{\frac{1}{3}}1=0$ $\therefore a=0$

한편 $f(1)=0$이므로

$\displaystyle\lim_{x\to 1}\dfrac{f(x)-f(1)}{x-1}=-1$ $\therefore f'(1)=-1$

이때 $f(x)=-b\log_3 x$이므로 $f'(x)$를 구하면

$f'(x)=-\dfrac{b}{x\ln 3}$

따라서 $f'(1)=-1$에서 $-\dfrac{b}{\ln 3}=-1$ $\therefore b=\ln 3$

$\therefore a+b=\ln 3$

23 (i) $-\dfrac{1}{4}<x<0$일 때, 주어진 부등식의 각 변을 x로 나누면

$\qquad\dfrac{2(e^{2x}-1)}{x}\le\dfrac{f(x)}{x}\le\dfrac{\ln(1+4x)}{x}$

$\qquad\displaystyle\lim_{x\to 0-}\dfrac{2(e^{2x}-1)}{x}=\lim_{x\to 0-}\dfrac{e^{2x}-1}{2x}\times 4=1\times 4=4,$

$\qquad\displaystyle\lim_{x\to 0-}\dfrac{\ln(1+4x)}{x}=\lim_{x\to 0-}\dfrac{\ln(1+4x)}{4x}\times 4=1\times 4=4$

$\qquad\therefore\displaystyle\lim_{x\to 0-}\dfrac{f(x)}{x}=4$

(ii) $x>0$일 때, 주어진 부등식의 각 변을 x로 나누면

$\qquad\dfrac{\ln(1+4x)}{x}\le\dfrac{f(x)}{x}\le\dfrac{2(e^{2x}-1)}{x}$

$\displaystyle\lim_{x\to 0+}\dfrac{\ln(1+4x)}{x}=\lim_{x\to 0+}\dfrac{\ln(1+4x)}{4x}\times 4=1\times 4=4,$

$\displaystyle\lim_{x\to 0+}\dfrac{2(e^{2x}-1)}{x}=\lim_{x\to 0+}\dfrac{e^{2x}-1}{2x}\times 4=1\times 4=4$

$\therefore\displaystyle\lim_{x\to 0+}\dfrac{f(x)}{x}=4$

(i), (ii)에 의하여 $\displaystyle\lim_{x\to 0}\dfrac{f(x)}{x}=4$

$3x=t$로 놓으면 $x\to 0$일 때 $t\to 0$이므로

$\displaystyle\lim_{x\to 0}\dfrac{f(3x)}{x}=\lim_{t\to 0}\dfrac{f(t)}{\frac{t}{3}}=\lim_{t\to 0}\dfrac{f(t)}{t}\times 3=4\times 3=12$

24 $a_n=\displaystyle\lim_{x\to 0}\dfrac{e^x+e^{2x}+e^{3x}+\cdots+e^{nx}-n}{x}$

$\quad=\displaystyle\lim_{x\to 0}\left(\dfrac{e^x-1}{x}+\dfrac{e^{2x}-1}{x}+\dfrac{e^{3x}-1}{x}+\cdots+\dfrac{e^{nx}-1}{x}\right)$

$\quad=\displaystyle\lim_{x\to 0}\left(\dfrac{e^x-1}{x}+\dfrac{e^{2x}-1}{2x}\times 2+\dfrac{e^{3x}-1}{3x}\times 3\right.$

$\qquad\qquad\qquad\qquad\qquad\left.+\cdots+\dfrac{e^{nx}-1}{nx}\times n\right)$

$\quad=1+1\times 2+1\times 3+\cdots+1\times n=\dfrac{n(n+1)}{2}$

$\therefore\displaystyle\sum_{n=1}^{\infty}\dfrac{1}{a_n}=\sum_{n=1}^{\infty}\dfrac{2}{n(n+1)}=2\sum_{n=1}^{\infty}\left(\dfrac{1}{n}-\dfrac{1}{n+1}\right)$

$\qquad\qquad=2\displaystyle\lim_{n\to\infty}\left\{\left(1-\dfrac{1}{2}\right)+\left(\dfrac{1}{2}-\dfrac{1}{3}\right)+\cdots+\left(\dfrac{1}{n}-\dfrac{1}{n+1}\right)\right\}$

$\qquad\qquad=2\displaystyle\lim_{n\to\infty}\left(1-\dfrac{1}{n+1}\right)=2$

25 점 P의 좌표를 $(t,\ \ln(1+3t))$라고 하면

$\overline{OP}=\sqrt{t^2+\{\ln(1+3t)\}^2}$

중심이 원점이고 선분 OP를 반지름으로 하는 원의 방정식은

$x^2+y^2=t^2+\{\ln(1+3t)\}^2$

이때 점 P에서의 원의 접선의 방정식은

$tx+y\ln(1+3t)=t^2+\{\ln(1+3t)\}^2$

따라서 점 Q의 좌표는 $\left(t+\dfrac{\{\ln(1+3t)\}^2}{t},\ 0\right)$이므로

$\overline{PQ}=\sqrt{\dfrac{\{\ln(1+3t)\}^4}{t^2}+\{\ln(1+3t)\}^2}$

$\qquad=\dfrac{1}{t}\ln(1+3t)\sqrt{\{\ln(1+3t)\}^2+t^2}$

점 P가 원점 O에 한없이 가까워지면 $t\to 0+$이므로

$\displaystyle\lim_{t\to 0+}\dfrac{\overline{OQ}}{\overline{PQ}}=\lim_{t\to 0+}\dfrac{t+\dfrac{\{\ln(1+3t)\}^2}{t}}{\dfrac{1}{t}\ln(1+3t)\sqrt{\{\ln(1+3t)\}^2+t^2}}$

$\qquad=\displaystyle\lim_{t\to 0+}\dfrac{t^2+\{\ln(1+3t)\}^2}{\ln(1+3t)\sqrt{\{\ln(1+3t)\}^2+t^2}}$

$\qquad=\displaystyle\lim_{t\to 0+}\dfrac{\sqrt{t^2+\{\ln(1+3t)\}^2}}{\ln(1+3t)}$

$\qquad=\displaystyle\lim_{t\to 0+}\sqrt{\left\{\dfrac{t}{\ln(1+3t)}\right\}^2+1}$

$\qquad=\displaystyle\lim_{t\to 0+}\sqrt{\left\{\dfrac{3t}{\ln(1+3t)}\right\}^2\times\dfrac{1}{9}+1}$

$\qquad=\sqrt{1^2\times\dfrac{1}{9}+1}=\dfrac{\sqrt{10}}{3}$

26 (ⅰ) $0<a<2$일 때,

$$\lim_{x\to\infty}\frac{a^{x+1}-2^{x+1}}{a^x+2^x}=\lim_{x\to\infty}\frac{a\left(\dfrac{a}{2}\right)^x-2}{\left(\dfrac{a}{2}\right)^x+1}=-2\neq4$$

따라서 주어진 식을 만족하지 않는다.

(ⅱ) $a=2$일 때,

$$\lim_{x\to\infty}\frac{a^{x+1}-2^{x+1}}{a^x+2^x}=0\neq4$$

따라서 주어진 식을 만족하지 않는다.

(ⅲ) $a>2$일 때,

$$\lim_{x\to\infty}\frac{a^{x+1}-2^{x+1}}{a^x+2^x}=\lim_{x\to\infty}\frac{a-2\left(\dfrac{2}{a}\right)^x}{1+\left(\dfrac{2}{a}\right)^x}=a=4 \qquad \cdots\cdots \text{(가)}$$

(ⅰ), (ⅱ), (ⅲ)에 의하여 $a=4$ $\qquad\cdots\cdots$ (나)

채점 기준	배점
(가) a의 값의 범위에 따른 $\lim\limits_{x\to\infty}\dfrac{a^{x+1}-2^{x+1}}{a^x+2^x}$의 값을 구한다.	4점
(나) a의 값을 구한다.	2점

27 $\lim\limits_{x\to0}\dfrac{e^{ax}-1}{x^2+3x}=\lim\limits_{x\to0}\left(\dfrac{e^{ax}-1}{ax}\times\dfrac{a}{x+3}\right)$

$\qquad\qquad\qquad\qquad =1\times\dfrac{a}{3}=\dfrac{a}{3}$

즉, $\dfrac{a}{3}=2$에서 $a=6$ $\qquad\cdots\cdots$ (가)

$\therefore \lim\limits_{x\to0}\dfrac{\ln(1+ax)}{2x}=\lim\limits_{x\to0}\dfrac{\ln(1+6x)}{2x}$

$\qquad\qquad\qquad\qquad =\lim\limits_{x\to0}\dfrac{\ln(1+6x)}{6x}\times3$

$\qquad\qquad\qquad\qquad =1\times3=3 \qquad\cdots\cdots$ (나)

채점 기준	배점
(가) a의 값을 구한다.	4점
(나) $\lim\limits_{x\to0}\dfrac{\ln(1+ax)}{2x}$의 값을 구한다.	2점

28 함수 $f(x)$가 $x=1$에서 미분가능하므로

$$f'(x)=\begin{cases}\dfrac{a}{x} & (x>1)\\[2mm](x+1)e^x & (x<1)\end{cases}$$에서

$\lim\limits_{x\to1+}\dfrac{a}{x}=\lim\limits_{x\to1-}(x+1)e^x$ $\therefore a=2e$ $\qquad\cdots\cdots$ (가)

함수 $f(x)$가 $x=1$에서 미분가능하면 $x=1$에서 연속이므로

$\lim\limits_{x\to1+}f(x)=\lim\limits_{x\to1-}f(x)=f(1)$

$\lim\limits_{x\to1+}a\ln x=\lim\limits_{x\to1-}(xe^x+b)$

$0=e+b$ $\therefore b=-e$ $\qquad\cdots\cdots$ (나)

$\therefore a+b=e$ $\qquad\cdots\cdots$ (다)

채점 기준	배점
(가) a의 값을 구한다.	3점
(나) b의 값을 구한다.	3점
(다) $a+b$의 값을 구한다.	1점

07강 삼각함수의 덧셈정리

확인 문제 p.36

1 (1) $\csc45°=\dfrac{1}{\sin45°}=\dfrac{1}{\dfrac{\sqrt2}{2}}=\sqrt2$

$\sec45°=\dfrac{1}{\cos45°}=\dfrac{1}{\dfrac{\sqrt2}{2}}=\sqrt2$

$\cot45°=\dfrac{1}{\tan45°}=\dfrac{1}{1}=1$

(2) $\csc120°=\dfrac{1}{\sin120°}=\dfrac{1}{\sin60°}=\dfrac{1}{\dfrac{\sqrt3}{2}}=\dfrac{2\sqrt3}{3}$

$\sec120°=\dfrac{1}{\cos120°}=\dfrac{1}{-\cos60°}=\dfrac{1}{-\dfrac{1}{2}}=-2$

$\cot120°=\dfrac{1}{\tan120°}=\dfrac{1}{-\tan60°}=\dfrac{1}{-\sqrt3}=-\dfrac{\sqrt3}{3}$

(3) $\csc\dfrac{5}{6}\pi=\dfrac{1}{\sin\dfrac{5}{6}\pi}=\dfrac{1}{\sin\dfrac{\pi}{6}}=\dfrac{1}{\dfrac{1}{2}}=2$

$\sec\dfrac{5}{6}\pi=\dfrac{1}{\cos\dfrac{5}{6}\pi}=\dfrac{1}{-\cos\dfrac{\pi}{6}}=\dfrac{1}{-\dfrac{\sqrt3}{2}}=-\dfrac{2\sqrt3}{3}$

$\cot\dfrac{5}{6}\pi=\dfrac{1}{\tan\dfrac{5}{6}\pi}=\dfrac{1}{-\tan\dfrac{\pi}{6}}=\dfrac{1}{-\dfrac{\sqrt3}{3}}=-\sqrt3$

(4) $\csc\dfrac{4}{3}\pi=\dfrac{1}{\sin\dfrac{4}{3}\pi}=\dfrac{1}{-\sin\dfrac{\pi}{3}}=\dfrac{1}{-\dfrac{\sqrt3}{2}}=-\dfrac{2\sqrt3}{3}$

$\sec\dfrac{4}{3}\pi=\dfrac{1}{\cos\dfrac{4}{3}\pi}=\dfrac{1}{-\cos\dfrac{\pi}{3}}=\dfrac{1}{-\dfrac{1}{2}}=-2$

$\cot\dfrac{4}{3}\pi=\dfrac{1}{\tan\dfrac{4}{3}\pi}=\dfrac{1}{\tan\dfrac{\pi}{3}}=\dfrac{1}{\sqrt3}=\dfrac{\sqrt3}{3}$

2 (1) $\sin15°=\sin(45°-30°)$

$\qquad\quad =\sin45°\cos30°-\cos45°\sin30°$

$\qquad\quad =\dfrac{\sqrt2}{2}\times\dfrac{\sqrt3}{2}-\dfrac{\sqrt2}{2}\times\dfrac{1}{2}=\dfrac{\sqrt6-\sqrt2}{4}$

(2) $\cos105°=\cos(60°+45°)$

$\qquad\quad =\cos60°\cos45°-\sin60°\sin45°$

$\qquad\quad =\dfrac{1}{2}\times\dfrac{\sqrt2}{2}-\dfrac{\sqrt3}{2}\times\dfrac{\sqrt2}{2}=\dfrac{\sqrt2-\sqrt6}{4}$

(3) $\tan75°=\tan(45°+30°)$

$\qquad\quad =\dfrac{\tan45°+\tan30°}{1-\tan45°\tan30°}$

$\qquad\quad =\dfrac{1+\dfrac{\sqrt3}{3}}{1-1\times\dfrac{\sqrt3}{3}}$

$\qquad\quad =\dfrac{3+\sqrt3}{3-\sqrt3}=2+\sqrt3$

1 $\overline{\mathrm{OP}}=\sqrt{3^2+4^2}=5$이므로

(1) $\csc\theta=\dfrac{5}{4}$

(2) $\sec\theta=\dfrac{5}{3}$

(3) $\cot\theta=\dfrac{3}{4}$

2 $\overline{\mathrm{OP}}=\sqrt{12^2+(-5)^2}=13$이므로

$\csc\theta=-\dfrac{13}{5},\ \cot\theta=-\dfrac{12}{5}$

$\therefore\ \csc\theta+\cot\theta=-\dfrac{13}{5}-\dfrac{12}{5}=-5$

3 $\dfrac{\pi}{2}<\alpha<\pi$에서 $\cos\alpha<0$이므로

$\cos\alpha=-\sqrt{1-\sin^2\alpha}=-\sqrt{1-\left(\dfrac{1}{3}\right)^2}=-\dfrac{2\sqrt{2}}{3}$

$0<\beta<\dfrac{\pi}{2}$에서 $\sin\beta>0$이므로

$\sin\beta=\sqrt{1-\cos^2\beta}=\sqrt{1-\left(\dfrac{3}{5}\right)^2}=\dfrac{4}{5}$

(1) $\sin(\alpha+\beta)=\sin\alpha\cos\beta+\cos\alpha\sin\beta$

$\qquad=\dfrac{1}{3}\times\dfrac{3}{5}+\left(-\dfrac{2\sqrt{2}}{3}\right)\times\dfrac{4}{5}=\dfrac{3-8\sqrt{2}}{15}$

(2) $\cos(\alpha-\beta)=\cos\alpha\cos\beta+\sin\alpha\sin\beta$

$\qquad=-\dfrac{2\sqrt{2}}{3}\times\dfrac{3}{5}+\dfrac{1}{3}\times\dfrac{4}{5}=\dfrac{4-6\sqrt{2}}{15}$

4 $\pi<\alpha<\dfrac{3}{2}\pi$에서 $\cos\alpha<0$이므로

$\cos\alpha=-\sqrt{1-\sin^2\alpha}=-\sqrt{1-\left(-\dfrac{1}{2}\right)^2}=-\dfrac{\sqrt{3}}{2}$

$\therefore\ \tan\alpha=\dfrac{\sin\alpha}{\cos\alpha}=\dfrac{-\dfrac{1}{2}}{-\dfrac{\sqrt{3}}{2}}=\dfrac{\sqrt{3}}{3}$

$\dfrac{3}{2}\pi<\beta<2\pi$에서 $\sin\beta<0$이므로

$\sin\beta=-\sqrt{1-\cos^2\beta}=-\sqrt{1-\left(\dfrac{1}{2}\right)^2}=-\dfrac{\sqrt{3}}{2}$

$\therefore\ \tan\beta=\dfrac{\sin\beta}{\cos\beta}=\dfrac{-\dfrac{\sqrt{3}}{2}}{\dfrac{1}{2}}=-\sqrt{3}$

$\therefore\ \tan(\alpha+\beta)=\dfrac{\tan\alpha+\tan\beta}{1-\tan\alpha\tan\beta}$

$\qquad=\dfrac{\dfrac{\sqrt{3}}{3}+(-\sqrt{3})}{1-\dfrac{\sqrt{3}}{3}\times(-\sqrt{3})}=-\dfrac{\sqrt{3}}{3}$

5 $0<\alpha<\dfrac{\pi}{2}$에서 $\cos\alpha>0$이므로

$\cos\alpha=\sqrt{1-\sin^2\alpha}=\sqrt{1-\left(\dfrac{3}{5}\right)^2}=\dfrac{4}{5}$

$\therefore\ \tan\alpha=\dfrac{\sin\alpha}{\cos\alpha}=\dfrac{\dfrac{3}{5}}{\dfrac{4}{5}}=\dfrac{3}{4}$

(1) $\sin2\alpha=2\sin\alpha\cos\alpha=2\times\dfrac{3}{5}\times\dfrac{4}{5}=\dfrac{24}{25}$

(2) $\cos2\alpha=1-2\sin^2\alpha=1-2\times\left(\dfrac{3}{5}\right)^2=\dfrac{7}{25}$

(3) $\tan2\alpha=\dfrac{2\tan\alpha}{1-\tan^2\alpha}=\dfrac{2\times\dfrac{3}{4}}{1-\left(\dfrac{3}{4}\right)^2}=\dfrac{24}{7}$

6 $0<\alpha<\dfrac{\pi}{2}$에서 $\sin\alpha>0$이므로

$\sin\alpha=\sqrt{1-\cos^2\alpha}=\sqrt{1-\left(\dfrac{2}{3}\right)^2}=\dfrac{\sqrt{5}}{3}$

$\therefore\ \sin2\alpha=2\sin\alpha\cos\alpha=2\times\dfrac{\sqrt{5}}{3}\times\dfrac{2}{3}=\dfrac{4\sqrt{5}}{9}$,

$\qquad\cos2\alpha=2\cos^2\alpha-1=2\times\left(\dfrac{2}{3}\right)^2-1=-\dfrac{1}{9}$

$\therefore\ \sin2\alpha-\cos2\alpha=\dfrac{4\sqrt{5}}{9}-\left(-\dfrac{1}{9}\right)=\dfrac{4\sqrt{5}+1}{9}$

7 두 직선 $y=-2x+1$, $y=-\dfrac{1}{3}x-1$이 x축의 양의 방향과 이루는 각의 크기를 각각 α, β라고 하면

$\tan\alpha=-2,\ \tan\beta=-\dfrac{1}{3}$

두 직선이 이루는 예각의 크기를 θ라고 하면

$\theta=\beta-\alpha$

$\therefore\ \tan\theta=\tan(\beta-\alpha)=\dfrac{\tan\beta-\tan\alpha}{1+\tan\beta\tan\alpha}$

$\qquad=\dfrac{-\dfrac{1}{3}-(-2)}{1+\left(-\dfrac{1}{3}\right)\times(-2)}=1$

따라서 구하는 예각의 크기는 $\dfrac{\pi}{4}$이다.

8 두 직선 $y=3x-4$, $y=\dfrac{1}{2}x+1$이 x축의 양의 방향과 이루는 각의 크기를 각각 α, β라고 하면

$\tan\alpha=3,\ \tan\beta=\dfrac{1}{2}$

이때 $\theta=\alpha-\beta$이므로

$\tan\theta=\tan(\alpha-\beta)=\dfrac{\tan\alpha-\tan\beta}{1+\tan\alpha\tan\beta}$

$\qquad=\dfrac{3-\dfrac{1}{2}}{1+3\times\dfrac{1}{2}}=1$

따라서 $\theta=\dfrac{\pi}{4}$이므로

$\csc\theta=\csc\dfrac{\pi}{4}=\dfrac{1}{\sin\dfrac{\pi}{4}}=\dfrac{1}{\dfrac{\sqrt{2}}{2}}=\sqrt{2}$

1　(1) $\displaystyle\lim_{x\to\frac{\pi}{3}}\sin x=\sin\frac{\pi}{3}=\frac{\sqrt{3}}{2}$

(2) $\displaystyle\lim_{x\to-\frac{\pi}{6}}4\cos x=4\cos\left(-\frac{\pi}{6}\right)$

$$=4\cos\frac{\pi}{6}$$
$$=4\times\frac{\sqrt{3}}{2}=2\sqrt{3}$$

(3) $\displaystyle\lim_{x\to\frac{3}{4}\pi}2\tan x=2\tan\frac{3}{4}\pi$

$$=-2\tan\frac{\pi}{4}$$
$$=-2\times1=-2$$

2　(1) $\displaystyle\lim_{x\to0}\frac{x}{\sin x}=\lim_{x\to0}\frac{1}{\frac{\sin x}{x}}=1$

(2) $\displaystyle\lim_{x\to0}\frac{\sin 2x}{4x}=\lim_{x\to0}\frac{\sin 2x}{2x}\times\frac{1}{2}$

$$=1\times\frac{1}{2}=\frac{1}{2}$$

(3) $\displaystyle\lim_{x\to0}\frac{\tan 3x}{2x}=\lim_{x\to0}\frac{\tan 3x}{3x}\times\frac{3}{2}$

$$=1\times\frac{3}{2}=\frac{3}{2}$$

3　(1) $y'=2+3\cos x$

(2) $y'=-\sin x-2\cos x$

1　(1) $\displaystyle\lim_{x\to0}\frac{\sin^2 x}{1-\cos x}=\lim_{x\to0}\frac{1-\cos^2 x}{1-\cos x}$

$$=\lim_{x\to0}\frac{(1+\cos x)(1-\cos x)}{1-\cos x}$$
$$=\lim_{x\to0}(1+\cos x)$$
$$=1+1=2$$

(2) $\displaystyle\lim_{x\to\frac{\pi}{4}}\frac{1-\tan x}{\sin x-\cos x}=\lim_{x\to\frac{\pi}{4}}\frac{1-\frac{\sin x}{\cos x}}{\sin x-\cos x}$

$$=\lim_{x\to\frac{\pi}{4}}\frac{\cos x-\sin x}{\cos x(\sin x-\cos x)}$$
$$=-\lim_{x\to\frac{\pi}{4}}\frac{1}{\cos x}=-\sqrt{2}$$

2　$\displaystyle\lim_{x\to\frac{\pi}{2}}(\sec x-\tan x)=\lim_{x\to\frac{\pi}{2}}\left(\frac{1}{\cos x}-\frac{\sin x}{\cos x}\right)$

$$=\lim_{x\to\frac{\pi}{2}}\frac{1-\sin x}{\cos x}$$
$$=\lim_{x\to\frac{\pi}{2}}\frac{(1-\sin x)(1+\sin x)}{\cos x(1+\sin x)}$$
$$=\lim_{x\to\frac{\pi}{2}}\frac{1-\sin^2 x}{\cos x(1+\sin x)}$$
$$=\lim_{x\to\frac{\pi}{2}}\frac{\cos^2 x}{\cos x(1+\sin x)}$$
$$=\lim_{x\to\frac{\pi}{2}}\frac{\cos x}{1+\sin x}=\frac{0}{2}=0$$

따라서 구하는 극한값은 ②이다.

3　(1) $\displaystyle\lim_{x\to0}\frac{1-\cos x}{x^2}=\lim_{x\to0}\frac{(1-\cos x)(1+\cos x)}{x^2(1+\cos x)}$

$$=\lim_{x\to0}\frac{1-\cos^2 x}{x^2(1+\cos x)}$$
$$=\lim_{x\to0}\frac{\sin^2 x}{x^2(1+\cos x)}$$
$$=\lim_{x\to0}\left\{\left(\frac{\sin x}{x}\right)^2\times\frac{1}{1+\cos x}\right\}$$
$$=1^2\times\frac{1}{2}=\frac{1}{2}$$

(2) $x-\pi=t$로 놓으면 $x\to\pi$일 때 $t\to0$이므로

$$\lim_{x\to\pi}\frac{\sin x}{x-\pi}=\lim_{t\to0}\frac{\sin(\pi+t)}{t}=-\lim_{t\to0}\frac{\sin t}{t}=-1$$

(3) $\dfrac{1}{x}=t$로 놓으면 $x\to\infty$일 때 $t\to0$이므로

$$\lim_{x\to\infty}2x\tan\frac{1}{x}=2\lim_{t\to0}\frac{\tan t}{t}=2\times1=2$$

4　$\displaystyle\lim_{x\to0}\frac{\tan(\sin x)}{2x}=\lim_{x\to0}\left\{\frac{\tan(\sin x)}{\sin x}\times\frac{\sin x}{x}\times\frac{1}{2}\right\}$

$$=1\times1\times\frac{1}{2}=\frac{1}{2}$$

따라서 구하는 극한값은 ②이다.

5　(1) $y=\sin x\times\sin x$이므로

$$y'=(\sin x)'\sin x+\sin x(\sin x)'$$
$$=\cos x\times\sin x+\sin x\times\cos x=2\sin x\cos x$$

(2) $y'=(x^2)'\sin x+x^2(\sin x)'$
$$=2x\sin x+x^2\cos x$$

(3) $y'=(\sin x)'\cos x+\sin x(\cos x)'$
$$=\cos x\times\cos x+\sin x\times(-\sin x)$$
$$=\cos^2 x-\sin^2 x$$

6　$f'(x)=(e^x)'\cos x+e^x(\cos x)'$
$$=e^x\times\cos x+e^x\times(-\sin x)$$
$$=e^x(\cos x-\sin x)$$

$\therefore f'(0)=1\times(1-0)=1$

따라서 구하는 값은 ④이다.

1 (1) $\csc 60° = \dfrac{1}{\sin 60°} = \dfrac{1}{\dfrac{\sqrt{3}}{2}} = \dfrac{2\sqrt{3}}{3}$

$\sec 60° = \dfrac{1}{\cos 60°} = \dfrac{1}{\dfrac{1}{2}} = 2$

$\cot 60° = \dfrac{1}{\tan 60°} = \dfrac{1}{\sqrt{3}} = \dfrac{\sqrt{3}}{3}$

(2) $\csc 330° = \dfrac{1}{\sin 330°} = \dfrac{1}{-\sin 30°} = \dfrac{1}{-\dfrac{1}{2}} = -2$

$\sec 330° = \dfrac{1}{\cos 330°} = \dfrac{1}{\cos 30°} = \dfrac{1}{\dfrac{\sqrt{3}}{2}} = \dfrac{2\sqrt{3}}{3}$

$\cot 330° = \dfrac{1}{\tan 330°} = \dfrac{1}{-\tan 30°} = \dfrac{1}{-\dfrac{\sqrt{3}}{3}} = -\sqrt{3}$

(3) $\csc \dfrac{3}{4}\pi = \dfrac{1}{\sin \dfrac{3}{4}\pi} = \dfrac{1}{\sin \dfrac{\pi}{4}} = \dfrac{1}{\dfrac{\sqrt{2}}{2}} = \sqrt{2}$

$\sec \dfrac{3}{4}\pi = \dfrac{1}{\cos \dfrac{3}{4}\pi} = \dfrac{1}{-\cos \dfrac{\pi}{4}} = \dfrac{1}{-\dfrac{\sqrt{2}}{2}} = -\sqrt{2}$

$\cot \dfrac{3}{4}\pi = \dfrac{1}{\tan \dfrac{3}{4}\pi} = \dfrac{1}{-\tan \dfrac{\pi}{4}} = \dfrac{1}{-1} = -1$

(4) $\csc \dfrac{7}{6}\pi = \dfrac{1}{\sin \dfrac{7}{6}\pi} = \dfrac{1}{-\sin \dfrac{\pi}{6}} = \dfrac{1}{-\dfrac{1}{2}} = -2$

$\sec \dfrac{7}{6}\pi = \dfrac{1}{\cos \dfrac{7}{6}\pi} = \dfrac{1}{-\cos \dfrac{\pi}{6}} = \dfrac{1}{-\dfrac{\sqrt{3}}{2}} = -\dfrac{2\sqrt{3}}{3}$

$\cot \dfrac{7}{6}\pi = \dfrac{1}{\tan \dfrac{7}{6}\pi} = \dfrac{1}{\tan \dfrac{\pi}{6}} = \dfrac{1}{\dfrac{\sqrt{3}}{3}} = \sqrt{3}$

2 (1) $\sin 20° \cos 40° + \cos 20° \sin 40° = \sin (20° + 40°)$
$= \sin 60° = \dfrac{\sqrt{3}}{2}$

(2) $\cos 85° \cos 40° + \sin 85° \sin 40° = \cos (85° - 40°)$
$= \cos 45° = \dfrac{\sqrt{2}}{2}$

(3) $\dfrac{\tan 10° + \tan 35°}{1 - \tan 10° \tan 35°} = \tan (10° + 35°)$
$= \tan 45° = 1$

(4) $\dfrac{\tan 55° - \tan 25°}{1 + \tan 55° \tan 25°} = \tan (55° - 25°)$
$= \tan 30° = \dfrac{\sqrt{3}}{3}$

3 $0 < \alpha < \dfrac{\pi}{2}$에서 $\cos \alpha > 0$이므로

$\cos \alpha = \sqrt{1 - \sin^2 \alpha} = \sqrt{1 - \left(\dfrac{12}{13}\right)^2} = \dfrac{5}{13}$

$\therefore \tan \alpha = \dfrac{\sin \alpha}{\cos \alpha} = \dfrac{\dfrac{12}{13}}{\dfrac{5}{13}} = \dfrac{12}{5}$

$0 < \beta < \dfrac{\pi}{2}$에서 $\sin \beta > 0$이므로

$\sin \beta = \sqrt{1 - \cos^2 \beta} = \sqrt{1 - \left(\dfrac{4}{5}\right)^2} = \dfrac{3}{5}$

$\therefore \tan \beta = \dfrac{\sin \beta}{\cos \beta} = \dfrac{\dfrac{3}{5}}{\dfrac{4}{5}} = \dfrac{3}{4}$

(1) $\sin (\alpha + \beta) = \sin \alpha \cos \beta + \cos \alpha \sin \beta$
$= \dfrac{12}{13} \times \dfrac{4}{5} + \dfrac{5}{13} \times \dfrac{3}{5} = \dfrac{63}{65}$

(2) $\sin (\alpha - \beta) = \sin \alpha \cos \beta - \cos \alpha \sin \beta$
$= \dfrac{12}{13} \times \dfrac{4}{5} - \dfrac{5}{13} \times \dfrac{3}{5} = \dfrac{33}{65}$

(3) $\cos (\alpha + \beta) = \cos \alpha \cos \beta - \sin \alpha \sin \beta$
$= \dfrac{5}{13} \times \dfrac{4}{5} - \dfrac{12}{13} \times \dfrac{3}{5} = -\dfrac{16}{65}$

(4) $\tan (\alpha - \beta) = \dfrac{\tan \alpha - \tan \beta}{1 + \tan \alpha \tan \beta}$
$= \dfrac{\dfrac{12}{5} - \dfrac{3}{4}}{1 + \dfrac{12}{5} \times \dfrac{3}{4}} = \dfrac{33}{56}$

4 (1) 각 α가 제2사분면의 각이면 $\cos \alpha < 0$이므로

$\cos \alpha = -\sqrt{1 - \sin^2 \alpha} = -\sqrt{1 - \left(\dfrac{4}{5}\right)^2} = -\dfrac{3}{5}$

$\therefore \tan \alpha = \dfrac{\sin \alpha}{\cos \alpha} = \dfrac{\dfrac{4}{5}}{-\dfrac{3}{5}} = -\dfrac{4}{3}$

따라서 구하는 값은

$\sin 2\alpha = 2 \sin \alpha \cos \alpha = 2 \times \dfrac{4}{5} \times \left(-\dfrac{3}{5}\right) = -\dfrac{24}{25}$

$\cos 2\alpha = 1 - 2 \sin^2 \alpha = 1 - 2 \times \left(\dfrac{4}{5}\right)^2 = -\dfrac{7}{25}$

$\tan 2\alpha = \dfrac{2 \tan \alpha}{1 - \tan^2 \alpha} = \dfrac{2 \times \left(-\dfrac{4}{3}\right)}{1 - \left(-\dfrac{4}{3}\right)^2} = \dfrac{24}{7}$

(2) 각 α가 제2사분면의 각이면 $\cos \alpha < 0$이므로

$\cos \alpha = -\sqrt{1 - \sin^2 \alpha} = -\sqrt{1 - \left(\dfrac{2\sqrt{5}}{5}\right)^2} = -\dfrac{\sqrt{5}}{5}$

$\therefore \tan \alpha = \dfrac{\sin \alpha}{\cos \alpha} = \dfrac{\dfrac{2\sqrt{5}}{5}}{-\dfrac{\sqrt{5}}{5}} = -2$

따라서 구하는 값은

$\sin 2\alpha = 2 \sin \alpha \cos \alpha = 2 \times \dfrac{2\sqrt{5}}{5} \times \left(-\dfrac{\sqrt{5}}{5}\right) = -\dfrac{4}{5}$

$\cos 2\alpha = 1 - 2 \sin^2 \alpha = 1 - 2 \times \left(\dfrac{2\sqrt{5}}{5}\right)^2 = -\dfrac{3}{5}$

$\tan 2\alpha = \dfrac{2 \tan \alpha}{1 - \tan^2 \alpha} = \dfrac{2 \times (-2)}{1 - (-2)^2} = \dfrac{4}{3}$

(3) 각 α가 제2사분면의 각이면 $\sin\alpha>0$이므로

$$\sin\alpha=\sqrt{1-\cos^2\alpha}=\sqrt{1-\left(-\frac{1}{5}\right)^2}=\frac{2\sqrt{6}}{5}$$

$$\therefore \tan\alpha=\frac{\sin\alpha}{\cos\alpha}=\frac{\frac{2\sqrt{6}}{5}}{-\frac{1}{5}}=-2\sqrt{6}$$

따라서 구하는 값은

$$\sin 2\alpha=2\sin\alpha\cos\alpha$$
$$=2\times\frac{2\sqrt{6}}{5}\times\left(-\frac{1}{5}\right)=-\frac{4\sqrt{6}}{25}$$

$$\cos 2\alpha=2\cos^2\alpha-1$$
$$=2\times\left(-\frac{1}{5}\right)^2-1=-\frac{23}{25}$$

$$\tan 2\alpha=\frac{2\tan\alpha}{1-\tan^2\alpha}$$
$$=\frac{2\times(-2\sqrt{6})}{1-(-2\sqrt{6})^2}=\frac{4\sqrt{6}}{23}$$

(4) 각 α가 제2사분면의 각이면 $\sin\alpha>0$이므로

$$\sin\alpha=\sqrt{1-\cos^2\alpha}=\sqrt{1-\left(-\frac{2}{3}\right)^2}=\frac{\sqrt{5}}{3}$$

$$\therefore \tan\alpha=\frac{\sin\alpha}{\cos\alpha}=\frac{\frac{\sqrt{5}}{3}}{-\frac{2}{3}}=-\frac{\sqrt{5}}{2}$$

따라서 구하는 값은

$$\sin 2\alpha=2\sin\alpha\cos\alpha$$
$$=2\times\frac{\sqrt{5}}{3}\times\left(-\frac{2}{3}\right)=-\frac{4\sqrt{5}}{9}$$

$$\cos 2\alpha=2\cos^2\alpha-1$$
$$=2\times\left(-\frac{2}{3}\right)^2-1=-\frac{1}{9}$$

$$\tan 2\alpha=\frac{2\tan\alpha}{1-\tan^2\alpha}$$
$$=\frac{2\times\left(-\frac{\sqrt{5}}{2}\right)}{1-\left(-\frac{\sqrt{5}}{2}\right)^2}=4\sqrt{5}$$

5 (1) $\displaystyle\lim_{x\to\frac{\pi}{3}}\cos 3x=\cos\pi=-1$

(2) $\displaystyle\lim_{x\to\frac{\pi}{6}}\frac{\cos x}{\tan x}=\frac{\cos\frac{\pi}{6}}{\tan\frac{\pi}{6}}=\frac{\frac{\sqrt{3}}{2}}{\frac{\sqrt{3}}{3}}=\frac{3}{2}$

(3) $\displaystyle\lim_{x\to\pi}\frac{\tan x}{\sin x}=\lim_{x\to\pi}\frac{\frac{\sin x}{\cos x}}{\sin x}=\lim_{x\to\pi}\frac{1}{\cos x}=\frac{1}{-1}=-1$

(4) $\displaystyle\lim_{x\to\frac{\pi}{2}}\frac{\sin x-1}{\cos^2 x}=\lim_{x\to\frac{\pi}{2}}\frac{\sin x-1}{1-\sin^2 x}$

$$=\lim_{x\to\frac{\pi}{2}}\frac{-(1-\sin x)}{(1+\sin x)(1-\sin x)}$$

$$=\lim_{x\to\frac{\pi}{2}}\frac{-1}{1+\sin x}$$

$$=\frac{-1}{1+1}=-\frac{1}{2}$$

(5) $\displaystyle\lim_{x\to\frac{\pi}{4}}\frac{\cos x-\sin x}{1-\tan^2 x}$

$$=\lim_{x\to\frac{\pi}{4}}\frac{\cos x-\sin x}{1-\frac{\sin^2 x}{\cos^2 x}}$$

$$=\lim_{x\to\frac{\pi}{4}}\frac{\cos^2 x(\cos x-\sin x)}{\cos^2 x-\sin^2 x}$$

$$=\lim_{x\to\frac{\pi}{4}}\frac{\cos^2 x(\cos x-\sin x)}{(\cos x+\sin x)(\cos x-\sin x)}$$

$$=\lim_{x\to\frac{\pi}{4}}\frac{\cos^2 x}{\cos x+\sin x}$$

$$=\frac{\left(\frac{\sqrt{2}}{2}\right)^2}{\frac{\sqrt{2}}{2}+\frac{\sqrt{2}}{2}}=\frac{\sqrt{2}}{4}$$

(6) $\displaystyle\lim_{x\to 0}\frac{1-\cos 2x}{\sin 2x}=\lim_{x\to 0}\frac{1-(1-2\sin^2 x)}{2\sin x\cos x}$

$$=\lim_{x\to 0}\frac{\sin x}{\cos x}$$

$$=\frac{0}{1}=0$$

6 (1) $\displaystyle\lim_{x\to 0}\frac{\sin x}{\sin 4x}=\lim_{x\to 0}\left(\frac{\sin x}{x}\times\frac{4x}{\sin 4x}\times\frac{1}{4}\right)$

$$=1\times 1\times\frac{1}{4}=\frac{1}{4}$$

(2) $\displaystyle\lim_{x\to 0}\frac{\sin(\sin 3x)}{\sin 2x}$

$$=\lim_{x\to 0}\left\{\frac{\sin(\sin 3x)}{\sin 3x}\times\frac{\sin 3x}{3x}\times\frac{2x}{\sin 2x}\times\frac{3}{2}\right\}$$

$$=1\times 1\times 1\times\frac{3}{2}=\frac{3}{2}$$

(3) $\displaystyle\lim_{x\to 0}\frac{\tan 5x-\tan 2x}{x}$

$$=\lim_{x\to 0}\left(\frac{\tan 5x}{x}-\frac{\tan 2x}{x}\right)$$

$$=\lim_{x\to 0}\left(\frac{\tan 5x}{5x}\times 5-\frac{\tan 2x}{2x}\times 2\right)$$

$$=1\times 5-1\times 2=3$$

(4) $\displaystyle\lim_{x\to 0}\frac{\tan(x^2+x)}{x}$

$$=\lim_{x\to 0}\left\{\frac{\tan(x^2+x)}{x^2+x}\times(x+1)\right\}$$

$$=1\times 1=1$$

(5) $\displaystyle\lim_{x\to 0}\frac{1-\cos x}{x\sin x}=\lim_{x\to 0}\frac{(1-\cos x)(1+\cos x)}{x\sin x(1+\cos x)}$

$$=\lim_{x\to 0}\frac{1-\cos^2 x}{x\sin x(1+\cos x)}$$

$$=\lim_{x\to 0}\frac{\sin^2 x}{x\sin x(1+\cos x)}$$

$$=\lim_{x\to 0}\frac{\sin x}{x(1+\cos x)}$$

$$=\lim_{x\to 0}\left(\frac{\sin x}{x}\times\frac{1}{1+\cos x}\right)$$

$$=1\times\frac{1}{2}=\frac{1}{2}$$

(6) $\displaystyle\lim_{x\to 0}\frac{1-\cos 4x}{x^2}=\lim_{x\to 0}\frac{(1-\cos 4x)(1+\cos 4x)}{x^2(1+\cos 4x)}$

$\displaystyle\qquad\qquad\quad=\lim_{x\to 0}\frac{1-\cos^2 4x}{x^2(1+\cos 4x)}$

$\displaystyle\qquad\qquad\quad=\lim_{x\to 0}\frac{\sin^2 4x}{x^2(1+\cos 4x)}$

$\displaystyle\qquad\qquad\quad=\lim_{x\to 0}\left\{\left(\frac{\sin 4x}{4x}\right)^2\times\frac{16}{1+\cos 4x}\right\}$

$\displaystyle\qquad\qquad\quad=1^2\times 8=8$

(7) $\dfrac{\pi}{2}-x=t$로 놓으면 $x\to\dfrac{\pi}{2}$일 때 $t\to 0$이므로

$\displaystyle\lim_{x\to\frac{\pi}{2}}\frac{\pi-2x}{\tan\left(\frac{\pi}{2}-x\right)}=\lim_{t\to 0}\frac{2t}{\tan t}$

$\displaystyle\qquad\qquad\qquad\quad=\lim_{t\to 0}\frac{t}{\tan t}\times 2$

$\displaystyle\qquad\qquad\qquad\quad=1\times 2=2$

(8) $\dfrac{1}{x}=t$로 놓으면 $x\to\infty$일 때 $t\to 0$이므로

$\displaystyle\lim_{x\to\infty}x\sin\frac{1}{x}=\lim_{t\to 0}\frac{\sin t}{t}=1$

7 (1) $y'=2\cos x-2x$

(2) $y'=e^x+5\cos x$

(3) $y=\cos x\times\cos x$이므로

$\quad y'=(\cos x)'\cos x+\cos x(\cos x)'$

$\qquad=-\sin x\times\cos x+\cos x\times(-\sin x)$

$\qquad=-2\sin x\cos x$

(4) $y'=(x^3)'\cos x+x^3(\cos x)'$

$\qquad=3x^2\cos x-x^3\sin x$

(5) $y'=(\ln x)'\sin x+\ln x(\sin x)'$

$\qquad=\dfrac{\sin x}{x}+\ln x\cos x$

(6) $y'=(e^x)'(\cos x-1)+e^x(\cos x-1)'$

$\qquad=e^x\times(\cos x-1)+e^x\times(-\sin x)$

$\qquad=e^x(\cos x-\sin x-1)$

족집게 기출문제 07~08강 p. 42~45

1 $-\dfrac{37}{20}$	2 7	3 ①	4 $-\dfrac{1}{2}$	5 $-\dfrac{3}{2}$
6 ③	7 $\dfrac{\sqrt{6}}{3}$	8 ③	9 ②	10 ④
11 ⑤	12 55	13 ④	14 ③	15 ①
16 1	17 ③	18 ③	19 $\dfrac{\sqrt{2}}{2}\pi$	20 ①
21 $-\sqrt{3}$	22 ④	23 ⑤	24 $\dfrac{6+\sqrt{6}}{5}$	25 $\dfrac{1}{2}$
26 -1	27 6	28 (1) $\dfrac{1}{4}$ (2) 2		

1 각 θ가 제3사분면의 각이면 $\sec\theta<0$이므로

$\sec\theta=-\sqrt{1+\tan^2\theta}=-\sqrt{1+\left(\dfrac{4}{3}\right)^2}=-\dfrac{5}{3}$

$\therefore\cos\theta=-\dfrac{3}{5}$

한편 $\cot\theta=\dfrac{3}{4}$이고, 각 θ가 제3사분면의 각이면 $\csc\theta<0$

이므로

$\csc\theta=-\sqrt{1+\cot^2\theta}=-\sqrt{1+\left(\dfrac{3}{4}\right)^2}=-\dfrac{5}{4}$

$\therefore\cos\theta+\csc\theta=-\dfrac{3}{5}+\left(-\dfrac{5}{4}\right)=-\dfrac{37}{20}$

2 $\sin\theta+\cos\theta=-\dfrac{\sqrt{3}}{3}$의 양변을 제곱하면

$\sin^2\theta+2\sin\theta\cos\theta+\cos^2\theta=\dfrac{1}{3}$

$1+2\sin\theta\cos\theta=\dfrac{1}{3}$

$\therefore\sin\theta\cos\theta=-\dfrac{1}{3}$

$\therefore\tan^2\theta+\cot^2\theta=\dfrac{\sin^2\theta}{\cos^2\theta}+\dfrac{\cos^2\theta}{\sin^2\theta}$

$\qquad\qquad\qquad=\dfrac{\sin^4\theta+\cos^4\theta}{\sin^2\theta\cos^2\theta}$

$\qquad\qquad\qquad=\dfrac{(\sin^2\theta+\cos^2\theta)^2-2\sin^2\theta\cos^2\theta}{\sin^2\theta\cos^2\theta}$

$\qquad\qquad\qquad=\dfrac{1-2(\sin\theta\cos\theta)^2}{(\sin\theta\cos\theta)^2}$

$\qquad\qquad\qquad=\dfrac{1-2\times\left(-\dfrac{1}{3}\right)^2}{\left(-\dfrac{1}{3}\right)^2}=7$

3 $0<\alpha<\dfrac{\pi}{2}$에서 $\sin\alpha>0$이므로

$\sin\alpha=\sqrt{1-\cos^2\alpha}=\sqrt{1-\left(\dfrac{2\sqrt{2}}{3}\right)^2}=\dfrac{1}{3}$

$\therefore\sin\left(\dfrac{\pi}{4}-\alpha\right)=\sin\dfrac{\pi}{4}\cos\alpha-\cos\dfrac{\pi}{4}\sin\alpha$

$\qquad\qquad\qquad=\dfrac{\sqrt{2}}{2}\times\dfrac{2\sqrt{2}}{3}-\dfrac{\sqrt{2}}{2}\times\dfrac{1}{3}=\dfrac{4-\sqrt{2}}{6}$

4 $\sin\alpha+\cos\beta=-\dfrac{2}{3}$의 양변을 제곱하면

$\sin^2\alpha+2\sin\alpha\cos\beta+\cos^2\beta=\dfrac{4}{9}$ ...... ㉠

$\cos\alpha+\sin\beta=\dfrac{\sqrt{5}}{3}$의 양변을 제곱하면

$\cos^2\alpha+2\cos\alpha\sin\beta+\sin^2\beta=\dfrac{5}{9}$ ...... ㉡

㉠+㉡을 하면

$2+2(\sin\alpha\cos\beta+\cos\alpha\sin\beta)=1$

$2+2\sin(\alpha+\beta)=1$

$\therefore\sin(\alpha+\beta)=-\dfrac{1}{2}$

5 이차방정식의 근과 계수의 관계에 의하여

$\tan \alpha + \tan \beta = 3a$, $\tan \alpha \tan \beta = 2a + 1$

$\therefore \tan(\alpha + \beta) = \dfrac{\tan \alpha + \tan \beta}{1 - \tan \alpha \tan \beta}$

$\qquad\qquad\quad = \dfrac{3a}{1 - (2a+1)} = -\dfrac{3}{2} \ (\because a \neq 0)$

6 두 직선 $y = 2x + 3$, $y = ax - 1$이 x축의 양의 방향과 이루는 각의 크기를 각각 α, β라고 하면

$\tan \alpha = 2$, $\tan \beta = a$

두 직선이 이루는 예각의 크기가 $45°$이므로

$\alpha - \beta = 45° \ (\because 0 < a < 2)$

$\therefore \tan(\alpha - \beta) = \dfrac{\tan \alpha - \tan \beta}{1 + \tan \alpha \tan \beta} = \dfrac{2 - a}{1 + 2a}$

즉, $\dfrac{2 - a}{1 + 2a} = \tan 45°$이므로 $\dfrac{2 - a}{1 + 2a} = 1$

$2 - a = 1 + 2a$ $\qquad \therefore a = \dfrac{1}{3}$

7 피타고라스 정리에 의하여 $\overline{AC} = \sqrt{6}$, $\overline{AD} = 2\sqrt{2}$

$\angle CAB = \alpha$, $\angle DAC = \beta$라고 하면

$\sin \alpha = \dfrac{\sqrt{3}}{3}$, $\cos \alpha = \dfrac{\sqrt{6}}{3}$, $\sin \beta = \dfrac{1}{2}$, $\cos \beta = \dfrac{\sqrt{3}}{2}$

삼각형 AED에서

$\overline{AE} = \overline{AD} \cos(\alpha + \beta)$

$\qquad = \overline{AD}(\cos \alpha \cos \beta - \sin \alpha \sin \beta)$

$\qquad = 2\sqrt{2}\left(\dfrac{\sqrt{6}}{3} \times \dfrac{\sqrt{3}}{2} - \dfrac{\sqrt{3}}{3} \times \dfrac{1}{2}\right) = 2 - \dfrac{\sqrt{6}}{3}$

$\therefore \overline{EB} = \overline{AB} - \overline{AE} = 2 - \left(2 - \dfrac{\sqrt{6}}{3}\right) = \dfrac{\sqrt{6}}{3}$

8 $A = \cos 80° \cos 20° + \sin 80° \sin 20°$

$\qquad = \cos(80° - 20°) = \cos 60° = \dfrac{1}{2}$

$B = \sin 75° \cos 75° = \dfrac{1}{2} \times 2 \sin 75° \cos 75°$

$\qquad = \dfrac{1}{2} \sin 150° = \dfrac{1}{2} \sin 30° = \dfrac{1}{2} \times \dfrac{1}{2} = \dfrac{1}{4}$

$\therefore A + B = \dfrac{1}{2} + \dfrac{1}{4} = \dfrac{3}{4}$

9 $\sin \theta + \cos \theta = \dfrac{2}{3}$의 양변을 제곱하면

$\sin^2 \theta + 2 \sin \theta \cos \theta + \cos^2 \theta = \dfrac{4}{9}$

$1 + 2 \sin \theta \cos \theta = \dfrac{4}{9}$, $1 + \sin 2\theta = \dfrac{4}{9}$

$\therefore \sin 2\theta = -\dfrac{5}{9}$

따라서 $\cos 4\theta = 1 - 2 \sin^2 2\theta = 1 - 2 \times \left(-\dfrac{5}{9}\right)^2 = \dfrac{31}{81}$이므로

$\sin 2\theta + \cos 4\theta = -\dfrac{5}{9} + \dfrac{31}{81} = -\dfrac{14}{81}$

10 $\sqrt{(2\sqrt{3})^2 + 2^2} = 4$이므로

$y = 2\sqrt{3} \sin x + 2 \cos x + 2$

$\quad = 4\left(\dfrac{\sqrt{3}}{2} \sin x + \dfrac{1}{2} \cos x\right) + 2$

$\quad = 4\left(\cos \dfrac{\pi}{6} \sin x + \sin \dfrac{\pi}{6} \cos x\right) + 2$

$\quad = 4 \sin\left(x + \dfrac{\pi}{6}\right) + 2$

따라서 주어진 함수의 최댓값은 $M = 4 + 2 = 6$이고, 최솟값은 $m = -4 + 2 = -2$이므로

$M - m = 8$

11 $\displaystyle\lim_{x \to 0} \dfrac{2 \sin^2 x}{\cos x - \cos^2 x} = \lim_{x \to 0} \dfrac{2(1 - \cos^2 x)}{\cos x(1 - \cos x)}$

$\qquad\qquad\qquad\quad = \lim_{x \to 0} \dfrac{2(1 + \cos x)(1 - \cos x)}{\cos x(1 - \cos x)}$

$\qquad\qquad\qquad\quad = \lim_{x \to 0} \dfrac{2(1 + \cos x)}{\cos x}$

$\qquad\qquad\qquad\quad = \dfrac{2(1 + 1)}{1} = 4$

12 $\displaystyle\lim_{x \to 0} \dfrac{\sin x + \sin 2x + \sin 3x + \cdots + \sin 10x}{x}$

$= \displaystyle\lim_{x \to 0} \left(\dfrac{\sin x}{x} + \dfrac{\sin 2x}{x} + \dfrac{\sin 3x}{x} + \cdots + \dfrac{\sin 10x}{x}\right)$

$= \displaystyle\lim_{x \to 0} \left(\dfrac{\sin x}{x} + \dfrac{\sin 2x}{2x} \times 2 + \dfrac{\sin 3x}{3x} \times 3\right.$

$\qquad\qquad\qquad\qquad\qquad \left. + \cdots + \dfrac{\sin 10x}{10x} \times 10\right)$

$= 1 + 1 \times 2 + 1 \times 3 + \cdots + 1 \times 10 = \dfrac{10 \times 11}{2} = 55$

13 $\displaystyle\lim_{x \to 0} \dfrac{\sin x + \tan 3x}{\sin 2x}$

$= \displaystyle\lim_{x \to 0} \left(\dfrac{\sin x}{\sin 2x} + \dfrac{\tan 3x}{\sin 2x}\right)$

$= \displaystyle\lim_{x \to 0} \left(\dfrac{\sin x}{x} \times \dfrac{2x}{\sin 2x} \times \dfrac{1}{2} + \dfrac{\tan 3x}{3x} \times \dfrac{2x}{\sin 2x} \times \dfrac{3}{2}\right)$

$= 1 \times 1 \times \dfrac{1}{2} + 1 \times 1 \times \dfrac{3}{2} = 2$

14 $\displaystyle\lim_{x \to 0} \dfrac{\sin(3x^2 + 2x)}{2x^2 + x} = \lim_{x \to 0} \left\{\dfrac{\sin(3x^2 + 2x)}{3x^2 + 2x} \times \dfrac{3x^2 + 2x}{2x^2 + x}\right\}$

$\qquad\qquad\qquad\qquad = \displaystyle\lim_{x \to 0} \left\{\dfrac{\sin(3x^2 + 2x)}{3x^2 + 2x} \times \dfrac{3x + 2}{2x + 1}\right\}$

$\qquad\qquad\qquad\qquad = 1 \times 2 = 2$

15 $x - \pi = t$로 놓으면 $x \to \pi$일 때 $t \to 0$이므로

$\displaystyle\lim_{x \to \pi} \dfrac{\sin^2 2x}{(\pi - x) \tan x} = \lim_{t \to 0} \dfrac{\sin^2(2\pi + 2t)}{-t \tan(\pi + t)}$

$\qquad\qquad\qquad\quad = -\displaystyle\lim_{t \to 0} \dfrac{\sin^2 2t}{t \tan t}$

$\qquad\qquad\qquad\quad = -\displaystyle\lim_{t \to 0} \left\{\left(\dfrac{\sin 2t}{2t}\right)^2 \times \dfrac{t}{\tan t} \times 4\right\}$

$\qquad\qquad\qquad\quad = -1^2 \times 1 \times 4 = -4$

16 $\dfrac{1}{x}=t$로 놓으면 $x\to\infty$일 때 $t\to0$이므로

$$\lim_{x\to\infty}\left\{x\sin\left(\tan\dfrac{1}{x}\right)\cos\dfrac{1}{x}\right\}$$

$$=\lim_{t\to0}\left\{\dfrac{1}{t}\sin\left(\tan t\right)\cos t\right\}$$

$$=\lim_{t\to0}\left\{\dfrac{\sin\left(\tan t\right)}{\tan t}\times\dfrac{\tan t}{t}\times\cos t\right\}$$

$$=1\times1\times1=1$$

17 $\displaystyle\lim_{x\to0}\dfrac{\sin 3x}{f(x)}=2$에서 $\displaystyle\lim_{x\to0}\dfrac{f(x)}{\sin 3x}=\dfrac{1}{2}$

$$\therefore\lim_{x\to0}\dfrac{f(x)}{e^{2x}-1}=\lim_{x\to0}\left\{\dfrac{f(x)}{\sin 3x}\times\dfrac{\sin 3x}{3x}\times\dfrac{2x}{e^{2x}-1}\times\dfrac{3}{2}\right\}$$

$$=\dfrac{1}{2}\times1\times1\times\dfrac{3}{2}=\dfrac{3}{4}$$

18 $\displaystyle\lim_{x\to0}\dfrac{bx^2}{a-\cos x}=4$에서 $\displaystyle\lim_{x\to0}bx^2=0$이므로

$\displaystyle\lim_{x\to0}(a-\cos x)=0$, $a-1=0$ $\quad\therefore a=1$

$a=1$을 주어진 식의 좌변에 대입하면

$$\lim_{x\to0}\dfrac{bx^2}{1-\cos x}=b\lim_{x\to0}\dfrac{x^2(1+\cos x)}{(1-\cos x)(1+\cos x)}$$

$$=b\lim_{x\to0}\dfrac{x^2(1+\cos x)}{\sin^2 x}$$

$$=b\lim_{x\to0}\left\{\left(\dfrac{x}{\sin x}\right)^2\times(1+\cos x)\right\}$$

$$=b\times1^2\times2=2b$$

즉, $2b=4$에서 $\quad b=2$

$\therefore a+b=3$

19 $f(x)=2x^2\sin x\cos x+a\cos x$이므로

$$f'(x)=(2x^2)'\sin x\cos x+2x^2(\sin x)'\cos x$$
$$+2x^2\sin x(\cos x)'-a\sin x$$

$$=4x\sin x\cos x+2x^2\cos^2 x-2x^2\sin^2 x-a\sin x$$

$f'\left(\dfrac{\pi}{4}\right)=0$에서

$\dfrac{\pi}{2}-\dfrac{\sqrt 2}{2}a=0$ $\quad\therefore a=\dfrac{\sqrt 2}{2}\pi$

20 $\displaystyle\lim_{h\to0}\dfrac{f(3h)-f(-h)}{h}$

$$=\lim_{h\to0}\left\{\dfrac{f(3h)-f(0)}{h}-\dfrac{f(-h)-f(0)}{h}\right\}$$

$$=\lim_{h\to0}\left\{\dfrac{f(3h)-f(0)}{3h}\times3+\dfrac{f(-h)-f(0)}{-h}\right\}$$

$$=3f'(0)+f'(0)=4f'(0)\qquad\cdots\cdots\text{㉠}$$

이때 $f'(x)$를 구하면

$$f'(x)=(x)'\sin x+x(\sin x)'-(e^x)'\cos x-e^x(\cos x)'$$

$$=\sin x+x\cos x-e^x\cos x+e^x\sin x$$

따라서 ㉠에서 구하는 극한값은

$$4f'(0)=4\times(-1)=-4$$

21 $f(x)=\displaystyle\lim_{h\to0}\dfrac{\sin(x+h)-\sin x}{\cos(x+h)-\cos x}$

$$=\lim_{h\to0}\dfrac{\dfrac{\sin(x+h)-\sin x}{h}}{\dfrac{\cos(x+h)-\cos x}{h}}$$

$$=\dfrac{(\sin x)'}{(\cos x)'}=\dfrac{\cos x}{-\sin x}$$

$$=-\dfrac{1}{\tan x}$$

$$\therefore f\left(\dfrac{\pi}{6}\right)=-\sqrt 3$$

22 함수 $f(x)$가 $x=0$에서 미분가능하므로

$f'(x)=\begin{cases}\cos x-x\sin x & (x>0)\\ ae^x & (x<0)\end{cases}$에서

$\displaystyle\lim_{x\to0+}(\cos x-x\sin x)=\lim_{x\to0-}ae^x$ $\quad\therefore a=1$

한편 함수 $f(x)$가 $x=0$에서 미분가능하면 $x=0$에서 연속이므로

$$\lim_{x\to0+}f(x)=\lim_{x\to0-}f(x)=f(0)$$

$$\lim_{x\to0+}x\cos x=\lim_{x\to0-}(ae^x+b)$$

$$\therefore a+b=0$$

$a=1$을 대입하여 풀면 $\quad b=-1$

$$\therefore 3a-b=4$$

23 $\sin\theta+\sin 7\theta=\sin(4\theta-3\theta)+\sin(4\theta+3\theta)$

$$=(\sin 4\theta\cos 3\theta-\cos 4\theta\sin 3\theta)$$
$$+(\sin 4\theta\cos 3\theta+\cos 4\theta\sin 3\theta)$$

$$=2\sin 4\theta\cos 3\theta$$

$\cos\theta+\cos 7\theta=\cos(4\theta-3\theta)+\cos(4\theta+3\theta)$

$$=(\cos 4\theta\cos 3\theta+\sin 4\theta\sin 3\theta)$$
$$+(\cos 4\theta\cos 3\theta-\sin 4\theta\sin 3\theta)$$

$$=2\cos 4\theta\cos 3\theta$$

$$\therefore\dfrac{\sin\theta+\sin 7\theta}{\cos\theta+\cos 7\theta}=\dfrac{2\sin 4\theta\cos 3\theta}{2\cos 4\theta\cos 3\theta}$$

$$=\dfrac{\sin 4\theta}{\cos 4\theta}=\tan 4\theta$$

$$=\tan(4\times15°)$$

$$=\tan 60°=\sqrt 3$$

24 $0<2x<\dfrac{\pi}{2}$에서 $\cos 2x>0$이므로

$$\cos 2x=\sqrt{1-\sin^2 2x}=\sqrt{1-\left(\dfrac{\sqrt 5}{3}\right)^2}=\dfrac{2}{3}$$

$\cos 2x=1-2\sin^2 x$이므로

$$1-2\sin^2 x=\dfrac{2}{3},\ 2\sin^2 x=\dfrac{1}{3}$$

$$\therefore\sin^2 x=\dfrac{1}{6}$$

이때 $0<x<\dfrac{\pi}{4}$에서 $\sin x>0$이므로

$$\sin x=\dfrac{\sqrt 6}{6}$$

따라서 $1+\sin x+\sin^2 x+\sin^3 x+\cdots$는 공비가 $\sin x$인 등비급수이고, $|\sin x|<1$이므로

$$1+\sin x+\sin^2 x+\sin^3 x+\cdots=\dfrac{1}{1-\sin x}$$
$$=\dfrac{1}{1-\dfrac{\sqrt{6}}{6}}$$
$$=\dfrac{6+\sqrt{6}}{5}$$

25 $\angle APB=\dfrac{\pi}{2}$, $\overline{AB}=2a$이므로

오른쪽 그림과 같이 $\angle PAB=\theta$ 라고 하면

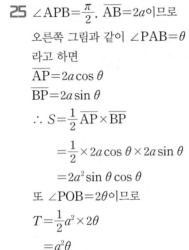

$\overline{AP}=2a\cos\theta$

$\overline{BP}=2a\sin\theta$

$$\therefore S=\dfrac{1}{2}\overline{AP}\times\overline{BP}$$
$$=\dfrac{1}{2}\times 2a\cos\theta\times 2a\sin\theta$$
$$=2a^2\sin\theta\cos\theta$$

또 $\angle POB=2\theta$이므로

$$T=\dfrac{1}{2}a^2\times 2\theta$$
$$=a^2\theta$$

점 P가 점 B에 한없이 가까워지면 $\theta\to 0+$이므로

$$\lim_{\theta\to 0+}\dfrac{T}{S}=\lim_{\theta\to 0+}\dfrac{a^2\theta}{2a^2\sin\theta\cos\theta}$$
$$=\dfrac{1}{2}\lim_{\theta\to 0+}\left(\dfrac{\theta}{\sin\theta}\times\dfrac{1}{\cos\theta}\right)$$
$$=\dfrac{1}{2}\times 1\times 1=\dfrac{1}{2}$$

26 $\displaystyle\lim_{x\to 0}\dfrac{\sin 2x-2\sin x}{x^3}$

$$=\lim_{x\to 0}\dfrac{2\sin x\cos x-2\sin x}{x^3} \qquad \cdots\cdots \text{(가)}$$
$$=\lim_{x\to 0}\dfrac{2\sin x(\cos x-1)}{x^3}$$
$$=\lim_{x\to 0}\dfrac{2\sin x(\cos x-1)(\cos x+1)}{x^3(\cos x+1)}$$
$$=\lim_{x\to 0}\dfrac{2\sin x(\cos^2 x-1)}{x^3(\cos x+1)}$$
$$=\lim_{x\to 0}\dfrac{-2\sin^3 x}{x^3(\cos x+1)}$$
$$=-2\lim_{x\to 0}\left\{\left(\dfrac{\sin x}{x}\right)^3\times\dfrac{1}{\cos x+1}\right\} \qquad \cdots\cdots \text{(나)}$$
$$=-2\times 1^3\times\dfrac{1}{2}$$
$$=-1 \qquad \cdots\cdots \text{(다)}$$

채점 기준	배점
(가) 배각의 공식을 이용하여 x에 대한 삼각함수로 나타낸다.	1점
(나) 극한값을 구할 수 있도록 식을 변형한다.	3점
(다) 극한값을 구한다.	2점

27 $\angle BAC=\pi-5\theta$

삼각형 ABC에서 사인법칙에 의하여

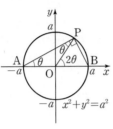

$$\dfrac{10}{\sin(\pi-5\theta)}=\dfrac{\overline{AC}}{\sin 3\theta}$$
$$\dfrac{10}{\sin 5\theta}=\dfrac{\overline{AC}}{\sin 3\theta}$$
$$\therefore \overline{AC}=\dfrac{10\sin 3\theta}{\sin 5\theta} \qquad \cdots\cdots \text{(가)}$$

$\dfrac{\overline{CH}}{\overline{AC}}=\cos 2\theta$에서

$$\overline{CH}=\overline{AC}\cos 2\theta=\dfrac{10\sin 3\theta\cos 2\theta}{\sin 5\theta} \qquad \cdots\cdots \text{(나)}$$

$$\therefore \lim_{\theta\to 0+}\overline{CH}=\lim_{\theta\to 0+}\dfrac{10\sin 3\theta\cos 2\theta}{\sin 5\theta}$$
$$=10\lim_{\theta\to 0+}\left(\dfrac{\sin 3\theta}{3\theta}\times\dfrac{5\theta}{\sin 5\theta}\times\cos 2\theta\times\dfrac{3}{5}\right)$$
$$=10\times 1\times 1\times 1\times\dfrac{3}{5}=6 \qquad \cdots\cdots \text{(다)}$$

채점 기준	배점
(가) $\overline{AC}$를 sin을 이용하여 나타낸다.	2점
(나) $\overline{CH}$를 sin, cos을 이용하여 나타낸다.	2점
(다) $\displaystyle\lim_{\theta\to 0+}\overline{CH}$의 값을 구한다.	3점

28 (1) 함수 $f(x)$가 $x=0$에서 연속이므로

$$\lim_{x\to 0+}f(x)=\lim_{x\to 0-}f(x)=f(0)$$

이때 $\displaystyle\lim_{x\to 0+}f(x)$의 값은

$$\lim_{x\to 0+}f(x)=\lim_{x\to 0+}\dfrac{\sin 2x}{3x+\tan 5x}=\lim_{x\to 0+}\dfrac{\dfrac{\sin 2x}{2x}\times 2}{3+\dfrac{\tan 5x}{5x}\times 5}$$
$$=\dfrac{1\times 2}{3+1\times 5}=\dfrac{1}{4} \qquad \cdots\cdots \text{(가)}$$

따라서 $\displaystyle\lim_{x\to 0+}f(x)=f(0)$에서 $a=\dfrac{1}{4}$ $\qquad \cdots\cdots$ (나)

(2) $\displaystyle\lim_{x\to 0-}f(x)=\lim_{x\to 0-}\dfrac{1-\cos x}{x\tan bx}$

$$=\lim_{x\to 0-}\dfrac{(1-\cos x)(1+\cos x)}{x\tan bx(1+\cos x)}$$
$$=\lim_{x\to 0-}\dfrac{\sin^2 x}{x\tan bx(1+\cos x)}$$
$$=\lim_{x\to 0-}\left\{\left(\dfrac{\sin x}{x}\right)^2\times\dfrac{bx}{\tan bx}\times\dfrac{1}{1+\cos x}\times\dfrac{1}{b}\right\}$$
$$=1^2\times 1\times\dfrac{1}{2}\times\dfrac{1}{b}=\dfrac{1}{2b} \qquad \cdots\cdots \text{(다)}$$

따라서 $\displaystyle\lim_{x\to 0-}f(x)=f(0)$에서

$$\dfrac{1}{2b}=\dfrac{1}{4} \qquad \therefore b=2 \qquad \cdots\cdots \text{(라)}$$

채점 기준	배점
(가) $\displaystyle\lim_{x\to 0+}f(x)$의 값을 구한다.	2점
(나) a의 값을 구한다.	1점
(다) $\displaystyle\lim_{x\to 0-}f(x)$의 값을 b에 대한 식으로 나타낸다.	2점
(라) b의 값을 구한다.	1점

확인 문제 p. 46

1 (1) $y'=-\dfrac{(x)'}{x^2}=-\dfrac{1}{x^2}$

[다른풀이] 함수 $y=x^n$ (n은 정수)의 도함수 이용하기

$y'=(x^{-1})'=-x^{-2}=-\dfrac{1}{x^2}$

(2) $y'=\dfrac{(x)'(x+3)-x(x+3)'}{(x+3)^2}$

$=\dfrac{(x+3)-x}{(x+3)^2}=\dfrac{3}{(x+3)^2}$

2 (1) $y'=\dfrac{1}{x\ln 2}$

(2) $y'=(x^{\frac{3}{4}})'=\dfrac{3}{4}x^{-\frac{1}{4}}=\dfrac{3}{4\sqrt[4]{x}}$

3 $\dfrac{dx}{dt}=3$, $\dfrac{dy}{dt}=4t+5$이므로

$\dfrac{dy}{dx}=\dfrac{4t+5}{3}$

핵심 유형+ 실전 문제 교/과/서/속 p. 47

1 (1) $y'=-\dfrac{(3x^3-1)'}{(3x^3-1)^2}$

$=-\dfrac{9x^2}{(3x^3-1)^2}$

(2) $y'=\dfrac{(x^2+5x-9)'(x+2)-(x^2+5x-9)(x+2)'}{(x+2)^2}$

$=\dfrac{(2x+5)(x+2)-(x^2+5x-9)}{(x+2)^2}$

$=\dfrac{x^2+4x+19}{(x+2)^2}$

2 $f'(x)=\dfrac{(x^2-3)'(x+2)-(x^2-3)(x+2)'}{(x+2)^2}$

$=\dfrac{2x(x+2)-(x^2-3)}{(x+2)^2}$

$=\dfrac{x^2+4x+3}{(x+2)^2}$

$=\dfrac{(x+2)^2-1}{(x+2)^2}$

$=1-\dfrac{1}{(x+2)^2}$

따라서 $a=1$, $b=-1$이므로

$a+b=0$

따라서 $a+b$의 값은 ③이다.

3 (1) $y'=(\sec x)'+(\csc x)'$

$=\sec x\tan x-\csc x\cot x$

(2) $y'=(\sin x)'\tan x+\sin x(\tan x)'$

$=\cos x\tan x+\sin x\sec^2 x$

$=\sin x+\sin x\sec^2 x$

4 $f'(x)=(3x)'\cot x+3x(\cot x)'$

$=3\cot x-3x\csc^2 x$

$\therefore f'\left(\dfrac{\pi}{6}\right)=3\cot\dfrac{\pi}{6}-3\times\dfrac{\pi}{6}\csc^2\dfrac{\pi}{6}=3\sqrt{3}-2\pi$

5 (1) $y'=3(2x+1)^2(2x+1)'=6(2x+1)^2$

(2) $y'=\cos(3x-1)\times(3x-1)'=3\cos(3x-1)$

(3) $y'=3^{2x-1}\ln 3\times(2x-1)'=2\times 3^{2x-1}\ln 3$

(4) $y'=\dfrac{(4x+1)'}{4x+1}=\dfrac{4}{4x+1}$

6 $f'(x)=\{(3x+1)^{\frac{1}{2}}\}'=\dfrac{1}{2}(3x+1)^{-\frac{1}{2}}(3x+1)'$

$=\dfrac{3}{2\sqrt{3x+1}}$

$\therefore f'(1)=\dfrac{3}{4}$

따라서 $f'(1)$의 값은 ④이다.

7 (1) $\dfrac{dx}{dt}=3t^2+e^t$, $\dfrac{dy}{dt}=e^t$이므로

$\dfrac{dy}{dx}=\dfrac{e^t}{3t^2+e^t}$

(2) $\dfrac{dx}{dt}=2t-\cos t$, $\dfrac{dy}{dt}=\sin t$이므로

$\dfrac{dy}{dx}=\dfrac{\sin t}{2t-\cos t}$ (단, $2t\neq\cos t$)

8 $\dfrac{dx}{dt}=\dfrac{(1-t^2)'(1+t^2)-(1-t^2)(1+t^2)'}{(1+t^2)^2}$

$=\dfrac{-2t(1+t^2)-(1-t^2)\times 2t}{(1+t^2)^2}$

$=-\dfrac{4t}{(1+t^2)^2}$

$\dfrac{dy}{dt}=\dfrac{(2t)'(1+t^2)-2t(1+t^2)'}{(1+t^2)^2}$

$=\dfrac{2(1+t^2)-2t\times 2t}{(1+t^2)^2}$

$=-\dfrac{2t^2-2}{(1+t^2)^2}$

$\therefore \dfrac{dy}{dx}=\dfrac{-\dfrac{2t^2-2}{(1+t^2)^2}}{-\dfrac{4t}{(1+t^2)^2}}=\dfrac{t^2-1}{2t}$ (단, $t\neq 0$)

따라서 $t=3$에서의 $\dfrac{dy}{dx}$의 값은

$\dfrac{3^2-1}{2\times 3}=\dfrac{4}{3}$

확인 문제　p. 48

1　$2x^2+3y^2=6$의 양변을 x에 대하여 미분하면

　$4x+6y\dfrac{dy}{dx}=0$

　$\therefore \dfrac{dy}{dx}=-\dfrac{2x}{3y}$ (단, $y\neq0$)

2　$x=y^2$의 양변을 y에 대하여 미분하면

　$\dfrac{dx}{dy}=2y$

　$\therefore \dfrac{dy}{dx}=\dfrac{1}{\dfrac{dx}{dy}}=\dfrac{1}{2y}$

3　(1) $y=x^3+5x^2$에서 $y'=3x^2+10x$이므로

　　$y''=6x+10$

　(2) $y=-x^5+2x^2-3x$에서 $y'=-5x^4+4x-3$이므로

　　$y''=-20x^3+4$

핵심유형+ 실전 문제　교/과/서/속　p. 49

1　(1) $(2x-3)^2+(y-1)^2=5$의 양변을 x에 대하여 미분하면

　　$2(2x-3)\times2+2(y-1)\dfrac{dy}{dx}=0$

　　$\therefore \dfrac{dy}{dx}=-\dfrac{2(2x-3)}{y-1}$ (단, $y\neq1$)

　(2) $x^2+y+3y^3=8$의 양변을 x에 대하여 미분하면

　　$2x+\dfrac{dy}{dx}+9y^2\dfrac{dy}{dx}=0$

　　$\therefore \dfrac{dy}{dx}=-\dfrac{2x}{9y^2+1}$

　(3) $x^2=xy+\sin y$의 양변을 x에 대하여 미분하면

　　$2x=y+x\dfrac{dy}{dx}+\cos y\dfrac{dy}{dx}$

　　$\therefore \dfrac{dy}{dx}=\dfrac{2x-y}{x+\cos y}$ (단, $x\neq-\cos y$)

　(4) $\dfrac{y}{x}-\dfrac{x}{y}=1$의 양변에 xy를 곱하면

　　$y^2-x^2=xy$

　　양변을 x에 대하여 미분하면

　　$2y\dfrac{dy}{dx}-2x=y+x\dfrac{dy}{dx}$

　　$\therefore \dfrac{dy}{dx}=-\dfrac{2x+y}{x-2y}$ (단, $x\neq2y$)

2　$x^2+3xy-y^3=5$의 양변을 x에 대하여 미분하면

　$2x+3y+3x\dfrac{dy}{dx}-3y^2\dfrac{dy}{dx}=0$

　$\therefore \dfrac{dy}{dx}=\dfrac{2x+3y}{3y^2-3x}$ (단, $y^2\neq x$)

　$x=4$, $y=-1$에서의 $\dfrac{dy}{dx}$의 값은 $\dfrac{8-3}{3-12}=-\dfrac{5}{9}$

　따라서 점 $(4,\ -1)$에서의 접선의 기울기는 ②이다.

3　(1) $x=5y^2+e^y-1$의 양변을 y에 대하여 미분하면

　　$\dfrac{dx}{dy}=10y+e^y$

　　$\therefore \dfrac{dy}{dx}=\dfrac{1}{\dfrac{dx}{dy}}=\dfrac{1}{10y+e^y}$

　(2) $x=y+\sqrt{y}$의 양변을 y에 대하여 미분하면

　　$\dfrac{dx}{dy}=1+\dfrac{1}{2}y^{-\frac{1}{2}}=1+\dfrac{1}{2\sqrt{y}}$

　　$\therefore \dfrac{dy}{dx}=\dfrac{1}{\dfrac{dx}{dy}}=\dfrac{1}{1+\dfrac{1}{2\sqrt{y}}}=\dfrac{2\sqrt{y}}{2\sqrt{y}+1}$

4　$x=\sqrt[3]{y}-8$의 양변을 y에 대하여 미분하면

　$\dfrac{dx}{dy}=\dfrac{1}{3}y^{-\frac{2}{3}}=\dfrac{1}{3\sqrt[3]{y^2}}$

　$\therefore \dfrac{dy}{dx}=\dfrac{1}{\dfrac{dx}{dy}}=3\sqrt[3]{y^2}$

　따라서 $y=8$에서의 $\dfrac{dy}{dx}$의 값은 $3\times4=12$

5　(1) $g(3)=a$라고 하면 $f(a)=3$에서

　　$a^3+5a-3=3$, $a^3+5a-6=0$

　　$(a-1)(a^2+a+6)=0$　$\therefore a=1$ ($\because a^2+a+6>0$)

　　따라서 $g(3)=1$이고, $f'(x)=3x^2+5$이므로

　　$\dfrac{1}{g'(3)}=f'(1)=8$

　(2) $g(-3)=a$라고 하면 $f(a)=-3$에서

　　$a^3+5a-3=-3$, $a^3+5a=0$

　　$a(a^2+5)=0$　$\therefore a=0$ ($\because a^2+5>0$)

　　따라서 $g(-3)=0$이고, $f'(x)=3x^2+5$이므로

　　$g'(-3)=\dfrac{1}{f'(0)}=\dfrac{1}{5}$

6　$g\left(\dfrac{1}{2}\right)=a$라고 하면 $f(a)=\dfrac{1}{2}$이므로

　$\dfrac{a^2}{a^2+4}=\dfrac{1}{2}$, $2a^2=a^2+4$　$\therefore a=2$ ($\because a>0$)

　따라서 $g\left(\dfrac{1}{2}\right)=2$이고,

　$f'(x)=\dfrac{2x(x^2+4)-x^2\times2x}{(x^2+4)^2}=\dfrac{8x}{(x^2+4)^2}$이므로

　$g'\left(\dfrac{1}{2}\right)=\dfrac{1}{f'(2)}=4$　$\therefore g\left(\dfrac{1}{2}\right)g'\left(\dfrac{1}{2}\right)=2\times4=8$

7　(1) $y=\dfrac{1}{x}$에서 $y'=-\dfrac{1}{x^2}$이므로

$\qquad y''=\dfrac{2}{x^3}$

(2) $y=e^{4x}$에서 $y'=4e^{4x}$이므로

$\qquad y''=16e^{4x}$

(3) $y=\cos(3x+1)$에서 $y'=-3\sin(3x+1)$이므로

$\qquad y''=-9\cos(3x+1)$

(4) $y=\ln(x-1)$에서 $y'=\dfrac{1}{x-1}$이므로

$\qquad y''=-\dfrac{1}{(x-1)^2}$

8　$f(x)=x^2\sin x$에서 $f'(x)=2x\sin x+x^2\cos x$이므로

$f''(x)=2\sin x+2x\cos x+2x\cos x-x^2\sin x$

$\qquad =(2-x^2)\sin x+4x\cos x$

$\therefore f''(\pi)=(2-\pi^2)\sin \pi+4\pi\cos \pi=-4\pi$

 계산력 **다지기**

p. 50~51

1　(1) $y'=-\dfrac{(x^2+3x+7)'}{(x^2+3x+7)^2}$

$\qquad =-\dfrac{2x+3}{(x^2+3x+7)^2}$

(2) $y'=-\dfrac{(3x^4+x^2-4)'}{(3x^4+x^2-4)^2}$

$\qquad =-\dfrac{12x^3+2x}{(3x^4+x^2-4)^2}$

(3) $y'=\dfrac{(x+1)'(x^3-8)-(x+1)(x^3-8)'}{(x^3-8)^2}$

$\qquad =\dfrac{x^3-8-(x+1)\times 3x^2}{(x^3-8)^2}$

$\qquad =-\dfrac{2x^3+3x^2+8}{(x^3-8)^2}$

(4) $y'=\dfrac{(3x^2+x)'(x^2+3)-(3x^2+x)(x^2+3)'}{(x^2+3)^2}$

$\qquad =\dfrac{(6x+1)(x^2+3)-(3x^2+x)\times 2x}{(x^2+3)^2}$

$\qquad =-\dfrac{x^2-18x-3}{(x^2+3)^2}$

(5) $y'=(x^{-8})'=-8x^{-9}=-\dfrac{8}{x^9}$

(6) $y'=(2x^2-x^{-1}+4x^{-4})'$

$\qquad =4x-(-x^{-2})+(-16x^{-5})$

$\qquad =4x+\dfrac{1}{x^2}-\dfrac{16}{x^5}$

(7) $y'=(\tan x)'+(\csc x)'=\sec^2 x-\csc x\cot x$

(8) $y'=(\cos x)'-2(\cot x)'=-\sin x+2\csc^2 x$

2　(1) $y'=4(3x^2-5)^3(3x^2-5)'=24x(3x^2-5)^3$

(2) $y'=5(x^3+6x)^4(x^3+6x)'=5(x^3+6x)^4(3x^2+6)$

$\qquad\qquad\qquad\qquad\quad =15(x^2+2)(x^3+6x)^4$

(3) $y'=e^{x^2-5}(x^2-5)'=2xe^{x^2-5}$

(4) $y'=\dfrac{(5x-2)'}{(5x-2)\ln 3}=\dfrac{5}{(5x-2)\ln 3}$

(5) $y'=(x^{-\frac{5}{4}})'=-\dfrac{5}{4}x^{-\frac{9}{4}}=-\dfrac{5}{4x^2\sqrt[4]{x}}$

(6) $y'=\{(2x-9)^{\frac{1}{3}}\}'=\dfrac{1}{3}(2x-9)^{-\frac{2}{3}}(2x-9)'$

$\qquad =\dfrac{2}{3\sqrt[3]{(2x-9)^2}}$

3　(1) $\dfrac{dx}{dt}=2t-3,\ \dfrac{dy}{dt}=10t$

$\qquad\therefore \dfrac{dy}{dx}=\dfrac{10t}{2t-3}\left(단,\ t\neq\dfrac{3}{2}\right)$

(2) $\dfrac{dx}{dt}=-2\cos t,\ \dfrac{dy}{dt}=-2\sin t$

$\qquad\therefore \dfrac{dy}{dx}=\dfrac{-2\sin t}{-2\cos t}=\tan t$

(3) $\dfrac{dx}{dt}=-\dfrac{2\times 2t}{(t^2+2)^2}=-\dfrac{4t}{(t^2+2)^2}$

$\qquad \dfrac{dy}{dt}=\dfrac{(t^2+2)-(t-1)\times 2t}{(t^2+2)^2}=-\dfrac{t^2-2t-2}{(t^2+2)^2}$

$\qquad\therefore \dfrac{dy}{dx}=\dfrac{-\dfrac{t^2-2t-2}{(t^2+2)^2}}{-\dfrac{4t}{(t^2+2)^2}}=\dfrac{t^2-2t-2}{4t}\ (단,\ t\neq 0)$

(4) $\dfrac{dx}{dt}=\dfrac{1}{2}t^{-\frac{1}{2}}=\dfrac{1}{2\sqrt{t}}$

$\qquad \dfrac{dy}{dt}=1-\dfrac{1}{2}t^{-\frac{1}{2}}=1-\dfrac{1}{2\sqrt{t}}$

$\qquad\therefore \dfrac{dy}{dx}=\dfrac{1-\dfrac{1}{2\sqrt{t}}}{\dfrac{1}{2\sqrt{t}}}=2\sqrt{t}-1$

4　(1) $x^2-4x-10y^2=0$의 양변을 x에 대하여 미분하면

$\qquad 2x-4-20y\dfrac{dy}{dx}=0$

$\qquad\therefore \dfrac{dy}{dx}=\dfrac{x-2}{10y}\ (단,\ y\neq 0)$

(2) $x^2+2y^4=4$의 양변을 x에 대하여 미분하면

$\qquad 2x+8y^3\dfrac{dy}{dx}=0$

$\qquad\therefore \dfrac{dy}{dx}=-\dfrac{x}{4y^3}\ (단,\ y\neq 0)$

(3) $2x^2+xy-y^2=3$의 양변을 x에 대하여 미분하면

$\qquad 4x+y+x\dfrac{dy}{dx}-2y\dfrac{dy}{dx}=0$

$\qquad\therefore \dfrac{dy}{dx}=-\dfrac{4x+y}{x-2y}\ (단,\ x\neq 2y)$

(4) $x^3-xy^2+2y^3=2$의 양변을 x에 대하여 미분하면

$$3x^2-y^2-x\times2y\dfrac{dy}{dx}+6y^2\dfrac{dy}{dx}=0$$

$$\therefore \dfrac{dy}{dx}=\dfrac{3x^2-y^2}{2xy-6y^2}\ (단,\ xy\neq3y^2)$$

(5) $e^x+\sin y=2$의 양변을 x에 대하여 미분하면

$$e^x+\cos y\dfrac{dy}{dx}=0$$

$$\therefore \dfrac{dy}{dx}=-\dfrac{e^x}{\cos y}\ (단,\ \cos y\neq0)$$

(6) $xy-\dfrac{y}{x}=3$의 양변에 x를 곱하면

$$x^2y-y=3x$$

양변을 x에 대하여 미분하면

$$2xy+x^2\dfrac{dy}{dx}-\dfrac{dy}{dx}=3$$

$$\therefore \dfrac{dy}{dx}=-\dfrac{2xy-3}{x^2-1}\ (단,\ x^2\neq1)$$

5 (1) $x=y^5+6y$의 양변을 y에 대하여 미분하면

$$\dfrac{dx}{dy}=5y^4+6$$

$$\therefore \dfrac{dy}{dx}=\dfrac{1}{\dfrac{dx}{dy}}=\dfrac{1}{5y^4+6}$$

(2) $x=y^3+y+\cos y$의 양변을 y에 대하여 미분하면

$$\dfrac{dx}{dy}=3y^2+1-\sin y$$

$$\therefore \dfrac{dy}{dx}=\dfrac{1}{\dfrac{dx}{dy}}=\dfrac{1}{3y^2+1-\sin y}$$

(3) $x=\sqrt{y}+3y$의 양변을 y에 대하여 미분하면

$$\dfrac{dx}{dy}=\dfrac{1}{2}y^{-\frac{1}{2}}+3=\dfrac{1}{2\sqrt{y}}+3$$

$$\therefore \dfrac{dy}{dx}=\dfrac{1}{\dfrac{dx}{dy}}=\dfrac{1}{\dfrac{1}{2\sqrt{y}}+3}=\dfrac{2\sqrt{y}}{1+6\sqrt{y}}$$

(4) $x=\dfrac{y-4}{y+1}$의 양변을 y에 대하여 미분하면

$$\dfrac{dx}{dy}=\dfrac{y+1-(y-4)}{(y+1)^2}=\dfrac{5}{(y+1)^2}$$

$$\therefore \dfrac{dy}{dx}=\dfrac{1}{\dfrac{dx}{dy}}=\dfrac{(y+1)^2}{5}$$

6 (1) $y=x^3+2x^2+3x$에서 $y'=3x^2+4x+3$이므로

$$y''=6x+4$$

(2) $y=(2x-1)^5$에서

$$y'=5(2x-1)^4\times2=10(2x-1)^4$$이므로

$$y''=40(2x-1)^3\times2=80(2x-1)^3$$

(3) $y=\sin x$에서 $y'=\cos x$이므로

$$y''=-\sin x$$

(4) $y=\cos 3x$에서 $y'=-3\sin 3x$이므로

$$y''=-9\cos 3x$$

(5) $y=xe^x$에서 $y'=e^x+xe^x$이므로

$$y''=e^x+e^x+xe^x=(x+2)e^x$$

(6) $y=x\sin 2x$에서 $y'=\sin 2x+2x\cos 2x$이므로

$$y''=2\cos 2x+2\cos 2x-4x\sin 2x$$
$$=4(\cos 2x-x\sin 2x)$$

(7) $y=\sqrt{x}$에서 $y'=\dfrac{1}{2}x^{-\frac{1}{2}}$이므로

$$y''=-\dfrac{1}{4}x^{-\frac{3}{2}}=-\dfrac{1}{4x\sqrt{x}}$$

(8) $y=\dfrac{1}{x^2+1}$에서 $y'=-\dfrac{2x}{(x^2+1)^2}$이므로

$$y''=-\dfrac{2(x^2+1)^2-2x\times2(x^2+1)\times2x}{(x^2+1)^4}$$
$$=\dfrac{6x^2-2}{(x^2+1)^3}$$

족집게 기출문제 09~10강   p. 52~55

1 1	2 $\frac{3}{2}$	3 -2	4 ③	5 ④
6 30	7 ③	8 ④	9 ②	10 ⑤
11 ⑤	12 1	13 ⑤	14 ②	15 ④
16 ③	17 ②	18 ①	19 5	20 ④
21 7	22 -2	23 14	24 ③	25 $\frac{6}{5}$
26 (1) $f'(x)=\dfrac{5}{(x+1)^2}$, $g'(x)=-\dfrac{4}{(x-1)^2}$ (2) $-\dfrac{16}{5}$				
27 $\frac{\pi}{4}$	28 $\frac{9}{16}$			

1 $g'(x)=\dfrac{xf'(x)-f(x)}{x^2}$이므로

$$g'(2)=\dfrac{2f'(2)-f(2)}{4}$$
$$=\dfrac{2\times3-2}{4}=1$$

2 $f(1)=2$이므로

$$\lim_{x\to1}\dfrac{f(x)-2}{x-1}=\lim_{x\to1}\dfrac{f(x)-f(1)}{x-1}=f'(1)\quad\cdots\cdots\text{㉠}$$

이때 $f'(x)$를 구하면

$$f'(x)=\dfrac{(4x^3+3)(x^2+1)-(x^4+3x)\times2x}{(x^2+1)^2}$$
$$=\dfrac{2x^5+4x^3-3x^2+3}{(x^2+1)^2}$$

따라서 ㉠에서 구하는 극한값은

$$f'(1)=\dfrac{3}{2}$$

3 $\lim\limits_{x\to 1}\dfrac{f(x)-f(1)}{x-1}=f'(1)$이고, $f(0)=0$이므로

$\lim\limits_{x\to 0}\dfrac{f(x)}{x}=\lim\limits_{x\to 0}\dfrac{f(x)-f(0)}{x}=f'(0)$

이때 $f'(x)$를 구하면

$f'(x)=\dfrac{3(ax+1)-3x\times a}{(ax+1)^2}=\dfrac{3}{(ax+1)^2}$

$f'(1)=f'(0)$이므로

$\dfrac{3}{(a+1)^2}=3,\ (a+1)^2=1,\ a(a+2)=0$

$\therefore a=-2\ (\because a\neq 0)$

4 $f(x)=\dfrac{4x^5-7x^2+1}{x^3}=4x^2-7x^{-1}+x^{-3}$이므로

$f'(x)=8x+7x^{-2}-3x^{-4}$

$\therefore f'(1)=12$

5 $f'(x)=e^x\sec x+e^x\sec x\tan x$

$\qquad\ =e^x\sec x(1+\tan x)$

$\therefore f'(-\pi)f'(\pi)=-e^{-\pi}\times(-e^\pi)=1$

6 $\lim\limits_{h\to 0}\dfrac{f(2+h)-f(2-h)}{h}$

$=\lim\limits_{h\to 0}\dfrac{f(2+h)-f(2)-f(2-h)+f(2)}{h}$

$=\lim\limits_{h\to 0}\left\{\dfrac{f(2+h)-f(2)}{h}+\dfrac{f(2-h)-f(2)}{-h}\right\}$

$=f'(2)+f'(2)=2f'(2)$ $\qquad\cdots\cdots\ \text{㉠}$

이때 $f'(x)$를 구하면

$f'(x)=5(3x-5)^4\times 3=15(3x-5)^4$

따라서 ㉠에서 구하는 극한값은

$2f'(2)=2\times 15=30$

7 $f'(x)=(2x+2a)\cos(x^2+2ax)$

$f'(0)=5$에서 $\quad 2a=5 \quad\therefore a=\dfrac{5}{2}$

8 $\lim\limits_{x\to 3}\dfrac{f(x)+3}{x-3}=2$에서 $\lim\limits_{x\to 3}(x-3)=0$이므로

$\lim\limits_{x\to 3}\{f(x)+3\}=0 \qquad\therefore f(3)=-3$

따라서 $\lim\limits_{x\to 3}\dfrac{f(x)+3}{x-3}=\lim\limits_{x\to 3}\dfrac{f(x)-f(3)}{x-3}=f'(3)$이므로

$f'(3)=2$

$\lim\limits_{x\to -3}\dfrac{g(x)+1}{x+3}=6$에서 $\lim\limits_{x\to -3}(x+3)=0$이므로

$\lim\limits_{x\to -3}\{g(x)+1\}=0 \qquad\therefore g(-3)=-1$

따라서 $\lim\limits_{x\to -3}\dfrac{g(x)+1}{x+3}=\lim\limits_{x\to -3}\dfrac{g(x)-g(-3)}{x-(-3)}=g'(-3)$이

므로 $g'(-3)=6$

이때 함수 $(g\circ f)(x)=g(f(x))$에서

$\{g(f(x))\}'=g'(f(x))f'(x)$

따라서 $x=3$에서의 미분계수는

$g'(f(3))f'(3)=g'(-3)f'(3)=6\times 2=12$

9 $f'(x)=\dfrac{(2\cos^2 x)'}{2\cos^2 x}=\dfrac{4\cos x\times(-\sin x)}{2\cos^2 x}$

$\qquad\ =-\dfrac{2\sin x}{\cos x}=-2\tan x$

$\therefore f'\left(\dfrac{\pi}{4}\right)=-2$

10 함수 $f(x)$가 $x=0$에서 미분가능하면 $x=0$에서 연속이므로

$\lim\limits_{x\to 0+}f(x)=\lim\limits_{x\to 0-}f(x)=f(0)$

$\therefore a=1+1+3=5$

함수 $f(x)$가 $x=0$에서 미분가능하므로

$f'(x)=\begin{cases}\dfrac{3}{3x+1} & (x>0)\\[2mm] 2be^{2bx}-\pi\sin\pi x & (x<0)\end{cases}$에서

$\lim\limits_{x\to 0+}\dfrac{3}{3x+1}=\lim\limits_{x\to 0-}(2be^{2bx}-\pi\sin\pi x)$

$3=2b \quad\therefore b=\dfrac{3}{2}$

$\therefore 4ab=4\times 5\times\dfrac{3}{2}=30$

11 주어진 식의 양변의 절댓값에 자연로그를 취하면

$\ln|f(x)|=2\ln|x^3+2|-\ln|2x+1|-4\ln|3x+2|$

양변을 x에 대하여 미분하면

$\dfrac{f'(x)}{f(x)}=\dfrac{6x^2}{x^3+2}-\dfrac{2}{2x+1}-\dfrac{12}{3x+2}$

양변에 $x=-1$을 대입하면

$\dfrac{f'(-1)}{f(-1)}=6+2+12=20$

따라서 $f'(-1)=20f(-1)$이므로 $\quad k=20$

12 주어진 식의 양변에 자연로그를 취하면

$\ln f(x)=\sin x\ln x$

양변을 x에 대하여 미분하면

$\dfrac{f'(x)}{f(x)}=\cos x\ln x+\sin x\times\dfrac{1}{x}$

$f'(x)=f(x)\left(\cos x\ln x+\dfrac{\sin x}{x}\right)$

$\qquad\ =x^{\sin x}\left(\cos x\ln x+\dfrac{\sin x}{x}\right)$

$\therefore f'\left(\dfrac{\pi}{2}\right)=\dfrac{\pi}{2}\times\dfrac{1}{\frac{\pi}{2}}=1$

13 $f(1)=\sqrt{2}$이므로

$\lim\limits_{h\to 0}\dfrac{f(1+h)-\sqrt{2}}{h}=\lim\limits_{h\to 0}\dfrac{f(1+h)-f(1)}{h}=f'(1)\ \cdots\ \text{㉠}$

이때 $f'(x)$를 구하면

$f'(x)=\dfrac{1}{2}(x^3+x)^{-\frac{1}{2}}(3x^2+1)$

$\qquad\ =\dfrac{3x^2+1}{2\sqrt{x^3+x}}$

따라서 ㉠에서 구하는 극한값은

$f'(1)=\sqrt{2}$

14 $\dfrac{dx}{dt}=3t^2-2t-1$, $\dfrac{dy}{dt}=12t^2-36t+24$이므로

$\dfrac{dy}{dx}=\dfrac{12t^2-36t+24}{3t^2-2t-1}=\dfrac{12(t-1)(t-2)}{(3t+1)(t-1)}$

$\quad=\dfrac{12(t-2)}{3t+1}$ $\left(\text{단, } t\neq-\dfrac{1}{3}, t\neq1\right)$

$\therefore \lim\limits_{t\to1}\dfrac{dy}{dx}=\lim\limits_{t\to1}\dfrac{12(t-2)}{3t+1}=\dfrac{-12}{4}=-3$

15 $\dfrac{dx}{dt}=2\times\dfrac{3}{2}t^{\frac{1}{2}}-a=3\sqrt{t}-a$, $\dfrac{dy}{dt}=\dfrac{1}{t}+a$이므로

$\dfrac{dy}{dx}=\dfrac{\dfrac{1}{t}+a}{3\sqrt{t}-a}=\dfrac{1+at}{3t\sqrt{t}-at}$ (단, $3\sqrt{t}\neq a$)

$t=1$일 때, 접선의 기울기는 $\tan45°=1$이므로

$\dfrac{1+a}{3-a}=1$ $\quad\therefore a=1$

16 $(3x-2y)^2+y^2=5$를 전개하여 정리하면

$9x^2-12xy+5y^2-5=0$

양변을 x에 대하여 미분하면

$18x-12y-12x\dfrac{dy}{dx}+10y\dfrac{dy}{dx}=0$

$\therefore \dfrac{dy}{dx}=\dfrac{9x-6y}{6x-5y}$ (단, $6x-5y\neq0$)

따라서 $a=6$, $b=-5$, $c=9$이므로

$a+b+c=10$

17 점 $(1, 1)$이 곡선 $axy+3y^2+\ln y=b$ 위의 점이므로

$a+3=b$ $\quad\cdots\cdots$ ㉠

주어진 식의 양변을 x에 대하여 미분하면

$ay+ax\dfrac{dy}{dx}+6y\dfrac{dy}{dx}+\dfrac{1}{y}\times\dfrac{dy}{dx}=0$

$\therefore \dfrac{dy}{dx}=-\dfrac{ay}{ax+6y+\dfrac{1}{y}}$

$\quad=-\dfrac{ay^2}{axy+6y^2+1}$ (단, $axy+6y^2+1\neq0$)

$x=1$, $y=1$일 때 접선의 기울기가 6이므로

$-\dfrac{a}{a+7}=6$, $-a=6a+42$ $\quad\therefore a=-6$

이것을 ㉠에 대입하면 $b=-3$

$\therefore a+b=-9$

18 주어진 식의 양변을 y에 대하여 미분하면

$\dfrac{dx}{dy}=\dfrac{2\cos y(y-\sin y)-2\sin y(1-\cos y)}{(y-\sin y)^2}$

$\quad=\dfrac{2(y\cos y-\sin y)}{(y-\sin y)^2}$

$\therefore \dfrac{dy}{dx}=\dfrac{(y-\sin y)^2}{2(y\cos y-\sin y)}$

따라서 $y=\pi$에서의 $\dfrac{dy}{dx}$의 값은 $\dfrac{\pi^2}{-2\pi}=-\dfrac{\pi}{2}$

19 $\lim\limits_{x\to1}\dfrac{g(x)-3}{x-1}=\dfrac{1}{4}$에서 $\lim\limits_{x\to1}(x-1)=0$이므로

$\lim\limits_{x\to1}\{g(x)-3\}=0$

따라서 $g(1)=3$이므로 $f(3)=1$

이때 $\lim\limits_{x\to1}\dfrac{g(x)-3}{x-1}=\lim\limits_{x\to1}\dfrac{g(x)-g(1)}{x-1}=g'(1)$이므로

$g'(1)=\dfrac{1}{4}$ $\quad\therefore f'(3)=\dfrac{1}{g'(1)}=4$

$\therefore f(3)+f'(3)=1+4=5$

20 $f'(x)=(\ln x)^2+x\times2\ln x\times\dfrac{1}{x}=(\ln x)^2+2\ln x$

$f''(x)=2\ln x\times\dfrac{1}{x}+\dfrac{2}{x}=\dfrac{2}{x}(\ln x+1)$

$\therefore f''(e)=\dfrac{2}{e}\times2=\dfrac{4}{e}$

21 $f'(x)=e^x\sin2x+2e^x\cos2x$

$\quad=e^x(\sin2x+2\cos2x)$

$f''(x)=e^x(\sin2x+2\cos2x)+e^x(2\cos2x-4\sin2x)$

$\quad=e^x(-3\sin2x+4\cos2x)$ $\quad\cdots\cdots$ ㉠

$af'(x)+bf(x)$

$=ae^x(\sin2x+2\cos2x)+be^x\sin2x$

$=e^x\{(a+b)\sin2x+2a\cos2x\}$ $\quad\cdots\cdots$ ㉡

㉠=㉡에서 $a+b=-3$, $2a=4$

두 식을 연립하여 풀면

$a=2$, $b=-5$ $\quad\therefore a-b=7$

22 $f'(x)=\dfrac{(2x+a)(x-1)-(x^2+ax+b)}{(x-1)^2}$

$\quad=\dfrac{x^2-2x-a-b}{(x-1)^2}$

$f''(x)=\dfrac{(2x-2)(x-1)^2-(x^2-2x-a-b)\times2(x-1)}{(x-1)^4}$

$\quad=\dfrac{2(a+b+1)}{(x-1)^3}$

$f''(2)=6$에서 $2(a+b+1)=6$

따라서 $a+b=2$이므로

$f'(2)=-(a+b)=-2$

23 $f(x)=\dfrac{1+x+x^2+\cdots+x^{2n-1}+x^{2n}}{x^{2n}}$

$\quad=1+x^{-1}+x^{-2}+\cdots+x^{-2n+1}+x^{-2n}$

이므로

$f'(x)=-x^{-2}-2x^{-3}-3x^{-4}$

$\qquad-\cdots-(2n-1)x^{-2n}-2nx^{-2n-1}$

$\therefore f'(-1)$

$=-1+2-3+4-\cdots-(2n-1)+2n$

$=(-1+2)+(-3+4)+\cdots+\{-(2n-1)+2n\}$

$=n$

따라서 $f'(-1)=14$에서 $n=14$

24 $f_n(x)=(f \circ f_{n-1})(x)=f(f_{n-1}(x))$이므로

$f_n{}'(x)=f'(f_{n-1}(x)) \times f_{n-1}{}'(x)$

$\therefore f_6{}'(x)=f'(f_5(x)) \times f_5{}'(x)$

$\qquad =f'(f_5(x)) \times f'(f_4(x)) \times f_4{}'(x)$

$\qquad =f'(f_5(x)) \times f'(f_4(x)) \times f'(f_3(x)) \times f_3{}'(x)$

$\qquad =f'(f_5(x)) \times f'(f_4(x)) \times f'(f_3(x))$
$\qquad\qquad \times f'(f_2(x)) \times f_2{}'(x)$

$\qquad =f'(f_5(x)) \times f'(f_4(x)) \times f'(f_3(x))$
$\qquad\qquad \times f'(f_2(x)) \times f'(f_1(x)) \times f_1{}'(x)$

이때

$f_1(1)=f(1)=-1,$

$f_2(1)=f(f_1(1))=f(-1)=1,$

$f_3(1)=f(f_2(1))=f(1)=-1,$

$f_4(1)=f(f_3(1))=f(-1)=1,$

$\qquad \vdots$

이므로 자연수 k에 대하여

$f_n(1)=\begin{cases} -1 & (n=2k-1) \\ 1 & (n=2k) \end{cases}$

$\therefore f_6{}'(1)=f'(f_5(1)) \times f'(f_4(1)) \times f'(f_3(1))$
$\qquad\qquad \times f'(f_2(1)) \times f'(f_1(1)) \times f_1{}'(1)$

$\qquad =f'(-1) \times f'(1) \times f'(-1) \times f'(1) \times f'(-1)$
$\qquad\qquad \times f'(1)$

$\qquad =q \times p \times q \times p \times q \times p$

$\qquad =p^3 q^3$

25 주어진 식의 양변을 x에 대하여 미분하면

$f'(\sqrt{x}+2x) \times (\sqrt{x}+2x)'=1+\dfrac{2}{x^2}$

$f'(\sqrt{x}+2x) \times \left(\dfrac{1}{2\sqrt{x}}+2\right)=1+\dfrac{2}{x^2}$

$\therefore f'(\sqrt{x}+2x)=\left(1+\dfrac{2}{x^2}\right) \times \dfrac{2\sqrt{x}}{1+4\sqrt{x}}$ ······ ㉠

$\sqrt{x}+2x=3$일 때, $\sqrt{x}=t\ (t>0)$로 놓으면

$2t^2+t-3=0,\ (2t+3)(t-1)=0$

$\therefore t=1\ (\because t>0)$

따라서 $x=1$이므로 ㉠의 양변에 $x=1$을 대입하면

$f'(3)=3 \times \dfrac{2}{5}=\dfrac{6}{5}$

26 (1) $f'(x)=\dfrac{2(x+1)-(2x-3)}{(x+1)^2}=\dfrac{5}{(x+1)^2}$ ······ (가)

$\qquad g'(x)=\dfrac{-(x-1)-(5-x)}{(x-1)^2}=-\dfrac{4}{(x-1)^2}$ ······ (나)

(2) $\displaystyle\lim_{x \to 2} \dfrac{x^2-4}{h(x)-h(2)}=\lim_{x \to 2} \dfrac{(x+2)(x-2)}{h(x)-h(2)}$

$\qquad\qquad =\lim_{x \to 2} \dfrac{x+2}{\dfrac{h(x)-h(2)}{x-2}}$

$\qquad\qquad =\dfrac{4}{h'(2)}$ ······ ㉠ ······ (다)

이때 $h(x)=(f \circ g)(x)=f(g(x))$에서

$h'(x)=f'(g(x))g'(x)$

따라서 ㉠에서 구하는 극한값은

$\dfrac{4}{h'(2)}=\dfrac{4}{f'(g(2))g'(2)}$

$\qquad =\dfrac{4}{f'(3)g'(2)}$

$\qquad =\dfrac{4}{\dfrac{5}{16} \times (-4)}=-\dfrac{16}{5}$ ······ (라)

채점 기준	배점
(가) $f'(x)$를 구한다.	1점
(나) $g'(x)$를 구한다.	1점
(다) 주어진 극한을 미분계수를 이용하여 나타낸다.	2점
(라) 극한값을 구한다.	3점

27 $f(x)=\ln \dfrac{1+\sin x}{1-\sin x}$

$\qquad =\ln (1+\sin x)-\ln (1-\sin x)$

$\therefore f'(x)=\dfrac{\cos x}{1+\sin x}+\dfrac{\cos x}{1-\sin x}$

$\qquad =\dfrac{\cos x(1-\sin x)+\cos x(1+\sin x)}{(1+\sin x)(1-\sin x)}$

$\qquad =\dfrac{2\cos x}{1-\sin^2 x}=\dfrac{2\cos x}{\cos^2 x}$

$\qquad =\dfrac{2}{\cos x}$ ······ (가)

$f'(a)=2\sqrt{2}$에서 $\dfrac{2}{\cos a}=2\sqrt{2}$

$\cos a=\dfrac{\sqrt{2}}{2}$

$\therefore a=\dfrac{\pi}{4}\ \left(\because 0<a<\dfrac{\pi}{2}\right)$ ······ (나)

채점 기준	배점
(가) $f'(x)$를 구한다.	4점
(나) a의 값을 구한다.	2점

28 $g(8)=a$라고 하면 $f(a)=8$에서

$\dfrac{2a^2}{a+3}=8,\ 2a^2=8(a+3)$

$a^2-4a-12=0,\ (a+2)(a-6)=0$

$\therefore a=6\ (\because a>0)$ ······ (가)

따라서 $g(8)=6$이고,

$f'(x)=\dfrac{4x(x+3)-2x^2}{(x+3)^2}=\dfrac{2x^2+12x}{(x+3)^2}$이므로 ······ (나)

$g'(8)=\dfrac{1}{f'(6)}=\dfrac{1}{\dfrac{16}{9}}=\dfrac{9}{16}$ ······ (다)

채점 기준	배점
(가) $g(8)=a$를 만족하는 a의 값을 구한다.	2점
(나) $f'(x)$를 구한다.	2점
(다) $g'(8)$의 값을 구한다.	2점

확인 문제 p.56

1 (1) $f(x)=\sqrt{x^2+7}$이라고 하면

$$f'(x)=\frac{2x}{2\sqrt{x^2+7}}=\frac{x}{\sqrt{x^2+7}}$$

점 $(3,\,4)$에서의 접선의 기울기는 $f'(3)=\dfrac{3}{4}$

따라서 구하는 접선의 방정식은

$$y-4=\frac{3}{4}(x-3) \qquad \therefore\ y=\frac{3}{4}x+\frac{7}{4}$$

(2) $f(x)=\ln(x+1)$이라고 하면 $f'(x)=\dfrac{1}{x+1}$

점 $(0,\,0)$에서의 접선의 기울기는 $f'(0)=1$

따라서 구하는 접선의 방정식은 $y=x$

2 (1) $f(x)=2x^2e^x$에서

$$f'(x)=4xe^x+2x^2e^x=2x(x+2)e^x$$

$f'(x)=0$에서 $x=-2$ 또는 $x=0\ (\because\ e^x>0)$

x	$\cdots$	-2	$\cdots$	0	$\cdots$
$f'(x)$	$+$	0	$-$	0	$+$
$f(x)$	↗		↘		↗

따라서 함수 $f(x)$는 구간 $(-\infty,\,-2]$와 구간 $[0,\,\infty)$에서 증가하고, 구간 $[-2,\,0]$에서 감소한다.

(2) $f(x)=\sin x+\cos x$에서

$$f'(x)=\cos x-\sin x$$

$f'(x)=0$에서 $\sin x=\cos x$

$$\therefore\ x=\frac{\pi}{4}\ (\because\ 0<x<\pi)$$

x	0	$\cdots$	$\dfrac{\pi}{4}$	$\cdots$	π
$f'(x)$		$+$	0	$-$	
$f(x)$		↗		↘	

따라서 함수 $f(x)$는 구간 $\left(0,\,\dfrac{\pi}{4}\right]$에서 증가하고, 구간 $\left[\dfrac{\pi}{4},\,\pi\right)$에서 감소한다.

3 (1) $f(x)=\dfrac{x-2}{x^2+5}$에서

$$f'(x)=\frac{x^2+5-(x-2)\times 2x}{(x^2+5)^2}=-\frac{x^2-4x-5}{(x^2+5)^2}$$
$$=-\frac{(x+1)(x-5)}{(x^2+5)^2}$$

$f'(x)=0$에서 $x=-1$ 또는 $x=5$

x	$\cdots$	-1	$\cdots$	5	$\cdots$
$f'(x)$	$-$	0	$+$	0	$-$
$f(x)$	↘	$-\dfrac{1}{2}$ 극소	↗	$\dfrac{1}{10}$ 극대	↘

따라서 함수 $f(x)$의 극댓값은 $\dfrac{1}{10}$, 극솟값은 $-\dfrac{1}{2}$이다.

(2) $f(x)=xe^x$에서

$$f'(x)=e^x+xe^x=(x+1)e^x$$

$f'(x)=0$에서

$$x=-1\ (\because\ e^x>0)$$

x	$\cdots$	-1	$\cdots$
$f'(x)$	$-$	0	$+$
$f(x)$	↘	$-\dfrac{1}{e}$ 극소	↗

따라서 함수 $f(x)$의 극솟값은 $-\dfrac{1}{e}$이다.

교/과/서/속 **핵심 유형+** **실전 문제** p.57

1 (1) $f(x)=e^x-3x$라고 하면

$$f'(x)=e^x-3$$

접점의 좌표를 $(t,\,e^t-3t)$라고 하면 접선의 기울기가 -1이므로

$$f'(t)=e^t-3=-1$$
$$e^t=2 \qquad \therefore\ t=\ln 2$$

따라서 접점의 좌표는 $(\ln 2,\,2-3\ln 2)$이므로 구하는 접선의 방정식은

$$y-(2-3\ln 2)=-(x-\ln 2)$$
$$\therefore\ y=-x+2-2\ln 2$$

(2) $f(x)=\sin 2x$라고 하면

$$f'(x)=2\cos 2x$$

접점의 좌표를 $(t,\,\sin 2t)$라고 하면 접선의 기울기가 -1이므로

$$f'(t)=2\cos 2t=-1$$
$$\cos 2t=-\frac{1}{2}$$

이때 $0\le t\le\dfrac{\pi}{2}$에서 $0\le 2t\le\pi$이므로

$$2t=\frac{2}{3}\pi \qquad \therefore\ t=\frac{\pi}{3}$$

따라서 접점의 좌표는 $\left(\dfrac{\pi}{3},\,\dfrac{\sqrt{3}}{2}\right)$이므로 구하는 접선의 방정식은

$$y-\frac{\sqrt{3}}{2}=-\left(x-\frac{\pi}{3}\right)$$
$$\therefore\ y=-x+\frac{\pi}{3}+\frac{\sqrt{3}}{2}$$

2 $f(x)=-x+x\ln x$라고 하면

$$f'(x)=-1+\ln x+x\times\frac{1}{x}=\ln x$$

접점의 좌표를 $(t,\,-t+t\ln t)$라고 하면 접선의 기울기가 1이므로

$$f'(t)=\ln t=1 \qquad \therefore\ t=e$$

즉, 접점의 좌표는 $(e, 0)$이므로 접선의 방정식은

$y = x - e$

따라서 $a = 1$, $b = -e$이므로

$ab = -e$

3 (1) $f(x) = \dfrac{\ln x}{x}$라고 하면

$$f'(x) = \frac{\frac{1}{x} \times x - \ln x}{x^2} = \frac{1 - \ln x}{x^2}$$

접점의 좌표를 $\left(t, \dfrac{\ln t}{t}\right)$라고 하면 접선의 기울기는

$f'(t) = \dfrac{1 - \ln t}{t^2}$이므로 접선의 방정식은

$$y - \frac{\ln t}{t} = \frac{1 - \ln t}{t^2}(x - t) \qquad \cdots\cdots \ \unicode{x1D4F}$$

이 직선이 점 $(0, 0)$을 지나므로

$$-\frac{\ln t}{t} = \frac{1 - \ln t}{t^2} \times (-t)$$

$$\frac{1 - 2\ln t}{t} = 0, \ \ln t = \frac{1}{2}$$

$\therefore \ t = \sqrt{e}$

이것을 ㉠에 대입하면

$$y - \frac{1}{2\sqrt{e}} = \frac{1}{2e}(x - \sqrt{e})$$

$\therefore \ y = \dfrac{1}{2e}x$

(2) $f(x) = e^{-2x+3}$이라고 하면

$f'(x) = -2e^{-2x+3}$

접점의 좌표를 (t, e^{-2t+3})이라고 하면 접선의 기울기는

$f'(t) = -2e^{-2t+3}$이므로 접선의 방정식은

$$y - e^{-2t+3} = -2e^{-2t+3}(x - t) \qquad \cdots\cdots \ \unicode{x1D4F}$$

이 직선이 점 $(1, 0)$을 지나므로

$$-e^{-2t+3} = -2e^{-2t+3}(1 - t)$$

$(2t - 1)e^{-2t+3} = 0 \qquad \therefore \ t = \dfrac{1}{2} \ (\because \ e^{-2t+3} > 0)$

이것을 ㉠에 대입하면

$$y - e^2 = -2e^2\left(x - \frac{1}{2}\right)$$

$\therefore \ y = -2e^2 x + 2e^2$

4 $f(x) = \sqrt{x - 2}$라고 하면

$f'(x) = \dfrac{1}{2\sqrt{x-2}}$

접점의 좌표를 $(t, \sqrt{t-2})$라고 하면 접선의 기울기는

$f'(t) = \dfrac{1}{2\sqrt{t-2}}$이므로 접선의 방정식은

$$y - \sqrt{t-2} = \frac{1}{2\sqrt{t-2}}(x - t) \qquad \cdots\cdots \ \unicode{x1D4F}$$

이 직선이 점 $(-2, 0)$을 지나므로

$$-\sqrt{t-2} = \frac{1}{2\sqrt{t-2}}(-2 - t)$$

$2(t - 2) = t + 2 \qquad \therefore \ t = 6$

이것을 ㉠에 대입하면

$$y - 2 = \frac{1}{4}(x - 6) \qquad \therefore \ y = \frac{1}{4}x + \frac{1}{2}$$

이 직선이 점 $(a, 1)$을 지나므로

$$1 = \frac{1}{4}a + \frac{1}{2} \qquad \therefore \ a = 2$$

따라서 a의 값은 ⑤이다.

5 (1) $f(x) = x^3 - 4x^2 - 3x + 1$에서

$f'(x) = 3x^2 - 8x - 3 = (3x + 1)(x - 3)$

$f'(x) = 0$에서 $x = -\dfrac{1}{3}$ 또는 $x = 3$

$f''(x) = 6x - 8$이므로

$f''\left(-\dfrac{1}{3}\right) = -10 < 0$, $f''(3) = 10 > 0$

따라서 함수 $f(x)$는 $x = -\dfrac{1}{3}$에서 극대이고 극댓값은

$f\left(-\dfrac{1}{3}\right) = \dfrac{41}{27}$, $x = 3$에서 극소이고 극솟값은

$f(3) = -17$이다.

(2) $f(x) = e^{-x}\sin x$에서

$f'(x) = -e^{-x}\sin x + e^{-x}\cos x$

$\qquad = -e^{-x}(\sin x - \cos x)$

$f'(x) = 0$에서 $\sin x - \cos x = 0 \ (\because \ e^{-x} > 0)$

$\therefore \ x = \dfrac{\pi}{4} \ (\because \ 0 < x < \pi)$

$f''(x) = e^{-x}(\sin x - \cos x) - e^{-x}(\cos x + \sin x)$

$\qquad = -2e^{-x}\cos x$

이므로 $f''\left(\dfrac{\pi}{4}\right) = -\dfrac{\sqrt{2}}{e^{\frac{\pi}{4}}} < 0$

따라서 함수 $f(x)$는 $x = \dfrac{\pi}{4}$에서 극대이고 극댓값은

$f\left(\dfrac{\pi}{4}\right) = \dfrac{\sqrt{2}}{2e^{\frac{\pi}{4}}}$이다.

6 $f(x) = 2x - 2\cos 2x$에서

$f'(x) = 2 + 4\sin 2x$

$f'(x) = 0$에서 $\sin 2x = -\dfrac{1}{2}$

이때 $0 < x < \pi$에서 $0 < 2x < 2\pi$이므로

$2x = \dfrac{7}{6}\pi$ 또는 $2x = \dfrac{11}{6}\pi$

$\therefore \ x = \dfrac{7}{12}\pi$ 또는 $x = \dfrac{11}{12}\pi$

$f''(x) = 8\cos 2x$이므로

$f''\left(\dfrac{7}{12}\pi\right) = -4\sqrt{3} < 0$, $f''\left(\dfrac{11}{12}\pi\right) = 4\sqrt{3} > 0$

즉, 함수 $f(x)$는 $x = \dfrac{7}{12}\pi$에서 극대이고 극댓값은

$f\left(\dfrac{7}{12}\pi\right) = \dfrac{7}{6}\pi + \sqrt{3}$, $x = \dfrac{11}{12}\pi$에서 극소이고 극솟값은

$f\left(\dfrac{11}{12}\pi\right) = \dfrac{11}{6}\pi - \sqrt{3}$이다.

따라서 모든 극값의 합은

$\left(\dfrac{7}{6}\pi + \sqrt{3}\right) + \left(\dfrac{11}{6}\pi - \sqrt{3}\right) = 3\pi$

확인 문제 p.58

1 (1) $f(x)=-x^3+3$이라고 하면 $f'(x)=-3x^2$이므로

$$f''(x)=-6x$$

$f''(x)=0$에서 $x=0$

따라서 곡선 $y=f(x)$는 구간 $(-\infty,\ 0)$에서 $f''(x)>0$이므로 아래로 볼록하고, 구간 $(0,\ \infty)$에서 $f''(x)<0$이므로 위로 볼록하다.

(2) $f(x)=x^4-12x^2+13$이라고 하면 $f'(x)=4x^3-24x$이므로

$$\begin{aligned}f''(x)&=12x^2-24=12(x^2-2)\\&=12(x+\sqrt{2})(x-\sqrt{2})\end{aligned}$$

$f''(x)=0$에서 $x=-\sqrt{2}$ 또는 $x=\sqrt{2}$

따라서 곡선 $y=f(x)$는 구간 $(-\infty,-\sqrt{2})$와 구간 $(\sqrt{2},\ \infty)$에서 $f''(x)>0$이므로 아래로 볼록하고, 구간 $(-\sqrt{2},\sqrt{2})$에서 $f''(x)<0$이므로 위로 볼록하다.

2 (1) $f(x)=x^3-6x^2+12x-3$에서

$$f'(x)=3x^2-12x+12=3(x-2)^2$$

$f'(x)=0$에서 $x=2$

$$f''(x)=6x-12=6(x-2)$$

$f''(x)=0$에서 $x=2$

x	$\cdots$	2	$\cdots$
$f'(x)$	$+$	0	$+$
$f''(x)$	$-$	0	$+$
$f(x)$	$\nearrow$	5 변곡점	$\nearrow$

또 $\lim\limits_{x\to-\infty}f(x)=-\infty$,

$\lim\limits_{x\to\infty}f(x)=\infty$이므로 함수 $y=f(x)$의 그래프는 오른쪽 그림과 같다.

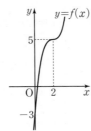

(2) $f(x)=3x^4+6x^3+2$에서

$$f'(x)=12x^3+18x^2=6x^2(2x+3)$$

$f'(x)=0$에서 $x=-\dfrac{3}{2}$ 또는 $x=0$

$$f''(x)=36x^2+36x=36x(x+1)$$

$f''(x)=0$에서 $x=-1$ 또는 $x=0$

x	$\cdots$	$-\dfrac{3}{2}$	$\cdots$	-1	$\cdots$	0	$\cdots$
$f'(x)$	$-$	0	$+$	$+$	$+$	0	$+$
$f''(x)$	$+$	$+$	$+$	0	$-$	0	$+$
$f(x)$	$\searrow$	$-\dfrac{49}{16}$ 극소	$\nearrow$	-1 변곡점	$\nearrow$	2 변곡점	$\nearrow$

또 $\lim\limits_{x\to-\infty}f(x)=\infty$,

$\lim\limits_{x\to\infty}f(x)=\infty$이므로 함수 $y=f(x)$의 그래프는 오른쪽 그림과 같다.

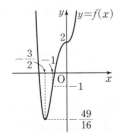

핵심유형 + 실전 문제 p.59
교/과/서/속

1 (1) $f(x)=2x+\cos\dfrac{x}{2}$라고 하면 $f'(x)=2-\dfrac{1}{2}\sin\dfrac{x}{2}$이므로 $f''(x)=-\dfrac{1}{4}\cos\dfrac{x}{2}$

$f''(x)=0$에서 $\cos\dfrac{x}{2}=0$

이때 $0<x<2\pi$에서 $0<\dfrac{x}{2}<\pi$이므로

$\dfrac{x}{2}=\dfrac{\pi}{2}$ $\therefore x=\pi$

따라서 곡선 $y=f(x)$는 구간 $(0,\ \pi)$에서 $f''(x)<0$이므로 위로 볼록하고, 구간 $(\pi,\ 2\pi)$에서 $f''(x)>0$이므로 아래로 볼록하다.

(2) $f(x)=\dfrac{x^2}{x-2}$이라고 하면

$$f'(x)=\dfrac{2x(x-2)-x^2}{(x-2)^2}=\dfrac{x^2-4x}{(x-2)^2}$$이므로

$$\begin{aligned}f''(x)&=\dfrac{(2x-4)(x-2)^2-(x^2-4x)\times2(x-2)}{(x-2)^4}\\&=\dfrac{8}{(x-2)^3}\end{aligned}$$

따라서 곡선 $y=f(x)$는 구간 $(-\infty,\ 2)$에서 $f''(x)<0$이므로 위로 볼록하고, 구간 $(2,\ \infty)$에서 $f''(x)>0$이므로 아래로 볼록하다.

2 $f(x)=\ln x+3x^2+2x$라고 하면 $f'(x)=\dfrac{1}{x}+6x+2$이므로 $f''(x)=-\dfrac{1}{x^2}+6$

$f''(x)=0$에서 $x^2=\dfrac{1}{6}$ $\therefore x=\dfrac{\sqrt{6}}{6}$ ($\because x>0$)

따라서 곡선 $y=f(x)$는 구간 $\left(\dfrac{\sqrt{6}}{6},\ \infty\right)$에서 $f''(x)>0$이므로 아래로 볼록하다.

따라서 구하는 구간은 ⑤이다.

3 (1) $f(x)=-x^3+3x^2+x-2$라고 하면

$$f'(x)=-3x^2+6x+1$$이므로

$$f''(x)=-6x+6$$

$f''(x)=0$에서 $x=1$

이때 $x=1$의 좌우에서 $f''(x)$의 부호가 바뀌므로 곡선 $y=f(x)$의 변곡점의 좌표는 $(1,\ 1)$

(2) $f(x)=\sin 3x$라고 하면 $f'(x)=3\cos 3x$이므로

$\qquad f''(x)=-9\sin 3x$

$\qquad f''(x)=0$에서 $\sin 3x=0$

$\qquad 0<x<\pi$에서 $0<3x<3\pi$이므로

$\qquad 3x=\pi$ 또는 $3x=2\pi$

$\qquad \therefore x=\dfrac{\pi}{3}$ 또는 $x=\dfrac{2}{3}\pi$

이때 $x=\dfrac{\pi}{3}$와 $x=\dfrac{2}{3}\pi$의 좌우에서 각각 $f''(x)$의 부호

가 바뀌므로 곡선 $y=f(x)$의 변곡점의 좌표는

$\left(\dfrac{\pi}{3},\,0\right),\,\left(\dfrac{2}{3}\pi,\,0\right)$

4 $f(x)=\ln(x^2+5)$라고 하면 $f'(x)=\dfrac{2x}{x^2+5}$이므로

$\qquad f''(x)=\dfrac{2(x^2+5)-2x\times 2x}{(x^2+5)^2}=\dfrac{-2x^2+10}{(x^2+5)^2}$

$\qquad\qquad =\dfrac{-2(x+\sqrt5)(x-\sqrt5)}{(x^2+5)^2}$

$\qquad f''(x)=0$에서 $x=-\sqrt5$ 또는 $x=\sqrt5$

이때 $x=-\sqrt5$, $x=\sqrt5$의 좌우에서 각각 $f''(x)$의 부호가

바뀌므로 곡선 $y=f(x)$의 변곡점은 $(-\sqrt5,\,\ln 10)$,

$(\sqrt5,\,\ln 10)$의 2개이다.

따라서 구하는 개수는 ③이다.

5 (1) $f(x)=2xe^x$에서

$\qquad f'(x)=2e^x+2xe^x=2(x+1)e^x$

$\qquad f'(x)=0$에서 $x=-1$ $(\because e^x>0)$

$\qquad f''(x)=2e^x+2(x+1)e^x=2(x+2)e^x$

$\qquad f''(x)=0$에서 $x=-2$ $(\because e^x>0)$

x	$\cdots$	-2	$\cdots$	-1	$\cdots$
$f'(x)$	$-$	$-$	$-$	0	$+$
$f''(x)$	$-$	0	$+$	$+$	$+$
$f(x)$	$\searrow$	$-\dfrac{4}{e^2}$ 변곡점	$\searrow$	$-\dfrac{2}{e}$ 극소	$\nearrow$

또 $\displaystyle\lim_{x\to-\infty}f(x)=0$,

$\displaystyle\lim_{x\to\infty}f(x)=\infty$이므로 함수

$y=f(x)$의 그래프는 오른쪽

그림과 같다.

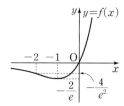

(2) $f(x)=x-2\sin x$에서

$\qquad f'(x)=1-2\cos x$

$\qquad f'(x)=0$에서 $\cos x=\dfrac{1}{2}$

$\qquad \therefore x=-\dfrac{\pi}{3}$ 또는 $x=\dfrac{\pi}{3}\left(\because -\dfrac{\pi}{2}\le x\le\dfrac{\pi}{2}\right)$

$\qquad f''(x)=2\sin x$

$\qquad f''(x)=0$에서 $\sin x=0$

$\qquad \therefore x=0\left(\because -\dfrac{\pi}{2}\le x\le\dfrac{\pi}{2}\right)$

이때 $f(-x)=-f(x)$, 즉 이 그래프는 원점에 대하여

대칭이므로 $x\ge 0$인 경우만 표로 나타내면 다음과 같다.

x	0	$\cdots$	$\dfrac{\pi}{3}$	$\cdots$	$\dfrac{\pi}{2}$
$f'(x)$	$-$	$-$	0	$+$	
$f''(x)$	0	$+$	$+$	$+$	
$f(x)$	0 변곡점	$\searrow$	$\dfrac{\pi}{3}-\sqrt3$ 극소	$\nearrow$	$\dfrac{\pi}{2}-2$

따라서 함수 $y=f(x)$의

그래프는 오른쪽 그림과

같다.

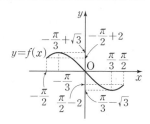

6 $f(x)=\dfrac{3x}{x^2+1}$에서

$\qquad f'(x)=\dfrac{3(x^2+1)-3x\times 2x}{(x^2+1)^2}=\dfrac{-3x^2+3}{(x^2+1)^2}$

$\qquad\qquad =\dfrac{-3(x+1)(x-1)}{(x^2+1)^2}$

$\qquad f'(x)=0$에서 $x=-1$ 또는 $x=1$

$\qquad f''(x)=\dfrac{-6x(x^2+1)^2-(-3x^2+3)\times 2(x^2+1)\times 2x}{(x^2+1)^4}$

$\qquad\qquad =\dfrac{6x^3-18x}{(x^2+1)^3}=\dfrac{6x(x+\sqrt3)(x-\sqrt3)}{(x^2+1)^3}$

$\qquad f''(x)=0$에서 $x=-\sqrt3$ 또는 $x=0$ 또는 $x=\sqrt3$

이때 $f(-x)=-f(x)$, 즉 이 그래프는 원점에 대하여 대

칭이므로 $x\ge 0$인 경우만 표로 나타내면 다음과 같다.

x	0	$\cdots$	1	$\cdots$	$\sqrt3$	$\cdots$
$f'(x)$	$+$	$+$	0	$-$	$-$	$-$
$f''(x)$	0	$-$	$-$	$-$	0	$+$
$f(x)$	0 변곡점	$\nearrow$	$\dfrac{3}{2}$ 극대	$\searrow$	$\dfrac{3\sqrt3}{4}$ 변곡점	$\searrow$

또 $\displaystyle\lim_{x\to-\infty}f(x)=0$, $\displaystyle\lim_{x\to\infty}f(x)=0$이므로 함수 $y=f(x)$의

그래프는 다음 그림과 같다.

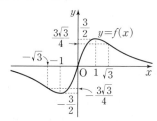

ㄱ. 원점 $(0,\,0)$을 지난다.

ㄴ. 구간 $(-\infty,\,-\sqrt3)$과 구간 $(0,\,\sqrt3)$에서 $f''(x)<0$이

므로 위로 볼록하고, 구간 $(-\sqrt3,\,0)$과 구간 $(\sqrt3,\,\infty)$

에서 $f''(x)>0$이므로 아래로 볼록하다.

ㄷ. 변곡점은 $\left(-\sqrt3,\,-\dfrac{3\sqrt3}{4}\right)$, $(0,\,0)$, $\left(\sqrt3,\,\dfrac{3\sqrt3}{4}\right)$의 3개

이다.

따라서 보기 중 옳은 것은 ㄱ, ㄷ이다.

확인 문제 p. 60

1 (1) 주어진 방정식을 $e^x-4x=0$으로 놓으면 이 방정식의 실근의 개수는 함수 $y=e^x-4x$의 그래프와 x축의 교점의 개수와 같다.

$f(x)=e^x-4x$라고 하면

$f'(x)=e^x-4$

$f'(x)=0$에서

$e^x=4$ ∴ $x=\ln 4$

x	$\cdots$	$\ln 4$	$\cdots$
$f'(x)$	$-$	0	$+$
$f(x)$	$\searrow$	$4-4\ln 4$	$\nearrow$

따라서 함수 $y=f(x)$의 그래프는 오른쪽 그림과 같이 x축과 두 점에서 만나므로 주어진 방정식의 서로 다른 실근의 개수는 2이다.

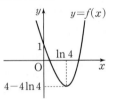

(2) 주어진 방정식을 $\ln x-x+1=0$으로 놓으면 이 방정식의 실근의 개수는 함수 $y=\ln x-x+1$의 그래프와 x축의 교점의 개수와 같다.

$f(x)=\ln x-x+1$이라고 하면

$f'(x)=\dfrac{1}{x}-1$

$f'(x)=0$에서

$\dfrac{1}{x}=1$ ∴ $x=1$

x	0	$\cdots$	1	$\cdots$
$f'(x)$		$+$	0	$-$
$f(x)$		$\nearrow$	0	$\searrow$

따라서 함수 $y=f(x)$의 그래프는 오른쪽 그림과 같이 x축과 한 점에서 만나므로 주어진 방정식의 서로 다른 실근의 개수는 1이다.

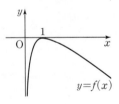

2 시각 t에서의 점 P의 속도를 v라고 하면

$v=\dfrac{dx}{dt}=\sin t+t\cos t$

따라서 $t=\pi$에서 점 P의 속도는 $-\pi$

시각 t에서의 점 P의 가속도를 a라고 하면

$a=\dfrac{dv}{dt}=\cos t+\cos t-t\sin t=2\cos t-t\sin t$

따라서 $t=\pi$에서 점 P의 가속도는 -2

3 $\dfrac{dx}{dt}=-6t+2$, $\dfrac{dy}{dt}=3t^2+6$이므로 시각 t에서의 점 P의 속도는 $(-6t+2,\ 3t^2+6)$

따라서 $t=2$에서 점 P의 속도는 $(-10,\ 18)$

$\dfrac{d^2x}{dt^2}=-6$, $\dfrac{d^2y}{dt^2}=6t$이므로 시각 t에서의 점 P의 가속도는 $(-6,\ 6t)$

따라서 $t=2$에서 점 P의 가속도는 $(-6,\ 12)$

교/과/서/속 핵심유형+ 실전 문제 p. 61

1 주어진 방정식의 실근의 개수는 함수 $y=e^x+e^{-x}$의 그래프와 직선 $y=a$의 교점의 개수와 같다.

$f(x)=e^x+e^{-x}$이라고 하면

$f'(x)=e^x-e^{-x}$

$f'(x)=0$에서 $e^x=e^{-x}$ ∴ $x=0$

x	$\cdots$	0	$\cdots$
$f'(x)$	$-$	0	$+$
$f(x)$	$\searrow$	2	$\nearrow$

따라서 함수 $y=f(x)$의 그래프는 오른쪽 그림과 같다.

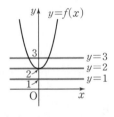

(1) $a=1$일 때, 함수 $y=f(x)$의 그래프와 직선 $y=1$은 만나지 않으므로 주어진 방정식의 서로 다른 실근의 개수는 0이다.

(2) $a=2$일 때, 함수 $y=f(x)$의 그래프와 직선 $y=2$는 한 점에서 만나므로 주어진 방정식의 서로 다른 실근의 개수는 1이다.

(3) $a=3$일 때, 함수 $y=f(x)$의 그래프와 직선 $y=3$은 두 점에서 만나므로 주어진 방정식의 서로 다른 실근의 개수는 2이다.

2 주어진 방정식을 $\ln x-2x=a$로 놓으면 이 방정식의 실근의 개수는 함수 $y=\ln x-2x$의 그래프와 직선 $y=a$의 교점의 개수와 같다.

$f(x)=\ln x-2x$라고 하면

$f'(x)=\dfrac{1}{x}-2$

$f'(x)=0$에서 $x=\dfrac{1}{2}$

x	0	$\cdots$	$\dfrac{1}{2}$	$\cdots$
$f'(x)$		$+$	0	$-$
$f(x)$		$\nearrow$	$-\ln 2-1$	$\searrow$

따라서 함수 $y=f(x)$의 그래프는 오른쪽 그림과 같으므로 서로 다른 두 실근을 갖도록 하는 상수 a의 값의 범위는

$a<-\ln 2-1$

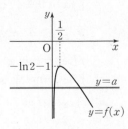

3 $f(x)=e^x-x-1$이라고 하면

$f'(x)=e^x-1$

$f'(x)=0$에서 $e^x=1$ $\therefore x=0$

x	$\cdots$	0	$\cdots$
$f'(x)$	$-$	0	$+$
$f(x)$	$\searrow$	0	$\nearrow$

함수 $f(x)$의 최솟값은 0이므로

$f(x)=e^x-x-1\geq0$

따라서 모든 실수 x에 대하여 부등식 $e^x-x-1\geq0$, 즉

$e^x\geq x+1$이 성립한다.

4 $f(x)=\sqrt{x}-\ln x$라고 하면

$f'(x)=\dfrac{1}{2\sqrt{x}}-\dfrac{1}{x}=\dfrac{\sqrt{x}-2}{2x}$

$f'(x)=0$에서 $\sqrt{x}=2$ $\therefore x=4$

x	0	$\cdots$	4	$\cdots$
$f'(x)$		$-$	0	$+$
$f(x)$		$\searrow$	$2-2\ln 2$	$\nearrow$

$x>0$일 때, 함수 $f(x)$의 최솟값은 $2-2\ln 2$이므로

$f(x)>a$가 성립하려면

$a<2-2\ln 2$

5 (1) $\dfrac{dx}{dt}=2e^{2t}$, $\dfrac{dy}{dt}=e^{2t}$이므로 시각 t에서의 점 P의 속도는

$(2e^{2t},\ e^{2t})$

따라서 $t=1$에서 점 P의 속도는 $(2e^2,\ e^2)$

이때 점 P의 속력은

$\sqrt{(2e^2)^2+(e^2)^2}=\sqrt{5}e^2$

(2) $\dfrac{d^2x}{dt^2}=4e^{2t}$, $\dfrac{d^2y}{dt^2}=2e^{2t}$이므로 시각 t에서의 점 P의 가속도는 $(4e^{2t},\ 2e^{2t})$

따라서 $t=1$에서 점 P의 가속도는 $(4e^2,\ 2e^2)$

이때 점 P의 가속도의 크기는

$\sqrt{(4e^2)^2+(2e^2)^2}=2\sqrt{5}e^2$

6 $\dfrac{dx}{dt}=\dfrac{1}{t+1}$, $\dfrac{dy}{dt}=2t$이므로 시각 t에서의 점 P의 속도는

$\left(\dfrac{1}{t+1},\ 2t\right)$

$\dfrac{d^2x}{dt^2}=-\dfrac{1}{(t+1)^2}$, $\dfrac{d^2y}{dt^2}=2$이므로 시각 t에서의 점 P의

가속도는 $\left(-\dfrac{1}{(t+1)^2},\ 2\right)$

가속도가 $\left(-\dfrac{1}{4},\ 2\right)$이므로 $-\dfrac{1}{(t+1)^2}=-\dfrac{1}{4}$에서

$(t+1)^2=4$, $t^2+2t-3=0$

$(t+3)(t-1)=0$ $\therefore t=1\ (\because t>0)$

따라서 $t=1$에서 점 P의 속도는 $\left(\dfrac{1}{2},\ 2\right)$

11~13강 족집게 **기출문제** p. 62~65

1 ③	2 $y=\dfrac{1}{2}x+3$	3 ①	4 ③
5 ③	6 $y=-\dfrac{3}{4}x+3$	7 3	8 $\dfrac{1}{9}$
9 $-\dfrac{\pi}{2}$	10 ⑤	11 ⑤	12 1	13 $2\sqrt{2}$
14 $a<2$	15 ④	16 $3\sqrt{3}$	17 ⑤
18 $0<a<\dfrac{1}{e}$		19 $a<-1$	20 $2e$	21 ②
22 $(8,\ 20)$	23 ③	24 -6	25 ㄴ, ㄷ
26 $\sqrt{10}$ m	27 $\sqrt{2}$		
28 (1) $f''(x)=\dfrac{2ax(x^2-3)}{(x^2+1)^3}$ (2) 4		29 $(4,\ 6)$	

1 $f(x)=\dfrac{2x-5}{x-2}$라고 하면

$f'(x)=\dfrac{2(x-2)-(2x-5)}{(x-2)^2}$

$\quad=\dfrac{1}{(x-2)^2}$

점 $(3,\ 1)$에서의 접선의 기울기는 $f'(3)=1$이므로 접선의 방정식은

$y-1=x-3$ $\therefore y=x-2$

따라서 접선의 y절편은 -2이다.

2 $f(x)=3-2\sin x$라고 하면

$f'(x)=-2\cos x$

$f(0)=3$이므로 곡선 $y=f(x)$와 y축의 교점의 좌표는

$(0,\ 3)$

점 $(0,\ 3)$에서의 접선의 기울기는 $f'(0)=-2$이므로 이 접선에 수직인 직선의 기울기는 $\dfrac{1}{2}$이다.

따라서 기울기가 $\dfrac{1}{2}$이고 점 $(0,\ 3)$을 지나는 직선의 방정식은

$y=\dfrac{1}{2}x+3$

3 직선 $x+y-1=0$, 즉 $y=-x+1$에 평행한 접선의 기울기는 -1이다.

$f(x)=x-e^x$이라고 하면

$f'(x)=1-e^x$

접점의 좌표를 $(t,\ t-e^t)$이라고 하면 접선의 기울기가 -1이므로

$f'(t)=1-e^t=-1$

$e^t=2$ $\therefore t=\ln 2$

즉, 접점의 좌표는 $(\ln 2,\ \ln 2-2)$이므로 접선의 방정식은

$y-(\ln 2-2)=-(x-\ln 2)$

$\therefore y=-x+2\ln 2-2$

따라서 접선의 x절편은 $2\ln 2-2$이다.

4 $f(x)=e^{\sqrt{x}}$이라고 하면 $f'(x)=\dfrac{e^{\sqrt{x}}}{2\sqrt{x}}$

접점의 좌표를 $(t,\ e^{\sqrt{t}})$이라고 하면 접선의 기울기는

$f'(t)=\dfrac{e^{\sqrt{t}}}{2\sqrt{t}}$이므로 접선의 방정식은

$y-e^{\sqrt{t}}=\dfrac{e^{\sqrt{t}}}{2\sqrt{t}}(x-t)$ ······ ㉠

이 직선이 원점을 지나므로

$-e^{\sqrt{t}}=-\dfrac{\sqrt{t}e^{\sqrt{t}}}{2},\ \left(\dfrac{\sqrt{t}}{2}-1\right)e^{\sqrt{t}}=0$

$\sqrt{t}=2\ (\because\ e^{\sqrt{t}}>0)$ $\therefore\ t=4$

이것을 ㉠에 대입하면

$y-e^2=\dfrac{e^2}{4}(x-4)$ $\therefore\ y=\dfrac{e^2}{4}x$

이 직선이 점 $(8,\ a)$를 지나므로 $a=2e^2$

5 $f(x)=\ln(2x+1),\ g(x)=-3\ln x+k$라고 하면

$f'(x)=\dfrac{2}{2x+1},\ g'(x)=-\dfrac{3}{x}$

두 곡선의 교점의 x좌표를 t라고 하면 교점에서의 접선이 서로 수직이므로 $f'(t)g'(t)=-1$

$\dfrac{2}{2t+1}\times\left(-\dfrac{3}{t}\right)=-1,\ 2t^2+t-6=0$

$(t+2)(2t-3)=0$ $\therefore\ t=\dfrac{3}{2}\ (\because\ t>0)$

따라서 $f\left(\dfrac{3}{2}\right)=g\left(\dfrac{3}{2}\right)$이므로

$\ln 4=-3\ln\dfrac{3}{2}+k$ $\therefore\ k=\ln\dfrac{27}{2}$

6 점 $(0,\ 3)$이 곡선 위에 있으므로 $1+2t-3t^2=0$에서

$(3t+1)(t-1)=0$

$\therefore\ t=-\dfrac{1}{3}$ 또는 $t=1$ ······ ㉠

$2-t+2t^2=3$에서 $(2t+1)(t-1)=0$

$\therefore\ t=-\dfrac{1}{2}$ 또는 $t=1$ ······ ㉡

㉠, ㉡에서 $t=1$

$\dfrac{dx}{dt}=2-6t,\ \dfrac{dy}{dt}=-1+4t$이므로

$\dfrac{dy}{dx}=\dfrac{-1+4t}{2-6t}$ $\left(\text{단},\ t\neq\dfrac{1}{3}\right)$

따라서 $t=1$일 때, 접선의 기울기는 $-\dfrac{3}{4}$이므로 구하는 접선의 방정식은 $y=-\dfrac{3}{4}x+3$

7 $x^2y+\ln y-1=0$의 양변을 x에 대하여 미분하면

$2xy+x^2\dfrac{dy}{dx}+\dfrac{1}{y}\times\dfrac{dy}{dx}=0$ $\therefore\ \dfrac{dy}{dx}=-\dfrac{2xy^2}{x^2y+1}$

점 $(1,\ 1)$에서의 접선의 기울기는 -1이므로 접선의 방정식은

$y-1=-(x-1)$ $\therefore\ y=-x+2$

이 직선이 점 $(-1,\ k)$를 지나므로 $k=3$

8 함수 $f(x)$가 실수 전체의 집합에서 증가하려면 모든 실수 x에서 $f'(x)\geq0$이어야 하므로

$f'(x)=3-\dfrac{2x}{x^2+a}=\dfrac{3x^2-2x+3a}{x^2+a}$에서

$3x^2-2x+3a\geq0\ (\because\ x^2+a>0)$

이차방정식 $3x^2-2x+3a=0$의 판별식을 D라고 하면

$\dfrac{D}{4}=1-9a\leq0$ $\therefore\ a\geq\dfrac{1}{9}$

따라서 양수 a의 최솟값은 $\dfrac{1}{9}$이다.

9 $f'(x)=-e^{-x}(\sin x-\cos x)+e^{-x}(\cos x+\sin x)$
$\qquad\quad=2e^{-x}\cos x$

$f'(x)=0$에서

$\cos x=0\ (\because\ e^{-x}>0)$

$\therefore\ x=\dfrac{\pi}{2}\ (\because\ 0\leq x\leq\pi)$

$f''(x)=-2e^{-x}\cos x-2e^{-x}\sin x$
$\qquad\quad=-2e^{-x}(\cos x+\sin x)$

이므로 $f''\left(\dfrac{\pi}{2}\right)=-2e^{-\frac{\pi}{2}}<0$

따라서 함수 $f(x)$는 $x=\dfrac{\pi}{2}$에서 극대이고 극댓값이 0이므로

$f\left(\dfrac{\pi}{2}\right)=e^{-\frac{\pi}{2}}-a=0,\ a=e^{-\frac{\pi}{2}}$ $\therefore\ \ln a=-\dfrac{\pi}{2}$

10 $f'(x)=\dfrac{3}{x}-\dfrac{2}{x^2}+a$

함수 $f(x)$가 $x=1$에서 극값을 가지므로 $f'(1)=0$

$3-2+a=0$ $\therefore\ a=-1$

$\therefore\ f'(x)=\dfrac{3}{x}-\dfrac{2}{x^2}-1=-\dfrac{x^2-3x+2}{x^2}$
$\qquad\qquad\quad=-\dfrac{(x-1)(x-2)}{x^2}$

$f'(x)=0$에서 $x=1$ 또는 $x=2$

$f''(x)=-\dfrac{3}{x^2}+\dfrac{4}{x^3}$이므로

$f''(1)=1>0,\ f''(2)=-\dfrac{1}{4}<0$

따라서 함수 $f(x)=3\ln x+\dfrac{2}{x}-x$는 $x=2$에서 극대이고 극댓값은 $f(2)=3\ln 2-1$

11 $f'(x)=(4x-3a)e^{2x}+(2x^2-3ax+5)\times2e^{2x}$
$\qquad\quad=\{4x^2+2(2-3a)x-3a+10\}e^{2x}$

함수 $f(x)$가 극값을 갖지 않으려면 이차방정식

$4x^2+2(2-3a)x-3a+10=0$이 중근 또는 허근을 가져야 하므로 이 이차방정식의 판별식을 D라고 하면

$\dfrac{D}{4}=(2-3a)^2-4(-3a+10)\leq0$

$a^2-4\leq0,\ (a+2)(a-2)\leq0$

$\therefore\ -2\leq a\leq2$

따라서 정수 a는 $-2,\ -1,\ 0,\ 1,\ 2$의 5개이다.

12 $f(x)=x^2-\dfrac{1}{x}$이라고 하면 $f'(x)=2x+\dfrac{1}{x^2}$이므로

$$f''(x)=2-\dfrac{2}{x^3}=\dfrac{2x^3-2}{x^3}$$
$$=\dfrac{2(x-1)(x^2+x+1)}{x^3}$$

$f''(x)=0$에서 $x=1$ $(\because x^2+x+1>0)$

구간 $(1,\ \infty)$에서 $f''(x)>0$이므로 곡선 $y=f(x)$는 이 구간에서 아래로 볼록하다.

따라서 a의 최솟값은 1이다.

13 $f(x)=\dfrac{1}{x^2+6}$이라고 하면 $f'(x)=-\dfrac{2x}{(x^2+6)^2}$이므로

$$f''(x)=-\dfrac{2(x^2+6)^2-2x\times 2(x^2+6)\times 2x}{(x^2+6)^4}$$
$$=\dfrac{6x^2-12}{(x^2+6)^3}$$
$$=\dfrac{6(x+\sqrt{2})(x-\sqrt{2})}{(x^2+6)^3}$$

$f''(x)=0$에서

$x=-\sqrt{2}$ 또는 $x=\sqrt{2}$

이때 $x=-\sqrt{2}$와 $x=\sqrt{2}$의 좌우에서 각각 $f''(x)$의 부호가 바뀌므로 곡선 $y=f(x)$의 변곡점의 좌표는 $\left(-\sqrt{2},\ \dfrac{1}{8}\right)$, $\left(\sqrt{2},\ \dfrac{1}{8}\right)$이다.

따라서 두 변곡점 사이의 거리는 $2\sqrt{2}$이다.

14 $f(x)=(x^2+a)e^x$이라고 하면

$f'(x)=2xe^x+(x^2+a)e^x=(x^2+2x+a)e^x$이므로

$$f''(x)=(2x+2)e^x+(x^2+2x+a)e^x$$
$$=(x^2+4x+2+a)e^x$$

곡선 $y=f(x)$의 변곡점이 2개이려면 이차방정식

$x^2+4x+2+a=0$이 서로 다른 두 실근을 가져야 하므로 이 이차방정식의 판별식을 D라고 하면

$\dfrac{D}{4}=4-(2+a)>0$ $\quad\therefore a<2$

15 $f'(x)=2x+\dfrac{1}{x}$이므로

$$f''(x)=2-\dfrac{1}{x^2}$$

① $f'(x)=0$인 x의 값이 존재하지 않으므로 함수 $f(x)$는 극값을 갖지 않는다.

② $f''(x)=0$에서 $x^2=\dfrac{1}{2}$

$\quad\therefore x=\dfrac{\sqrt{2}}{2}$ $(\because x>0)$

이때 $x=\dfrac{\sqrt{2}}{2}$의 좌우에서 $f''(x)$의 부호가 바뀌므로 변곡점은 $x=\dfrac{\sqrt{2}}{2}$일 때의 1개이다.

③ $\lim\limits_{x\to 0+}f(x)=-\infty$, $\lim\limits_{x\to\infty}f(x)=\infty$이므로 함수 $y=f(x)$의 그래프의 점근선은 y축이다.

④ 구간 $\left(0,\ \dfrac{\sqrt{2}}{2}\right)$에서 $f''(x)<0$이므로 위로 볼록하다.

⑤ 구간 $(0,\ \infty)$에서 $f'(x)>0$이므로 구간 $[2,\ 4]$에서 증가한다.

따라서 옳은 것은 ④이다.

16 $f'(x)=\sqrt{ax-x^2}+\dfrac{x(a-2x)}{2\sqrt{ax-x^2}}=\dfrac{x(3a-4x)}{2\sqrt{ax-x^2}}$

이때 $ax-x^2>0$, 즉 $0<x<a$ $(\because a>0)$이고

$f'(x)=0$에서 $x=\dfrac{3}{4}a$

x	0	$\cdots$	$\dfrac{3}{4}a$	$\cdots$	a
$f'(x)$		$+$	0	$-$	
$f(x)$		$\nearrow$	$\dfrac{3\sqrt{3}}{16}a^2$ 극대	$\searrow$	

함수 $f(x)$는 $x=\dfrac{3}{4}a$일 때, 극대이면서 최대이므로

$\dfrac{3}{4}a=\dfrac{3}{2}$ $\quad\therefore a=2$

따라서 함수 $f(x)$의 최댓값은

$b=f\left(\dfrac{3}{2}\right)=\dfrac{3\sqrt{3}}{16}\times 2^2=\dfrac{3\sqrt{3}}{4}$

$\therefore 2ab=2\times 2\times\dfrac{3\sqrt{3}}{4}=3\sqrt{3}$

17 주어진 방정식을 $e^{-x}+x=a$로 놓으면 이 방정식의 실근의 개수는 함수 $y=e^{-x}+x$의 그래프와 직선 $y=a$의 교점의 개수와 같다.

$f(x)=e^{-x}+x$라고 하면

$f'(x)=-e^{-x}+1$

$f'(x)=0$에서

$e^{-x}=1$ $\quad\therefore x=0$

x	$\cdots$	0	$\cdots$
$f'(x)$	$-$	0	$+$
$f(x)$	$\searrow$	1	$\nearrow$

따라서 함수 $y=f(x)$의 그래프는 오른쪽 그림과 같으므로 하나의 실근만을 갖도록 하는 상수 a의 값은 $a=1$

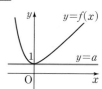

18 주어진 방정식을 $\dfrac{\ln x}{x}=a$로 놓으면 이 방정식의 실근의 개수는 함수 $y=\dfrac{\ln x}{x}$의 그래프와 직선 $y=a$의 교점의 개수와 같다.

$f(x)=\dfrac{\ln x}{x}$라고 하면

$f'(x)=\dfrac{\dfrac{1}{x}\times x-\ln x}{x^2}=\dfrac{1-\ln x}{x^2}$

$f'(x)=0$에서

$\ln x=1$　　$\therefore x=e$

x	0	$\cdots$	e	$\cdots$
$f'(x)$		$+$	0	$-$
$f(x)$		↗	$\dfrac{1}{e}$	↘

이때 $\displaystyle\lim_{x\to 0+}f(x)=-\infty$,

$\displaystyle\lim_{x\to\infty}f(x)=0$이므로 함수

$y=f(x)$의 그래프는 오른쪽 그림과 같다.

따라서 서로 다른 두 실근을 갖도록 하는 상수 a의 값의 범위는

$0<a<\dfrac{1}{e}$

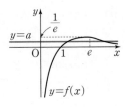

19 주어진 부등식을 $2x^2-\cos x>a$로 놓고,

$f(x)=2x^2-\cos x$라고 하면

$f'(x)=4x+\sin x$

이때 $x>0$에서 $f'(x)>0$이므로 함수 $f(x)$는 $x\geq 0$에서 증가한다.

$f(0)=-1$이고 함수 $y=f(x)$의 그래프는 오른쪽 그림과 같으므로 $f(x)>a$를 만족하는 상수 a의 값의 범위는

$a<-1$

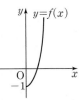

20 모든 실수 x에 대하여 $e^{2x}\geq ax$가 성립하려면 오른쪽 그림과 같이 함수 $y=e^{2x}$의 그래프가 직선 $y=ax$보다 위쪽에 있거나 접해야 한다.

$f(x)=e^{2x}$, $g(x)=ax$라고 하면

$f'(x)=2e^{2x}$, $g'(x)=a$

접점의 x좌표를 t라고 하면

$f(t)=g(t)$이므로　$e^{2t}=at$　$\cdots\cdots$ ㉠

$f'(t)=g'(t)$이므로　$2e^{2t}=a$

위의 식을 ㉠에 대입하면

$e^{2t}=2te^{2t}$, $(2t-1)e^{2t}=0$

$\therefore t=\dfrac{1}{2}$ $(\because e^{2t}>0)$

$\therefore a=2e$

주어진 부등식을 만족하는 a의 값의 범위는 $0\leq a\leq 2e$이므로 a의 최댓값은 $2e$, 최솟값은 0이다.

따라서 최댓값과 최솟값의 합은 $2e$이다.

21 시각 t에서의 점 P의 속도를 v라고 하면

$v=\dfrac{dx}{dt}=1+2\sin 2t$

운동 방향이 바뀌는 순간의 속도는 0이므로

$1+2\sin 2t=0$, $\sin 2t=-\dfrac{1}{2}$

이때 $t>0$이므로

$2t=\dfrac{7}{6}\pi$ 또는 $2t=\dfrac{11}{6}\pi$ 또는 $\cdots$

$\therefore t=\dfrac{7}{12}\pi$ 또는 $t=\dfrac{11}{12}\pi$ 또는 $\cdots$

따라서 두 번째로 운동 방향을 바꾸는 시각은 $\dfrac{11}{12}\pi$이다.

22 $\dfrac{dx}{dt}=2t$, $\dfrac{dy}{dt}=\dfrac{5}{2}t\sqrt{t}$이므로 시각 t에서 점 P가 나타내는 곡선의 접선의 기울기는

$\dfrac{dy}{dx}=\dfrac{\dfrac{5}{2}t\sqrt{t}}{2t}=\dfrac{5}{4}\sqrt{t}$ (단, $t\neq 0$)

접선의 기울기가 $\dfrac{5}{2}$이므로

$\dfrac{5}{4}\sqrt{t}=\dfrac{5}{2}$, $\sqrt{t}=2$　　$\therefore t=4$

시각 t에서의 점 P의 속도는 $\left(2t,\ \dfrac{5}{2}t\sqrt{t}\right)$이므로 $t=4$에서 점 P의 속도는

$(8,\ 20)$

23 $\dfrac{dx}{dt}=-3\sin t$, $\dfrac{dy}{dt}=2\cos t$이므로

$\dfrac{d^2x}{dt^2}=-3\cos t$, $\dfrac{d^2y}{dt^2}=-2\sin t$

따라서 시각 t에서의 점 P의 가속도의 크기는

$\sqrt{(-3\cos t)^2+(-2\sin t)^2}=\sqrt{9\cos^2 t+4\sin^2 t}$
$=\sqrt{9\cos^2 t+4(1-\cos^2 t)}$
$=\sqrt{5\cos^2 t+4}$

이때 $0\leq\cos^2 t\leq 1$이므로 $\cos^2 t=1$일 때 최댓값은 $M=3$, $\cos^2 t=0$일 때 최솟값은 $m=2$이다.

$\therefore M+m=5$

24 $f(x)=\dfrac{2x-a}{e^{2x}}=(2x-a)e^{-2x}$이라고 하면

$f'(x)=2e^{-2x}-2(2x-a)e^{-2x}$
$=-2(2x-a-1)e^{-2x}$

접점의 좌표를 $(t,\ (2t-a)e^{-2t})$이라고 하면 접선의 기울기가 $f'(t)=-2(2t-a-1)e^{-2t}$이므로 접선의 방정식은

$y-(2t-a)e^{-2t}=-2(2t-a-1)e^{-2t}(x-t)$

이 직선이 원점을 지나면

$-(2t-a)e^{-2t}=2t(2t-a-1)e^{-2t}$

$(4t^2-2at-a)e^{-2t}=0$

이때 원점에서 주어진 곡선에 접선을 그을 수 없으려면 위의 식을 만족하는 실수 t가 존재하지 않아야 한다.

이차방정식 $4t^2-2at-a=0$의 판별식을 D라고 하면

$\dfrac{D}{4}=a^2+4a<0$

$a(a+4)<0$　　$\therefore -4<a<0$

따라서 정수 a는 -3, -2, -1이므로 구하는 합은

$-3+(-2)+(-1)=-6$

25 ㄱ. 구간 (b, d)와 구간 $(0, e)$에서 $g''(x) > 0$이므로 아래로 볼록하다.

ㄴ. $g''(x) = 0$에서
$x = b$ 또는 $x = d$ 또는 $x = 0$ 또는 $x = e$
이때 $x = b$, $x = d$, $x = 0$, $x = e$의 좌우에서 각각 $g''(x)$의 부호가 바뀌므로 변곡점은 4개이다.

ㄷ. $g'(x) = 0$에서 $x = c$ 또는 $x = 0$

x	a	$\cdots$	c	$\cdots$	0	$\cdots$	f
$g'(x)$		$-$	0	$+$	0	$+$	
$g(x)$		$\searrow$	극소	$\nearrow$		$\nearrow$	

함수 $g(x)$는 $x = c$일 때 극소이면서 최소이므로 최솟값은 $g(c)$이다.

따라서 보기 중 옳은 것은 ㄴ, ㄷ이다.

26 $0 < \theta < \dfrac{\pi}{2}$이므로 $\tan\theta$의 값이
최대일 때 θ의 값도 최대가 된다.
오른쪽 그림과 같이 안내판의 아래쪽을 바라본 각의 크기를 α,
사람과 안내판 사이의 거리를 x m라고 하면

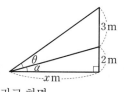

$\tan\alpha = \dfrac{2}{x}$, $\tan(\theta + \alpha) = \dfrac{5}{x}$

$\therefore \tan\theta = \tan(\theta + \alpha - \alpha) = \dfrac{\tan(\theta + \alpha) - \tan\alpha}{1 + \tan(\theta + \alpha)\tan\alpha}$

$= \dfrac{\dfrac{5}{x} - \dfrac{2}{x}}{1 + \dfrac{5}{x} \times \dfrac{2}{x}} = \dfrac{3x}{x^2 + 10}$

$f(x) = \dfrac{3x}{x^2 + 10} \ (x > 0)$라고 하면

$f'(x) = \dfrac{3(x^2 + 10) - 3x \times 2x}{(x^2 + 10)^2}$

$= \dfrac{-3x^2 + 30}{(x^2 + 10)^2} = \dfrac{-3(x + \sqrt{10})(x - \sqrt{10})}{(x^2 + 10)^2}$

$f'(x) = 0$에서 $x = \sqrt{10}$ $(\because x > 0)$

x	0	$\cdots$	$\sqrt{10}$	$\cdots$
$f'(x)$		$+$	0	$-$
$f(x)$		$\nearrow$	$\dfrac{3\sqrt{10}}{20}$ 극대	$\searrow$

따라서 함수 $f(x)$는 $x = \sqrt{10}$일 때 극대이면서 최대이므로 안내판으로부터 $\sqrt{10}$ m 전방에 있어야 안내판이 가장 잘 보인다.

27 선분 PQ의 길이의 최솟값은 곡선
$y = \ln(2 - x)$의 접선 중 기울기가
-1인 접선과 직선 $y = -x + 3$ 사이의 거리와 같다. $\cdots\cdots$ (가)

$f(x) = \ln(2 - x)$라고 하면

$f'(x) = \dfrac{1}{x - 2}$

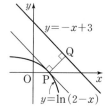

접점의 좌표를 $(t, \ln(2 - t))$라고 하면 접선의 기울기가 -1이므로

$f'(t) = \dfrac{1}{t - 2} = -1$ $\quad \therefore t = 1$

즉, 접점의 좌표는 $(1, 0)$ $\cdots\cdots$ (나)

따라서 점 $(1, 0)$과 직선 $y = -x + 3$, 즉 $x + y - 3 = 0$ 사이의 거리를 구하면

$\dfrac{|1 + 0 - 3|}{\sqrt{1^2 + 1^2}} = \sqrt{2}$ $\cdots\cdots$ (다)

채점 기준	배점
(가) 선분 PQ의 길이의 최솟값의 기하적 의미를 안다.	2점
(나) 주어진 곡선의 접선의 기울기가 -1일 때의 접점의 좌표를 구한다.	2점
(다) 선분 PQ의 길이의 최솟값을 구한다.	2점

28 (1) $f'(x) = \dfrac{a(x^2 + 1) - ax \times 2x}{(x^2 + 1)^2} = \dfrac{-ax^2 + a}{(x^2 + 1)^2}$ $\cdots\cdots$ (가)

$f''(x) = \dfrac{-2ax(x^2 + 1)^2 - (-ax^2 + a) \times 2(x^2 + 1) \times 2x}{(x^2 + 1)^4}$

$= \dfrac{2ax(x^2 - 3)}{(x^2 + 1)^3}$ $\cdots\cdots$ (나)

(2) $f''(x) = 0$에서 $x = \sqrt{3}$ $(\because x > 0)$

$x = \sqrt{3}$의 좌우에서 $f''(x)$의 부호가 바뀌므로 변곡점의 x좌표는 $\sqrt{3}$이다. $\cdots\cdots$ (다)

이때 변곡점에서의 접선의 기울기가 $-\dfrac{1}{2}$이므로

$f'(\sqrt{3}) = \dfrac{-3a + a}{(3 + 1)^2} = -\dfrac{1}{2}$

$\therefore a = 4$ $\cdots\cdots$ (라)

채점 기준	배점
(가) $f'(x)$를 구한다.	1점
(나) $f''(x)$를 구한다.	1점
(다) 변곡점의 x좌표를 구한다.	2점
(라) a의 값을 구한다.	2점

29 $\dfrac{dx}{dt} = 4t$, $\dfrac{dy}{dt} = t^2 - 4$이므로 시각 t에서의 점 P의 속력은

$\sqrt{(4t)^2 + (t^2 - 4)^2} = \sqrt{(t^2 + 4)^2}$

$= t^2 + 4$ $\cdots\cdots$ (가)

점 P의 속력이 13이므로

$t^2 + 4 = 13$, $t^2 = 9$

$\therefore t = 3$ $(\because t > 0)$

즉, 점 P의 속력이 13이 되는 시각은 3이다. $\cdots\cdots$ (나)

$\dfrac{d^2x}{dt^2} = 4$, $\dfrac{d^2y}{dt^2} = 2t$이므로 $t = 3$에서 점 P의 가속도는

$(4, 6)$ $\cdots\cdots$ (다)

채점 기준	배점
(가) 점 P의 속력을 t에 대한 식으로 나타낸다.	1점
(나) 점 P의 속력이 13이 되는 시각을 구한다.	2점
(다) 속력이 13일 때 점 P의 가속도를 구한다.	2점

확인 문제 p. 66

1 (1) $\displaystyle\int \frac{1}{x^3}\,dx=\int x^{-3}\,dx=-\frac{1}{2}x^{-2}+C=-\frac{1}{2x^2}+C$

(2) $\displaystyle\int x\sqrt{x}\,dx=\int x^{\frac{3}{2}}\,dx=\frac{2}{5}x^{\frac{5}{2}}+C=\frac{2}{5}x^2\sqrt{x}+C$

(3) $\displaystyle\int 2^x\,dx=\frac{2^x}{\ln 2}+C$

(4) $\displaystyle\int (x^2+3\cos x)\,dx=\frac{1}{3}x^3+3\sin x+C$

2 (1) $\displaystyle\int_1^2 \frac{1}{x}\,dx=\Big[\ln|x|\Big]_1^2=\ln 2$

(2) $\displaystyle\int_{\frac{\pi}{6}}^{\frac{\pi}{4}} \csc x\cot x\,dx=\Big[-\csc x\Big]_{\frac{\pi}{6}}^{\frac{\pi}{4}}$
$$=-\sqrt{2}-(-2)=2-\sqrt{2}$$

핵심 유형+ 실전 문제 교/과/서/속 p. 67

1 (1) $\displaystyle\int \frac{x^2+2x-1}{x^2}\,dx=\int \Big(1+\frac{2}{x}-x^{-2}\Big)\,dx$
$$=x+2\ln|x|+x^{-1}+C$$
$$=x+2\ln|x|+\frac{1}{x}+C$$

(2) $\displaystyle\int \frac{1+x}{\sqrt{x}}\,dx=\int (x^{-\frac{1}{2}}+x^{\frac{1}{2}})\,dx$
$$=2x^{\frac{1}{2}}+\frac{2}{3}x^{\frac{3}{2}}+C$$
$$=2\sqrt{x}+\frac{2}{3}x\sqrt{x}+C$$

2 $\displaystyle f(x)=\int \frac{x^5-2x+6}{x^4}\,dx=\int (x-2x^{-3}+6x^{-4})\,dx$
$$=\frac{1}{2}x^2+x^{-2}-2x^{-3}+C=\frac{1}{2}x^2+\frac{1}{x^2}-\frac{2}{x^3}+C$$

$f(1)=\dfrac{1}{2}$에서

$\dfrac{1}{2}+1-2+C=\dfrac{1}{2}$ $\therefore C=1$

따라서 $f(x)=\dfrac{1}{2}x^2+\dfrac{1}{x^2}-\dfrac{2}{x^3}+1$이므로 $f(-1)=\dfrac{9}{2}$

3 (1) $\displaystyle\int e^{x+2}\,dx=e^2\int e^x\,dx=e^2\times e^x+C=e^{x+2}+C$

(2) $\displaystyle\int \frac{9^x-1}{3^x-1}\,dx=\int \frac{(3^x+1)(3^x-1)}{3^x-1}\,dx$
$$=\int (3^x+1)\,dx=\frac{3^x}{\ln 3}+x+C$$

4 $\displaystyle\int \frac{e^{2x}-x^2}{e^x+x}\,dx=\int \frac{(e^x+x)(e^x-x)}{e^x+x}\,dx$
$$=\int (e^x-x)\,dx$$
$$=e^x-\frac{1}{2}x^2+C$$

따라서 $a=1,\ b=-\dfrac{1}{2}$이므로 $a+b=\dfrac{1}{2}$

5 (1) $\displaystyle\int \tan^2 x\,dx=\int (\sec^2 x-1)\,dx$
$$=\tan x-x+C$$

(2) $\displaystyle\int \frac{\sin^2 x}{1+\cos x}\,dx=\int \frac{1-\cos^2 x}{1+\cos x}\,dx$
$$=\int \frac{(1+\cos x)(1-\cos x)}{1+\cos x}\,dx$$
$$=\int (1-\cos x)\,dx$$
$$=x-\sin x+C$$

6 $\displaystyle f(x)=\int \frac{1+4\sin^2 x}{1-\cos^2 x}\,dx=\int \frac{1+4\sin^2 x}{\sin^2 x}\,dx$
$$=\int (\csc^2 x+4)\,dx$$
$$=-\cot x+4x+C$$
$$\therefore f\Big(\frac{5}{4}\pi\Big)-f\Big(\frac{\pi}{4}\Big)=(-1+5\pi+C)-(-1+\pi+C)$$
$$=4\pi$$

7 (1) $\displaystyle\int_1^8 (\sqrt[3]{x}+1)(\sqrt[3]{x}-1)\,dx=\int_1^8 (\sqrt[3]{x^2}-1)\,dx$
$$=\int_1^8 (x^{\frac{2}{3}}-1)\,dx$$
$$=\Big[\frac{3}{5}x^{\frac{5}{3}}-x\Big]_1^8$$
$$=\frac{56}{5}-\Big(-\frac{2}{5}\Big)=\frac{58}{5}$$

(2) $\displaystyle\int_{\frac{\pi}{6}}^{\frac{\pi}{3}} \frac{\sin^3 x+1}{\sin^2 x}\,dx=\int_{\frac{\pi}{6}}^{\frac{\pi}{3}} (\sin x+\csc^2 x)\,dx$
$$=\Big[-\cos x-\cot x\Big]_{\frac{\pi}{6}}^{\frac{\pi}{3}}$$
$$=\Big(-\frac{1}{2}-\frac{\sqrt{3}}{3}\Big)-\Big(-\frac{\sqrt{3}}{2}-\sqrt{3}\Big)$$
$$=-\frac{1}{2}+\frac{7\sqrt{3}}{6}$$

8 $\displaystyle\int_0^1 (1+2^x)^2\,dx=\int_0^1 (1+2\times 2^x+4^x)\,dx$
$$=\Big[x+\frac{2\times 2^x}{\ln 2}+\frac{4^x}{\ln 4}\Big]_0^1$$
$$=\Big(1+\frac{6}{\ln 2}\Big)-\frac{5}{2\ln 2}$$
$$=1+\frac{7}{2\ln 2}$$

따라서 $a=1,\ b=7$이므로 $ab=7$

확인 문제 p. 68

1 $3x+1=t$로 놓으면 $\dfrac{dt}{dx}=\boxed{3}$이므로

$$\int (3x+1)^4\,dx=\int \boxed{t^4}\times \frac{1}{3}\,dt=\frac{1}{3}\int \boxed{t^4}\,dt$$

$$=\frac{1}{15}t^5+C=\boxed{\frac{1}{15}(3x+1)^5}+C$$

$\therefore$ (가) 3 (나) t^4 (다) $\dfrac{1}{15}(3x+1)^5$

2 $\sin x=t$로 놓으면 $\dfrac{dt}{dx}=\boxed{\cos x}$이고, $x=0$일 때 $t=\boxed{0}$,

$x=\dfrac{\pi}{2}$일 때 $t=1$이므로

$$\int_0^{\frac{\pi}{2}} \sin^3 x \cos x\,dx=\int_0^1 \boxed{t^3}\,dt=\left[\boxed{\frac{1}{4}t^4}\right]_0^1=\boxed{\frac{1}{4}}$$

$\therefore$ (가) $\cos x$ (나) 0 (다) t^3 (라) $\dfrac{1}{4}t^4$ (마) $\dfrac{1}{4}$

핵심유형+ 실전 문제 교/과/서/속 p. 69

1 (1) $-3x+1=t$로 놓으면 $\dfrac{dt}{dx}=-3$이므로

$$\int e^{-3x+1}\,dx=\int e^t\times\left(-\frac{1}{3}\right)dt=-\frac{1}{3}\int e^t\,dt$$

$$=-\frac{1}{3}e^t+C$$

$$=-\frac{1}{3}e^{-3x+1}+C$$

(2) $x^2+1=t$로 놓으면 $\dfrac{dt}{dx}=2x$이므로

$$\int \frac{2x}{\sqrt{x^2+1}}\,dx=\int \frac{1}{\sqrt{t}}\,dt=\int t^{-\frac{1}{2}}\,dt$$

$$=2t^{\frac{1}{2}}+C=2\sqrt{t}+C$$

$$=2\sqrt{x^2+1}+C$$

2 $\ln x=t$로 놓으면 $\dfrac{dt}{dx}=\dfrac{1}{x}$이므로

$$\int \frac{6(\ln x)^2}{x}\,dx=\int 6t^2\,dt=2t^3+C=2(\ln x)^3+C$$

따라서 $a=2$, $n=3$이므로 $a+n=5$

3 (1) $\displaystyle\int \frac{x^2}{x^3+1}\,dx=\frac{1}{3}\int \frac{3x^2}{x^3+1}\,dx=\frac{1}{3}\int \frac{(x^3+1)'}{x^3+1}\,dx$

$$=\frac{1}{3}\ln|x^3+1|+C$$

(2) $\displaystyle\int \frac{1}{x\ln x}\,dx=\int \frac{(\ln x)'}{\ln x}\,dx=\ln|\ln x|+C$

4 $f(x)=\displaystyle\int \frac{e^x}{e^x-3}\,dx=\int \frac{(e^x-3)'}{e^x-3}\,dx$

$$=\ln|e^x-3|+C$$

$f(\ln 4)=2$에서 $C=2$

$\therefore f(x)=\ln|e^x-3|+2$

5 (1) $\dfrac{x^2-2x+3}{x-2}=x+\dfrac{3}{x-2}$이므로

$$\int \frac{x^2-2x+3}{x-2}\,dx=\int \left(x+\frac{3}{x-2}\right)dx$$

$$=\frac{1}{2}x^2+3\ln|x-2|+C$$

(2) $\dfrac{1}{x^2-1}=\dfrac{1}{(x-1)(x+1)}=\dfrac{1}{2}\left(\dfrac{1}{x-1}-\dfrac{1}{x+1}\right)$이므로

$$\int \frac{1}{x^2-1}\,dx=\frac{1}{2}\int \left(\frac{1}{x-1}-\frac{1}{x+1}\right)dx$$

$$=\frac{1}{2}(\ln|x-1|-\ln|x+1|)+C$$

$$=\frac{1}{2}\ln\left|\frac{x-1}{x+1}\right|+C$$

6 $\dfrac{3}{x^2-x-2}=\dfrac{3}{(x-2)(x+1)}=\dfrac{1}{x-2}-\dfrac{1}{x+1}$이므로

$$f(x)=\int \frac{3}{x^2-x-2}\,dx=\int \left(\frac{1}{x-2}-\frac{1}{x+1}\right)dx$$

$$=\ln|x-2|-\ln|x+1|+C$$

$$=\ln\left|\frac{x-2}{x+1}\right|+C$$

$f(3)=0$에서

$\ln\dfrac{1}{4}+C=0$ $\therefore C=2\ln 2$

따라서 $f(x)=\ln\left|\dfrac{x-2}{x+1}\right|+2\ln 2$이므로 $f(1)=\ln 2$

7 (1) $2x-\pi=t$로 놓으면 $\dfrac{dt}{dx}=2$이고, $x=0$일 때 $t=-\pi$,

$x=\dfrac{\pi}{2}$일 때 $t=0$이므로

$$\int_0^{\frac{\pi}{2}} \sin(2x-\pi)\,dx=\int_{-\pi}^0 \sin t\times \frac{1}{2}\,dt$$

$$=\frac{1}{2}\int_{-\pi}^0 \sin t\,dt$$

$$=\frac{1}{2}\Big[-\cos t\Big]_{-\pi}^0$$

$$=\frac{1}{2}\times(-1-1)=-1$$

(2) $x^2-2=t$로 놓으면 $\dfrac{dt}{dx}=2x$이고, $x=1$일 때 $t=-1$,

$x=2$일 때 $t=2$이므로

$$\int_1^2 x(x^2-2)^5\,dx=\frac{1}{2}\int_1^2 (x^2-2)^5\times 2x\,dx$$

$$=\frac{1}{2}\int_{-1}^2 t^5\,dt$$

$$=\left[\frac{1}{12}t^6\right]_{-1}^2$$

$$=\frac{16}{3}-\frac{1}{12}=\frac{21}{4}$$

8 $x^2=t$로 놓으면 $\dfrac{dt}{dx}=2x$이고, $x=0$일 때 $t=0$, $x=2$일 때

$t=4$이므로

$$\int_0^2 xe^{x^2}\,dx=\frac{1}{2}\int_0^2 e^{x^2}\times 2x\,dx$$

$$=\frac{1}{2}\int_0^4 e^t\,dt$$

$$=\frac{1}{2}\Big[e^t\Big]_0^4=\frac{e^4-1}{2}=\frac{1}{2}e^4-\frac{1}{2}$$

따라서 $a=\dfrac{1}{2}$, $b=-\dfrac{1}{2}$이므로

$a+b=0$

9 (1) $x=2\sin\theta\left(-\dfrac{\pi}{2}<\theta<\dfrac{\pi}{2}\right)$로 놓으면 $\dfrac{dx}{d\theta}=2\cos\theta$이

고, $x=0$일 때 $\theta=0$, $x=\sqrt{3}$일 때 $\theta=\dfrac{\pi}{3}$이므로

$$\int_0^{\sqrt{3}}\frac{1}{\sqrt{4-x^2}}\,dx=\int_0^{\frac{\pi}{3}}\frac{1}{\sqrt{4-4\sin^2\theta}}\times 2\cos\theta\,d\theta$$

$$=\int_0^{\frac{\pi}{3}}\frac{1}{\sqrt{4(1-\sin^2\theta)}}\times 2\cos\theta\,d\theta$$

$$=\int_0^{\frac{\pi}{3}}\frac{1}{2\cos\theta}\times 2\cos\theta\,d\theta$$

$$=\int_0^{\frac{\pi}{3}}d\theta$$

$$=\Big[\theta\Big]_0^{\frac{\pi}{3}}=\frac{\pi}{3}$$

(2) $x=\tan\theta\left(-\dfrac{\pi}{2}<\theta<\dfrac{\pi}{2}\right)$로 놓으면 $\dfrac{dx}{d\theta}=\sec^2\theta$이고,

$x=0$일 때 $\theta=0$, $x=1$일 때 $\theta=\dfrac{\pi}{4}$이므로

$$\int_0^1\frac{1}{x^2+1}\,dx=\int_0^{\frac{\pi}{4}}\frac{1}{\tan^2\theta+1}\times\sec^2\theta\,d\theta$$

$$=\int_0^{\frac{\pi}{4}}\frac{1}{\sec^2\theta}\times\sec^2\theta\,d\theta$$

$$=\int_0^{\frac{\pi}{4}}d\theta$$

$$=\Big[\theta\Big]_0^{\frac{\pi}{4}}=\frac{\pi}{4}$$

10 $x=3\tan\theta\left(-\dfrac{\pi}{2}<\theta<\dfrac{\pi}{2}\right)$로 놓으면 $\dfrac{dx}{d\theta}=3\sec^2\theta$이고,

$x=0$일 때 $\theta=0$, $x=\sqrt{3}$일 때 $\theta=\dfrac{\pi}{6}$이므로

$$\int_0^{\sqrt{3}}\frac{1}{x^2+9}\,dx=\int_0^{\frac{\pi}{6}}\frac{1}{9\tan^2\theta+9}\times 3\sec^2\theta\,d\theta$$

$$=\int_0^{\frac{\pi}{6}}\frac{1}{9(\tan^2\theta+1)}\times 3\sec^2\theta\,d\theta$$

$$=\int_0^{\frac{\pi}{6}}\frac{1}{9\sec^2\theta}\times 3\sec^2\theta\,d\theta$$

$$=\int_0^{\frac{\pi}{6}}\frac{1}{3}\,d\theta$$

$$=\Big[\frac{1}{3}\theta\Big]_0^{\frac{\pi}{6}}=\frac{1}{18}\pi$$

$\therefore a=\dfrac{1}{18}$

16강 | 부분적분법

확인 문제　p. 70

1 $f(x)=x$, $g'(x)=e^x$으로 놓으면

$f'(x)=1$, $g(x)=\boxed{e^x}$이므로

$$\int xe^x\,dx=\boxed{xe^x}-\int e^x\,dx$$

$$=\boxed{xe^x-e^x}+C$$

$\therefore$ (개) e^x　(내) xe^x　(대) xe^x-e^x

2 $f(x)=\ln x$, $g'(x)=x$로 놓으면

$f'(x)=\boxed{\dfrac{1}{x}}$, $g(x)=\dfrac{1}{2}x^2$이므로

$$\int_1^e x\ln x\,dx=\Big[\frac{1}{2}x^2\ln x\Big]_1^e-\int_1^e\boxed{\frac{1}{x}}\times\frac{1}{2}x^2\,dx$$

$$=\frac{e^2}{2}-\int_1^e\frac{1}{2}x\,dx$$

$$=\frac{e^2}{2}-\Big[\boxed{\frac{1}{4}x^2}\Big]_1^e$$

$$=\frac{e^2}{2}-\Big(\frac{e^2}{4}-\frac{1}{4}\Big)$$

$$=\boxed{\frac{e^2+1}{4}}$$

$\therefore$ (개) $\dfrac{1}{x}$　(내) $\dfrac{1}{4}x^2$　(대) $\dfrac{e^2+1}{4}$

핵심유형＋실전 문제　p. 71

1 (1) $f(x)=x-2$, $g'(x)=e^x$으로 놓으면

$f'(x)=1$, $g(x)=e^x$이므로

$$\int(x-2)e^x\,dx=(x-2)e^x-\int e^x\,dx$$

$$=(x-2)e^x-e^x+C$$

$$=(x-3)e^x+C$$

(2) $f(x)=x$, $g'(x)=\sin 2x$로 놓으면

$f'(x)=1$, $g(x)=-\dfrac{1}{2}\cos 2x$이므로

$$\int x\sin 2x\,dx=-\frac{1}{2}x\cos 2x+\int\frac{1}{2}\cos 2x\,dx$$

$$=-\frac{1}{2}x\cos 2x+\frac{1}{4}\sin 2x+C$$

2 $g(x)=\ln(x+1)$, $h'(x)=1$로 놓으면

$g'(x)=\dfrac{1}{x+1}$, $h(x)=x$이므로

$f(x)=\displaystyle\int \ln(x+1)\,dx = x\ln(x+1)-\int \dfrac{x}{x+1}\,dx$

$\qquad = x\ln(x+1)-\displaystyle\int\left(1-\dfrac{1}{x+1}\right)dx$

$\qquad = x\ln(x+1)-\{x-\ln(x+1)\}+C$

$\qquad = (x+1)\ln(x+1)-x+C$

$f(1)=2\ln 2$에서 $2\ln 2-1+C=2\ln 2$ $\quad\therefore C=1$

즉, $f(x)=(x+1)\ln(x+1)-x+1$이므로

$f(3)=4\ln 4-2=8\ln 2-2$

따라서 구하는 값은 ③이다.

3 $f(x)=e^x$, $g'(x)=\cos x$로 놓으면

$f'(x)=e^x$, $g(x)=\sin x$이므로

$\displaystyle\int e^x\cos x\,dx = e^x\sin x-\int e^x\sin x\,dx$ $\qquad\cdots\cdots$ ㉠

$\displaystyle\int e^x\sin x\,dx$에서 $u(x)=e^x$, $v'(x)=\sin x$로 놓으면

$u'(x)=e^x$, $v(x)=-\cos x$이므로

$\displaystyle\int e^x\sin x\,dx = -e^x\cos x+\int e^x\cos x\,dx$ $\qquad\cdots\cdots$ ㉡

㉡을 ㉠에 대입하면

$\displaystyle\int e^x\cos x\,dx = e^x\sin x-\left(-e^x\cos x+\int e^x\cos x\,dx\right)$

$\displaystyle\int e^x\cos x\,dx = e^x\sin x+e^x\cos x-\int e^x\cos x\,dx$

$2\displaystyle\int e^x\cos x\,dx = e^x(\sin x+\cos x)+C_1$

$\therefore \displaystyle\int e^x\cos x\,dx = \dfrac{1}{2}e^x(\sin x+\cos x)+C$

4 $f'(x)=e^x\sin x$에서 $f(x)=\displaystyle\int e^x\sin x\,dx$

$g(x)=e^x$, $h'(x)=\sin x$로 놓으면

$g'(x)=e^x$, $h(x)=-\cos x$이므로

$f(x)=\displaystyle\int e^x\sin x\,dx$

$\qquad = -e^x\cos x+\displaystyle\int e^x\cos x\,dx$ $\qquad\cdots\cdots$ ㉠

$\displaystyle\int e^x\cos x\,dx$에서 $u(x)=e^x$, $v'(x)=\cos x$로 놓으면

$u'(x)=e^x$, $v(x)=\sin x$이므로

$\displaystyle\int e^x\cos x\,dx = e^x\sin x-\int e^x\sin x\,dx$

$\qquad = e^x\sin x-f(x)$ $\qquad\cdots\cdots$ ㉡

㉡을 ㉠에 대입하면

$f(x)=-e^x\cos x+\{e^x\sin x-f(x)\}$

$2f(x)=e^x(\sin x-\cos x)+C_1$

$\therefore f(x)=\dfrac{1}{2}e^x(\sin x-\cos x)+C$

$f(0)=\dfrac{1}{2}$에서 $-\dfrac{1}{2}+C=\dfrac{1}{2}$ $\quad\therefore C=1$

$\therefore f(x)=\dfrac{1}{2}e^x(\sin x-\cos x)+1$

5 (1) $f(x)=\ln x$, $g'(x)=1$로 놓으면

$f'(x)=\dfrac{1}{x}$, $g(x)=x$이므로

$\displaystyle\int_1^e \ln x\,dx = \Big[\,x\ln x\,\Big]_1^e-\int_1^e \dfrac{1}{x}\times x\,dx$

$\qquad = e-\displaystyle\int_1^e dx$

$\qquad = e-\Big[\,x\,\Big]_1^e$

$\qquad = e-(e-1)=1$

(2) $f(x)=2x+1$, $g'(x)=\cos x$로 놓으면

$f'(x)=2$, $g(x)=\sin x$이므로

$\displaystyle\int_0^{\frac{\pi}{2}}(2x+1)\cos x\,dx$

$= \Big[\,(2x+1)\sin x\,\Big]_0^{\frac{\pi}{2}}-\displaystyle\int_0^{\frac{\pi}{2}}2\sin x\,dx$

$= \pi+1+\Big[\,2\cos x\,\Big]_0^{\frac{\pi}{2}}$

$= \pi+1+(-2)=\pi-1$

6 $f(x)=x^2$, $g'(x)=e^x$으로 놓으면

$f'(x)=2x$, $g(x)=e^x$이므로

$\displaystyle\int_0^1 x^2e^x\,dx = \Big[\,x^2e^x\,\Big]_0^1-\int_0^1 2xe^x\,dx$

$\qquad = e-\displaystyle\int_0^1 2xe^x\,dx$ $\qquad\cdots\cdots$ ㉠

$\displaystyle\int_0^1 2xe^x\,dx$에서 $u(x)=2x$, $v'(x)=e^x$으로 놓으면

$u'(x)=2$, $v(x)=e^x$이므로

$\displaystyle\int_0^1 2xe^x\,dx = \Big[\,2xe^x\,\Big]_0^1-\int_0^1 2e^x\,dx$

$\qquad = 2e-\Big[\,2e^x\,\Big]_0^1$

$\qquad = 2e-(2e-2)=2$

이것을 ㉠에 대입하면

$\displaystyle\int_0^1 x^2e^x\,dx = e-2$

따라서 구하는 정적분의 값은 ①이다.

다지기 p. 72~73

1 (1) $\displaystyle\int \dfrac{3}{x^4}\,dx = \int 3x^{-4}\,dx = -x^{-3}+C = -\dfrac{1}{x^3}+C$

(2) $\displaystyle\int \sqrt[4]{x^3}\,dx = \int x^{\frac{3}{4}}\,dx = \dfrac{4}{7}x^{\frac{7}{4}}+C = \dfrac{4}{7}x\sqrt[4]{x^3}+C$

(3) $\displaystyle\int \dfrac{x^3-5x-3}{x^3}\,dx = \int(1-5x^{-2}-3x^{-3})\,dx$

$\qquad = x+5x^{-1}+\dfrac{3}{2}x^{-2}+C$

$\qquad = x+\dfrac{5}{x}+\dfrac{3}{2x^2}+C$

(4) $\displaystyle\int \frac{\sqrt[3]{x}-x^2}{\sqrt{x}}dx=\int (x^{-\frac{1}{6}}-x^{\frac{3}{2}})dx$

$\qquad\qquad\qquad =\dfrac{6}{5}x^{\frac{5}{6}}-\dfrac{2}{5}x^{\frac{5}{2}}+C$

$\qquad\qquad\qquad =\dfrac{6}{5}\sqrt[6]{x^5}-\dfrac{2}{5}x^2\sqrt{x}+C$

2 (1) $\displaystyle\int e^{x-3}dx=\dfrac{1}{e^3}\int e^x dx=\dfrac{1}{e^3}\times e^x+C=e^{x-3}+C$

(2) $\displaystyle\int (10^x-x^2)dx=\dfrac{10^x}{\ln 10}-\dfrac{1}{3}x^3+C$

(3) $\displaystyle\int (3^x-2)^2 dx=\int (9^x-4\times 3^x+4)dx$

$\qquad\qquad\qquad =\dfrac{9^x}{\ln 9}-\dfrac{4\times 3^x}{\ln 3}+4x+C$

$\qquad\qquad\qquad =\dfrac{3^{2x}}{2\ln 3}-\dfrac{4\times 3^x}{\ln 3}+4x+C$

(4) $\displaystyle\int \dfrac{25^x-4^x}{5^x+2^x}dx=\int \dfrac{5^{2x}-2^{2x}}{5^x+2^x}dx$

$\qquad\qquad\qquad =\int \dfrac{(5^x+2^x)(5^x-2^x)}{5^x+2^x}dx$

$\qquad\qquad\qquad =\int (5^x-2^x)dx$

$\qquad\qquad\qquad =\dfrac{5^x}{\ln 5}-\dfrac{2^x}{\ln 2}+C$

3 (1) $\displaystyle\int (\sin x+\cos x)dx=-\cos x+\sin x+C$

(2) $\displaystyle\int (2-\sec^2 x)dx=2x-\tan x+C$

(3) $\displaystyle\int \cot^2 x dx=\int (\csc^2 x-1)dx=-\cot x-x+C$

(4) $\displaystyle\int \dfrac{\cos^2 x}{1-\sin x}dx=\int \dfrac{1-\sin^2 x}{1-\sin x}dx$

$\qquad\qquad\qquad =\int \dfrac{(1+\sin x)(1-\sin x)}{1-\sin x}dx$

$\qquad\qquad\qquad =\int (1+\sin x)dx$

$\qquad\qquad\qquad =x-\cos x+C$

4 (1) $\displaystyle\int_1^3 \dfrac{1}{x^2}dx=\int_1^3 x^{-2}dx=\left[-\dfrac{1}{x}\right]_1^3$

$\qquad\qquad\qquad =-\dfrac{1}{3}-(-1)=\dfrac{2}{3}$

(2) $\displaystyle\int_1^4 \dfrac{x+\sqrt{x}-1}{\sqrt{x}}dx=\int_1^4 (x^{\frac{1}{2}}+1-x^{-\frac{1}{2}})dx$

$\qquad\qquad\qquad =\left[\dfrac{2}{3}x^{\frac{3}{2}}+x-2x^{\frac{1}{2}}\right]_1^4$

$\qquad\qquad\qquad =\dfrac{16}{3}-\left(-\dfrac{1}{3}\right)=\dfrac{17}{3}$

(3) $\displaystyle\int_{-1}^2 \dfrac{e^{2x}-1}{e^x+1}dx=\int_{-1}^2 \dfrac{(e^x+1)(e^x-1)}{e^x+1}dx$

$\qquad\qquad\qquad =\int_{-1}^2 (e^x-1)dx$

$\qquad\qquad\qquad =\left[e^x-x\right]_{-1}^2$

$\qquad\qquad\qquad =(e^2-2)-\left(\dfrac{1}{e}+1\right)=e^2-\dfrac{1}{e}-3$

(4) $\displaystyle\int_{-\frac{\pi}{4}}^{\frac{\pi}{4}} \dfrac{1+2x\cos^2 x}{1-\sin^2 x}dx=\int_{-\frac{\pi}{4}}^{\frac{\pi}{4}} \dfrac{1+2x\cos^2 x}{\cos^2 x}dx$

$\qquad\qquad\qquad =\int_{-\frac{\pi}{4}}^{\frac{\pi}{4}} (\sec^2 x+2x)dx$

$\qquad\qquad\qquad =\left[\tan x+x^2\right]_{-\frac{\pi}{4}}^{\frac{\pi}{4}}$

$\qquad\qquad\qquad =\left(1+\dfrac{\pi^2}{16}\right)-\left(-1+\dfrac{\pi^2}{16}\right)=2$

5 (1) $3x-5=t$로 놓으면 $\dfrac{dt}{dx}=3$이므로

$\qquad \displaystyle\int (3x-5)^6 dx=\int t^6\times \dfrac{1}{3}dt=\dfrac{1}{3}\int t^6 dt$

$\qquad\qquad\qquad =\dfrac{1}{21}t^7+C=\dfrac{1}{21}(3x-5)^7+C$

(2) $1-2x=t$로 놓으면 $\dfrac{dt}{dx}=-2$이므로

$\qquad \displaystyle\int \sin (1-2x)dx=\int \sin t\times \left(-\dfrac{1}{2}\right)dt$

$\qquad\qquad\qquad =-\dfrac{1}{2}\int \sin t\,dt$

$\qquad\qquad\qquad =\dfrac{1}{2}\cos t+C=\dfrac{1}{2}\cos (1-2x)+C$

(3) $x^2+2=t$로 놓으면 $\dfrac{dt}{dx}=2x$이므로

$\qquad \displaystyle\int 4x\sqrt{x^2+2}dx=\int 2\sqrt{t}dt=2\int t^{\frac{1}{2}}dt$

$\qquad\qquad\qquad =\dfrac{4}{3}t^{\frac{3}{2}}+C=\dfrac{4}{3}t\sqrt{t}+C$

$\qquad\qquad\qquad =\dfrac{4}{3}(x^2+2)\sqrt{x^2+2}+C$

(4) $\ln x=t$로 놓으면 $\dfrac{dt}{dx}=\dfrac{1}{x}$이므로

$\qquad \displaystyle\int \dfrac{(\ln x)^5}{x}dx=\int t^5 dt=\dfrac{1}{6}t^6+C=\dfrac{1}{6}(\ln x)^6+C$

6 (1) $\displaystyle\int \dfrac{3x^3+x}{x^4+x^2}dx=\int \dfrac{3x^2+1}{x^3+x}dx=\int \dfrac{(x^3+x)'}{x^3+x}dx$

$\qquad\qquad\qquad =\ln |x^3+x|+C$

(2) $\displaystyle\int \tan x dx=\int \dfrac{\sin x}{\cos x}dx=-\int \dfrac{-\sin x}{\cos x}dx$

$\qquad\qquad\qquad =-\int \dfrac{(\cos x)'}{\cos x}dx=-\ln |\cos x|+C$

(3) $\dfrac{2x^2+2x-4}{x+1}=2x-\dfrac{4}{x+1}$이므로

$\qquad \displaystyle\int \dfrac{2x^2+2x-4}{x+1}dx=\int \left(2x-\dfrac{4}{x+1}\right)dx$

$\qquad\qquad\qquad =x^2-4\ln |x+1|+C$

(4) $\dfrac{1}{x^2+x}=\dfrac{1}{x(x+1)}=\dfrac{1}{x}-\dfrac{1}{x+1}$이므로

$\qquad \displaystyle\int \dfrac{1}{x^2+x}dx=\int \left(\dfrac{1}{x}-\dfrac{1}{x+1}\right)dx$

$\qquad\qquad\qquad =\ln |x|-\ln |x+1|+C$

$\qquad\qquad\qquad =\ln \left|\dfrac{x}{x+1}\right|+C$

7 (1) $3x+4=t$로 놓으면 $\dfrac{dt}{dx}=3$이고, $x=-1$일 때 $t=1$,

$x=0$일 때 $t=4$이므로

$$\int_{-1}^{0} 3\sqrt{3x+4}\,dx = \int_{1}^{4} \sqrt{t}\,dt = \int_{1}^{4} t^{\frac{1}{2}}\,dt$$

$$= \left[\frac{2}{3} t^{\frac{3}{2}}\right]_{1}^{4}$$

$$= \frac{16}{3} - \frac{2}{3} = \frac{14}{3}$$

(2) $x^3-1=t$로 놓으면 $\dfrac{dt}{dx}=3x^2$이고, $x=0$일 때 $t=-1$,

$x=1$일 때 $t=0$이므로

$$\int_{0}^{1} x^2 e^{x^3-1}\,dx = \int_{-1}^{0} e^t \times \frac{1}{3}\,dt = \frac{1}{3}\int_{-1}^{0} e^t\,dt$$

$$= \frac{1}{3}\left[e^t\right]_{-1}^{0} = \frac{1}{3} - \frac{1}{3e}$$

8 (1) $f(x)=2x$, $g'(x)=e^{-x}$으로 놓으면

$f'(x)=2$, $g(x)=-e^{-x}$이므로

$$\int 2xe^{-x}\,dx = -2xe^{-x} + \int 2e^{-x}\,dx$$

$$= -2xe^{-x} - 2e^{-x} + C$$

$$= -2(x+1)e^{-x} + C$$

(2) $f(x)=4x$, $g'(x)=\cos 2x$로 놓으면

$f'(x)=4$, $g(x)=\dfrac{1}{2}\sin 2x$이므로

$$\int 4x\cos 2x\,dx = 2x\sin 2x - \int 2\sin 2x\,dx$$

$$= 2x\sin 2x + \cos 2x + C$$

(3) $f(x)=\ln 2x$, $g'(x)=1$로 놓으면

$f'(x)=\dfrac{1}{x}$, $g(x)=x$이므로

$$\int \ln 2x\,dx = x\ln 2x - \int \frac{1}{x} \times x\,dx$$

$$= x\ln 2x - \int dx$$

$$= x\ln 2x - x + C$$

(4) $f(x)=x^2+1$, $g'(x)=\sin x$로 놓으면

$f'(x)=2x$, $g(x)=-\cos x$이므로

$$\int (x^2+1)\sin x\,dx$$

$$= -(x^2+1)\cos x + \int 2x\cos x\,dx \quad \cdots\cdots \text{㉠}$$

$\displaystyle\int 2x\cos x\,dx$에서 $u(x)=2x$, $v'(x)=\cos x$로 놓으면

$u'(x)=2$, $v(x)=\sin x$이므로

$$\int 2x\cos x\,dx = 2x\sin x - \int 2\sin x\,dx$$

$$= 2x\sin x + 2\cos x + C \quad \cdots\cdots \text{㉡}$$

㉡을 ㉠에 대입하면

$$\int (x^2+1)\sin x\,dx$$

$$= -(x^2+1)\cos x + (2x\sin x + 2\cos x + C)$$

$$= 2x\sin x - (x^2-1)\cos x + C$$

9 (1) $f(x)=x$, $g'(x)=e^{3x}$으로 놓으면

$f'(x)=1$, $g(x)=\dfrac{1}{3}e^{3x}$이므로

$$\int_{0}^{1} xe^{3x}\,dx = \left[\frac{1}{3}xe^{3x}\right]_{0}^{1} - \int_{0}^{1} \frac{1}{3}e^{3x}\,dx$$

$$= \frac{e^3}{3} - \left[\frac{1}{9}e^{3x}\right]_{0}^{1}$$

$$= \frac{e^3}{3} - \left(\frac{e^3}{9} - \frac{1}{9}\right) = \frac{2e^3+1}{9}$$

(2) $f(x)=(\ln x)^2$, $g'(x)=1$로 놓으면

$f'(x)=\dfrac{2\ln x}{x}$, $g(x)=x$이므로

$$\int_{1}^{e^2} (\ln x)^2\,dx = \left[x(\ln x)^2\right]_{1}^{e^2} - \int_{1}^{e^2} \frac{2\ln x}{x} \times x\,dx$$

$$= 4e^2 - \int_{1}^{e^2} 2\ln x\,dx \quad \cdots\cdots \text{㉠}$$

$\displaystyle\int_{1}^{e^2} 2\ln x\,dx$에서 $u(x)=\ln x$, $v'(x)=2$로 놓으면

$u'(x)=\dfrac{1}{x}$, $v(x)=2x$이므로

$$\int_{1}^{e^2} 2\ln x\,dx = \left[2x\ln x\right]_{1}^{e^2} - \int_{1}^{e^2} \frac{1}{x} \times 2x\,dx$$

$$= 4e^2 - \int_{1}^{e^2} 2\,dx$$

$$= 4e^2 - \left[2x\right]_{1}^{e^2}$$

$$= 4e^2 - (2e^2-2) = 2e^2+2$$

이것을 ㉠에 대입하면

$$\int_{1}^{e^2} (\ln x)^2\,dx = 4e^2 - (2e^2+2) = 2e^2-2$$

족집게 기출문제 14~16강

p. 74~77

1 ④	2 ③	3 $-\cot x - \csc x + C$	4 ③
5 ④	6 2	7 ②	8 $\dfrac{4}{5}$	9 ①
10 $4+2\sqrt{2}$	11 ①	12 5	13 ⑤	14 11
15 ④	16 ④	17 ②	18 2	
19 $-\dfrac{\ln 2}{2}$	20 6	21 $-2e+2$	22 ②	23 ①
24 4	25 ②	26 $\dfrac{1}{4}$	27 $\dfrac{7}{3}$	
28 (1) $f'(x)=\dfrac{1}{x(x+1)}$	(2) $-\ln 3$	29 1		

1 $f(x) = \displaystyle\int \frac{3x^4-2}{x^2}\,dx = \int (3x^2-2x^{-2})\,dx$

$$= x^3 + 2x^{-1} + C = x^3 + \frac{2}{x} + C$$

$\therefore f(2) - f(1) = (9+C) - (3+C) = 6$

2 $f'(x)=\dfrac{4-e^{2x}}{2+e^x}=\dfrac{(2+e^x)(2-e^x)}{2+e^x}=2-e^x$이므로

$f(x)=\displaystyle\int (2-e^x)\,dx=2x-e^x+C$

곡선 $y=f(x)$가 점 $(0,\,1)$을 지나므로

$-1+C=1$ $\therefore C=2$

따라서 $f(x)=2x-e^x+2$이므로

$f(\ln 2)=2\ln 2-2+2=2\ln 2$

3 $\displaystyle\int \dfrac{1}{1-\cos x}\,dx=\int \dfrac{1+\cos x}{(1-\cos x)(1+\cos x)}\,dx$

$\qquad=\displaystyle\int \dfrac{1+\cos x}{1-\cos^2 x}\,dx=\int \dfrac{1+\cos x}{\sin^2 x}\,dx$

$\qquad=\displaystyle\int \left(\dfrac{1}{\sin^2 x}+\dfrac{1}{\sin x}\times\dfrac{\cos x}{\sin x}\right)dx$

$\qquad=\displaystyle\int (\csc^2 x+\csc x\cot x)\,dx$

$\qquad=-\cot x-\csc x+C$

4 $\displaystyle\int_0^1 (3^x-1)(9^x+3^x+1)\,dx=\int_0^1 (27^x-1)\,dx$

$\qquad=\left[\dfrac{27^x}{\ln 27}-x\right]_0^1$

$\qquad=\left(\dfrac{27}{\ln 27}-1\right)-\dfrac{1}{\ln 27}$

$\qquad=\dfrac{26}{\ln 27}-1$

따라서 $a=26$, $b=1$이므로 $a-b=25$

5 $\displaystyle\int_0^{\frac{\pi}{3}} (\cos x+\tan x)\sec x\,dx$

$\qquad=\displaystyle\int_0^{\frac{\pi}{3}} (1+\sec x\tan x)\,dx$

$\qquad=\left[x+\sec x\right]_0^{\frac{\pi}{3}}=\left(\dfrac{\pi}{3}+2\right)-1=\dfrac{\pi}{3}+1$

6 함수 $f(x)$의 한 부정적분을 $F(x)$라고 하면

$\displaystyle\lim_{x\to 0}\dfrac{1}{x}\int_0^x f(t)\,dt=\lim_{x\to 0}\dfrac{F(x)-F(0)}{x}$

$\qquad=F'(0)=f(0)=2$

7 $x^2=t$로 놓으면 $\dfrac{dt}{dx}=2x$이므로

$\displaystyle\int xf(x^2)\,dx=\dfrac{1}{2}\int f(t)\,dt=\dfrac{1}{2}F(t)+C$

$\qquad=\dfrac{1}{2}F(x^2)+C$

8 $f'(x)=(2x+1)^4$에서 $f(x)=\displaystyle\int (2x+1)^4\,dx$

$2x+1=t$로 놓으면 $\dfrac{dt}{dx}=2$이므로

$f(x)=\displaystyle\int (2x+1)^4\,dx=\dfrac{1}{2}\int t^4\,dt$

$\qquad=\dfrac{1}{10}t^5+C=\dfrac{1}{10}(2x+1)^5+C$

$f(0)=1$에서

$\dfrac{1}{10}+C=1$ $\therefore C=\dfrac{9}{10}$

따라서 $f(x)=\dfrac{1}{10}(2x+1)^5+\dfrac{9}{10}$이므로

$f(-1)=\dfrac{4}{5}$

9 $\ln x=t$로 놓으면 $\dfrac{dt}{dx}=\dfrac{1}{x}$이므로

$f(x)=\displaystyle\int \dfrac{\cos (\ln x)}{x}\,dx=\int \cos t\,dt$

$\qquad=\sin t+C=\sin (\ln x)+C$

$f(1)=3$에서 $C=3$

따라서 $f(x)=\sin (\ln x)+3$이므로

$f(\sqrt{e^{3\pi}})=\sin \dfrac{3}{2}\pi+3=2$

10 $1+e^x=t$로 놓으면 $\dfrac{dt}{dx}=e^x$이고, $e^x=t-1$이므로

$f(x)=\displaystyle\int \dfrac{3e^{2x}}{\sqrt{1+e^x}}\,dx=\int \dfrac{3e^x}{\sqrt{1+e^x}}\times e^x\,dx$

$\qquad=\displaystyle\int \dfrac{3(t-1)}{\sqrt{t}}\,dt=\int \left(3t^{\frac{1}{2}}-3t^{-\frac{1}{2}}\right)dt$

$\qquad=2t^{\frac{3}{2}}-6t^{\frac{1}{2}}+C=2t\sqrt{t}-6\sqrt{t}+C$

$\qquad=2(t-3)\sqrt{t}+C$

$\qquad=2(e^x-2)\sqrt{1+e^x}+C$

곡선 $y=f(x)$가 원점을 지나므로

$-2\sqrt{2}+C=0$ $\therefore C=2\sqrt{2}$

따라서 $f(x)=2(e^x-2)\sqrt{1+e^x}+2\sqrt{2}$이므로

$f(\ln 3)=4+2\sqrt{2}$

11 $\displaystyle\lim_{h\to 0}\dfrac{f(x+h)-f(x)}{h}=f'(x)$이므로

$f'(x)=x\times 2^{x^2+1}=2x\times 2^{x^2}$

$x^2=t$로 놓으면 $\dfrac{dt}{dx}=2x$이므로

$f(x)=\displaystyle\int 2x\times 2^{x^2}\,dx=\int 2^t\,dt$

$\qquad=\dfrac{2^t}{\ln 2}+C=\dfrac{2^{x^2}}{\ln 2}+C$

$f(0)=\dfrac{1}{\ln 2}$에서 $C=0$

따라서 $f(x)=\dfrac{2^{x^2}}{\ln 2}$이므로

$f(1)=\dfrac{2}{\ln 2}$

12 $\dfrac{2x-1}{x+1}=2-\dfrac{3}{x+1}$이므로

$\displaystyle\int \dfrac{2x-1}{x+1}\,dx=\int \left(2-\dfrac{3}{x+1}\right)dx$

$\qquad=2x-3\ln |x+1|+C$

따라서 $a=2$, $b=-3$이므로 $a-b=5$

13 $\ln x = t$로 놓으면 $\dfrac{dt}{dx} = \dfrac{1}{x}$이고, $x=1$일 때 $t=0$, $x=e$일

때 $t=1$이므로

$$\int_1^e \frac{(\ln x)^2 + \ln x}{x}\, dx = \int_0^1 (t^2 + t)\, dt$$
$$= \left[\frac{1}{3}t^3 + \frac{1}{2}t^2 \right]_0^1 = \frac{5}{6}$$

14 $6x^2 + 2 = t$로 놓으면 $\dfrac{dt}{dx} = 12x$이고, $x=0$일 때 $t=2$,

$x=1$일 때 $t=8$이므로

$$\int_0^1 \frac{5x}{\sqrt{6x^2+2}}\, dx = \frac{5}{12} \int_2^8 \frac{1}{\sqrt{t}}\, dt$$
$$= \frac{5}{12} \int_2^8 t^{-\frac{1}{2}}\, dt$$
$$= \frac{5}{6} \left[t^{\frac{1}{2}} \right]_2^8$$
$$= \frac{5}{6}(2\sqrt{2} - \sqrt{2}) = \frac{5\sqrt{2}}{6}$$

따라서 $p=6$, $q=5$이므로 $p+q=11$

15 $\displaystyle\int_0^{\frac{\pi}{3}} \sin^3 x\, dx = \int_0^{\frac{\pi}{3}} \sin^2 x \sin x\, dx$

$$= \int_0^{\frac{\pi}{3}} (1 - \cos^2 x)\sin x\, dx$$

이때 $\cos x = t$로 놓으면 $\dfrac{dt}{dx} = -\sin x$이고, $x=0$일 때

$t=1$, $x=\dfrac{\pi}{3}$일 때 $t=\dfrac{1}{2}$이므로

$$\int_0^{\frac{\pi}{3}} \sin^3 x\, dx = \int_0^{\frac{\pi}{3}} (1 - \cos^2 x)\sin x\, dx$$
$$= -\int_1^{\frac{1}{2}} (1 - t^2)\, dt$$
$$= \int_{\frac{1}{2}}^1 (1 - t^2)\, dt$$
$$= \left[t - \frac{1}{3}t^3 \right]_{\frac{1}{2}}^1$$
$$= \frac{2}{3} - \frac{11}{24} = \frac{5}{24}$$

16 $\displaystyle\int_1^2 \frac{x-1}{x^2+3x}\, dx + \int_2^1 \frac{x-4}{x^2+3x}\, dx$

$$= \int_1^2 \frac{x-1}{x^2+3x}\, dx - \int_1^2 \frac{x-4}{x^2+3x}\, dx$$
$$= \int_1^2 \left(\frac{x-1}{x^2+3x} - \frac{x-4}{x^2+3x} \right) dx$$
$$= \int_1^2 \frac{3}{x^2+3x}\, dx = \int_1^2 \frac{3}{x(x+3)}\, dx$$
$$= \int_1^2 \left(\frac{1}{x} - \frac{1}{x+3} \right) dx$$
$$= \Big[\ln|x| - \ln|x+3| \Big]_1^2$$
$$= (\ln 2 - \ln 5) - (-\ln 4)$$
$$= \ln \frac{8}{5}$$

17 $\displaystyle\int_0^2 f(t)\, dt = k$ (k는 상수)라고 하면 $f(x) = \dfrac{x}{1+x^2} + k$이

므로

$$\int_0^2 f(t)\, dt = \int_0^2 \left(\frac{t}{1+t^2} + k \right) dt$$
$$= \int_0^2 \left(\frac{1}{2} \times \frac{2t}{1+t^2} + k \right) dt$$
$$= \left[\frac{1}{2}\ln(1+t^2) + kt \right]_0^2$$
$$= \frac{\ln 5}{2} + 2k$$

즉, $\dfrac{\ln 5}{2} + 2k = k$이므로 $k = -\dfrac{\ln 5}{2}$

따라서 $f(x) = \dfrac{x}{1+x^2} - \dfrac{\ln 5}{2}$이므로

$$f(1) = \frac{1 - \ln 5}{2}$$

18 $x = a\tan\theta \left(-\dfrac{\pi}{2} < \theta < \dfrac{\pi}{2} \right)$로 놓으면 $\dfrac{dx}{d\theta} = a\sec^2\theta$이고,

$x=0$일 때 $\theta=0$, $x=a$일 때 $\theta=\dfrac{\pi}{4}$이므로

$$\int_0^a \frac{1}{x^2+a^2}\, dx = \int_0^{\frac{\pi}{4}} \frac{1}{a^2(\tan^2\theta + 1)} \times a\sec^2\theta\, d\theta$$
$$= \int_0^{\frac{\pi}{4}} \frac{1}{a}\, d\theta$$
$$= \left[\frac{1}{a}\theta \right]_0^{\frac{\pi}{4}} = \frac{\pi}{4a}$$

즉, $\dfrac{\pi}{4a} = \dfrac{\pi}{8}$에서 $a = 2$

19 $g(x) = x$, $h'(x) = \sec^2 x$로 놓으면

$g'(x) = 1$, $h(x) = \tan x$이므로

$$f(x) = \int x\sec^2 x\, dx = x\tan x - \int \tan x\, dx$$
$$= x\tan x + \int \frac{-\sin x}{\cos x}\, dx$$
$$= x\tan x + \ln|\cos x| + C$$

$f(0) = -\dfrac{\pi}{4}$에서 $C = -\dfrac{\pi}{4}$

따라서 $f(x) = x\tan x + \ln|\cos x| - \dfrac{\pi}{4}$이므로

$$f\left(\frac{\pi}{4} \right) = \ln \frac{\sqrt{2}}{2} = \ln 2^{-\frac{1}{2}} = -\frac{\ln 2}{2}$$

20 $f(x) = e^{2x}$, $g'(x) = \sin x$로 놓으면

$f'(x) = 2e^{2x}$, $g(x) = -\cos x$이므로

$$\int e^{2x}\sin x\, dx = -e^{2x}\cos x + \int 2e^{2x}\cos x\, dx \quad \cdots\cdots \ \text{㉠}$$

$\displaystyle\int 2e^{2x}\cos x\, dx$에서 $u(x) = 2e^{2x}$, $v'(x) = \cos x$로 놓으면

$u'(x) = 4e^{2x}$, $v(x) = \sin x$이므로

$$\int 2e^{2x}\cos x\, dx = 2e^{2x}\sin x - \int 4e^{2x}\sin x\, dx \quad \cdots\cdots \ \text{㉡}$$

ⓒ을 ㉠에 대입하면

$$\int e^{2x} \sin x \, dx = -e^{2x} \cos x + 2e^{2x} \sin x - \int 4e^{2x} \sin x \, dx$$

$$5\int e^{2x} \sin x \, dx = e^{2x}(2\sin x - \cos x) + C_1$$

$$\therefore \int e^{2x} \sin x \, dx = e^{2x}\left(\frac{2}{5}\sin x - \frac{1}{5}\cos x\right) + C$$

따라서 $a = \dfrac{2}{5}$, $b = -\dfrac{1}{5}$이므로 $10(a-b) = 6$

21 $f'(x) = (x^2 - 3)e^x$이므로 $f(x) = \displaystyle\int (x^2 - 3)e^x \, dx$

$g(x) = x^2 - 3$, $h'(x) = e^x$으로 놓으면

$g'(x) = 2x$, $h(x) = e^x$이므로

$$f(x) = \int (x^2 - 3)e^x \, dx$$
$$= (x^2 - 3)e^x - \int 2xe^x \, dx \qquad \cdots\cdots ㉠$$

$\displaystyle\int 2xe^x \, dx$에서 $u(x) = 2x$, $v'(x) = e^x$으로 놓으면

$u'(x) = 2$, $v(x) = e^x$이므로

$$\int 2xe^x \, dx = 2xe^x - \int 2e^x \, dx$$
$$= 2xe^x - 2e^x + C_1 \qquad \cdots\cdots ㉡$$

㉡을 ㉠에 대입하면

$$f(x) = (x^2 - 3)e^x - (2xe^x - 2e^x + C_1)$$
$$= (x^2 - 2x - 1)e^x + C$$

한편 $x = 0$에서의 접점의 좌표는 $(0, 1)$이므로 곡선

$y = f(x)$는 점 $(0, 1)$을 지난다.

즉, $-1 + C = 1$이므로 $C = 2$

따라서 $f(x) = (x^2 - 2x - 1)e^x + 2$이므로 $f(1) = -2e + 2$

22 $f(x) = x$, $g'(x) = \cos 2x$로 놓으면

$f'(x) = 1$, $g(x) = \dfrac{1}{2}\sin 2x$이므로

$$\int_0^{\frac{\pi}{2}} x \cos 2x \, dx = \left[\frac{1}{2}x \sin 2x\right]_0^{\frac{\pi}{2}} - \int_0^{\frac{\pi}{2}} \frac{1}{2}\sin 2x \, dx$$
$$= \left[\frac{1}{4}\cos 2x\right]_0^{\frac{\pi}{2}} = -\frac{1}{4} - \frac{1}{4} = -\frac{1}{2}$$

23 $\displaystyle\int_1^x \frac{f(t)}{t^2} \, dt = \frac{1}{2}(\ln x)^2$의 양변을 x에 대하여 미분하면

$$\frac{f(x)}{x^2} = \frac{1}{x}\ln x$$

$\therefore f(x) = x \ln x$

$g(x) = \ln x$, $h'(x) = x$로 놓으면

$g'(x) = \dfrac{1}{x}$, $h(x) = \dfrac{1}{2}x^2$이므로

$$\int_1^{\sqrt{e}} f(x) \, dx = \int_1^{\sqrt{e}} x \ln x \, dx$$
$$= \left[\frac{1}{2}x^2 \ln x\right]_1^{\sqrt{e}} - \int_1^{\sqrt{e}} \frac{1}{2}x \, dx$$
$$= \frac{e}{4} - \left[\frac{1}{4}x^2\right]_1^{\sqrt{e}} = \frac{e}{4} - \left(\frac{e}{4} - \frac{1}{4}\right) = \frac{1}{4}$$

24 $\displaystyle\int_0^4 \{f(x) + f(4-x)\} \, dx = \int_0^4 \pi \sin \frac{\pi}{4}x \, dx$이므로

$$\int_0^4 f(x) \, dx + \int_0^4 f(4-x) \, dx = \int_0^4 \pi \sin \frac{\pi}{4}x \, dx$$
$$\cdots\cdots ㉠$$

$\displaystyle\int_0^4 f(4-x) \, dx$에서 $4 - x = t$로 놓으면 $\dfrac{dt}{dx} = -1$이고,

$x = 0$일 때 $t = 4$, $x = 4$일 때 $t = 0$이므로

$$\int_0^4 f(4-x) \, dx = -\int_4^0 f(t) \, dt$$
$$= \int_0^4 f(t) \, dt = \int_0^4 f(x) \, dx$$

이것을 ㉠에 대입하면

$$\int_0^4 f(x) \, dx + \int_0^4 f(x) \, dx = \int_0^4 \pi \sin \frac{\pi}{4}x \, dx$$

$$\therefore \int_0^4 f(x) \, dx = \frac{1}{2}\int_0^4 \pi \sin \frac{\pi}{4}x \, dx$$
$$= \frac{1}{2}\left[-4 \cos \frac{\pi}{4}x\right]_0^4 = \frac{1}{2}\{4 - (-4)\} = 4$$

25 $\displaystyle\int_0^1 f(x)g'(x) \, dx = \frac{3}{16}$에서

$$\left[f(x)g(x)\right]_0^1 - \int_0^1 f'(x)g(x) \, dx = \frac{3}{16}$$

$$f(1)g(1) - f(0)g(0) - \int_0^1 \frac{x}{(1+x^2)^4} \, dx = \frac{3}{16}$$

$$f(1) - \int_0^1 \frac{x}{(1+x^2)^4} \, dx = \frac{3}{16} \qquad \cdots\cdots ㉠$$

$\displaystyle\int_0^1 \frac{x}{(1+x^2)^4} \, dx$에서 $1 + x^2 = t$로 놓으면 $\dfrac{dt}{dx} = 2x$이고,

$x = 0$일 때 $t = 1$, $x = 1$일 때 $t = 2$이므로

$$\int_0^1 \frac{x}{(1+x^2)^4} \, dx = \frac{1}{2}\int_1^2 \frac{1}{t^4} \, dt = \frac{1}{2}\int_1^2 t^{-4} \, dt$$
$$= -\frac{1}{6}\left[t^{-3}\right]_1^2$$
$$= -\frac{1}{6}\left(\frac{1}{8} - 1\right) = \frac{7}{48}$$

이것을 ㉠에 대입하면

$$f(1) - \frac{7}{48} = \frac{3}{16} \qquad \therefore f(1) = \frac{1}{3}$$

26 $I_4 = \displaystyle\int_0^{\frac{\pi}{4}} \cos^4 x \, dx = \int_0^{\frac{\pi}{4}} \cos^3 x \cos x \, dx$에서

$f(x) = \cos^3 x$, $g'(x) = \cos x$로 놓으면

$f'(x) = -3\cos^2 x \sin x$, $g(x) = \sin x$이므로

$$I_4 = \left[\cos^3 x \sin x\right]_0^{\frac{\pi}{4}} + \int_0^{\frac{\pi}{4}} 3\cos^2 x \sin^2 x \, dx$$
$$= \frac{1}{4} + \int_0^{\frac{\pi}{4}} 3\cos^2 x(1 - \cos^2 x) \, dx$$
$$= \frac{1}{4} + 3\int_0^{\frac{\pi}{4}} \cos^2 x \, dx - 3\int_0^{\frac{\pi}{4}} \cos^4 x \, dx$$
$$= \frac{1}{4} + 3I_2 - 3I_4$$

$$\therefore 4I_4 - 3I_2 = \frac{1}{4}$$

56 정답과 해설

27 $\sqrt{2}\le x\le\sqrt{5}$에서 $\sqrt{x^4-x^2}=x\sqrt{x^2-1}$

$x^2-1=t$로 놓으면 ⋯⋯ (가)

$\dfrac{dt}{dx}=2x$이고, $x=\sqrt{2}$일 때 $t=1$, $x=\sqrt{5}$일 때 $t=4$이므로

$\displaystyle\int_{\sqrt{2}}^{\sqrt{5}}\sqrt{x^4-x^2}\,dx=\int_{\sqrt{2}}^{\sqrt{5}}x\sqrt{x^2-1}\,dx=\frac{1}{2}\int_1^4\sqrt{t}\,dt$ ⋯⋯ (나)

$\displaystyle=\frac{1}{2}\int_1^4 t^{\frac{1}{2}}\,dt=\frac{1}{3}\left[t^{\frac{3}{2}}\right]_1^4=\frac{7}{3}$ ⋯⋯ (다)

채점 기준	배점
(가) $x^2-1=t$로 놓는다.	2점
(나) t에 대한 정적분으로 나타낸다.	2점
(다) 정적분의 값을 구한다.	2점

28 (1) $F(x)=xf(x)-\ln(x+1)$의 양변을 x에 대하여 미분하면

$f(x)=f(x)+xf'(x)-\dfrac{1}{x+1}$

$\therefore f'(x)=\dfrac{1}{x(x+1)}$ ⋯⋯ (가)

(2) $f'(x)=\dfrac{1}{x(x+1)}=\dfrac{1}{x}-\dfrac{1}{x+1}$이므로

$f(x)=\displaystyle\int\left(\frac{1}{x}-\frac{1}{x+1}\right)dx$

$=\ln x-\ln(x+1)+C$ ⋯⋯ ㉠

한편 $F(x)=xf(x)-\ln(x+1)$의 양변에 $x=1$을 대입하면

$F(1)=f(1)-\ln 2$

이때 $F(1)=-3\ln 2$이고 ㉠에서 $f(1)=-\ln 2+C$이므로

$-3\ln 2=(-\ln 2+C)-\ln 2$ $\therefore C=-\ln 2$

따라서 $f(x)=\ln x-\ln(x+1)-\ln 2$이므로 ⋯⋯ (나)

$f(2)=\ln 2-\ln 3-\ln 2=-\ln 3$ ⋯⋯ (다)

채점 기준	배점
(가) $f'(x)$를 구한다.	2점
(나) $f(x)$를 구한다.	4점
(다) $f(2)$의 값을 구한다.	1점

29 $f(x)=x$, $g'(x)=e^{-nx}$으로 놓으면

$f'(x)=1$, $g(x)=-\dfrac{e^{-nx}}{n}$이므로

$a_n=\displaystyle\int_0^1 xe^{-nx}\,dx=\left[-\frac{xe^{-nx}}{n}\right]_0^1+\int_0^1\frac{e^{-nx}}{n}\,dx$

$=-\dfrac{1}{ne^n}-\left[\dfrac{e^{-nx}}{n^2}\right]_0^1=-\dfrac{1}{ne^n}-\dfrac{1}{n^2 e^n}+\dfrac{1}{n^2}$ ⋯⋯ (가)

$\therefore \displaystyle\lim_{n\to\infty}n^2 a_n=\lim_{n\to\infty}\left(-\frac{n}{e^n}-\frac{1}{e^n}+1\right)$

$=0+0+1=1$ ⋯⋯ (나)

채점 기준	배점
(가) a_n을 구한다.	4점
(나) $\displaystyle\lim_{n\to\infty}n^2 a_n$의 값을 구한다.	2점

17강 정적분과 급수 / 넓이

확인 문제   p. 78

1 $f(x)=x^3$, $a=0$, $b=2$로 놓으면

$\Delta x=\dfrac{b-a}{n}=\dfrac{2}{n}$, $x_k=a+k\Delta x=\dfrac{2k}{n}$

$\therefore \displaystyle\lim_{n\to\infty}\sum_{k=1}^n\left(\frac{2k}{n}\right)^3\times\frac{2}{n}=\lim_{n\to\infty}\sum_{k=1}^n f(x_k)\Delta x$

$=\displaystyle\int_0^2 f(x)\,dx$

$=\displaystyle\int_0^2 x^3\,dx$

$=\left[\dfrac{1}{4}x^4\right]_0^2=4$

2 $-\dfrac{\pi}{2}\le x\le\dfrac{\pi}{2}$에서 $\cos x\ge 0$이므로 구하는 넓이는

$\displaystyle\int_{-\frac{\pi}{2}}^{\frac{\pi}{2}}\cos x\,dx=\left[\sin x\right]_{-\frac{\pi}{2}}^{\frac{\pi}{2}}=1-(-1)=2$

핵심⁺유형 교/과/서/속 실전 문제   p. 79

1 (1) $\displaystyle\lim_{n\to\infty}\frac{1}{n^4}\{(n+1)^3+(n+2)^3+\cdots+(n+n)^3\}$

$=\displaystyle\lim_{n\to\infty}\left\{\left(1+\frac{1}{n}\right)^3+\left(1+\frac{2}{n}\right)^3+\cdots+\left(1+\frac{n}{n}\right)^3\right\}\times\frac{1}{n}$

$=\displaystyle\lim_{n\to\infty}\sum_{k=1}^n\left(1+\frac{k}{n}\right)^3\times\frac{1}{n}$

이때 $f(x)=x^3$, $a=1$, $b=2$로 놓으면

$\Delta x=\dfrac{b-a}{n}=\dfrac{1}{n}$, $x_k=a+k\Delta x=1+\dfrac{k}{n}$

$\therefore \displaystyle\lim_{n\to\infty}\frac{1}{n^4}\{(n+1)^3+(n+2)^3+\cdots+(n+n)^3\}$

$=\displaystyle\int_1^2 x^3\,dx$

$=\left[\dfrac{1}{4}x^4\right]_1^2=\dfrac{15}{4}$

(2) $\displaystyle\lim_{n\to\infty}\frac{6}{n}\left\{\left(4+\frac{2}{n}\right)^2+\left(4+\frac{4}{n}\right)^2+\cdots+\left(4+\frac{2n}{n}\right)^2\right\}$

$=3\displaystyle\lim_{n\to\infty}\sum_{k=1}^n\left(4+\frac{2k}{n}\right)^2\times\frac{2}{n}$

이때 $f(x)=x^2$, $a=4$, $b=6$으로 놓으면

$\Delta x=\dfrac{b-a}{n}=\dfrac{2}{n}$, $x_k=a+k\Delta x=4+\dfrac{2k}{n}$

$\therefore \displaystyle\lim_{n\to\infty}\frac{6}{n}\left\{\left(4+\frac{2}{n}\right)^2+\left(4+\frac{4}{n}\right)^2+\cdots+\left(4+\frac{2n}{n}\right)^2\right\}$

$=3\displaystyle\int_4^6 x^2\,dx$

$=3\left[\dfrac{1}{3}x^3\right]_4^6=152$

2 $\lim\limits_{n\to\infty}\dfrac{2}{n}\left\{\ln\left(2+\dfrac{2}{n}\right)+\ln\left(2+\dfrac{4}{n}\right)+\cdots+\ln\left(2+\dfrac{2n}{n}\right)\right\}$

$=\lim\limits_{n\to\infty}\sum\limits_{k=1}^{n}\left\{\ln\left(2+\dfrac{2k}{n}\right)\right\}\times\dfrac{2}{n}$

이때 $f(x)=\ln x$, $a=2$, $b=4$로 놓으면

$\Delta x=\dfrac{b-a}{n}=\dfrac{2}{n}$, $x_k=a+k\Delta x=2+\dfrac{2k}{n}$

$\therefore\ \lim\limits_{n\to\infty}\dfrac{2}{n}\left\{\ln\left(2+\dfrac{2}{n}\right)+\ln\left(2+\dfrac{4}{n}\right)+\cdots+\ln\left(2+\dfrac{2n}{n}\right)\right\}$

$=\displaystyle\int_{2}^{4}\ln x\,dx$

$g(x)=\ln x$, $h'(x)=1$로 놓으면

$g'(x)=\dfrac{1}{x}$, $h(x)=x$이므로

$\displaystyle\int_{2}^{4}\ln x\,dx=\Big[x\ln x\Big]_{2}^{4}-\int_{2}^{4}dx$

$=4\ln 4-2\ln 2-\Big[x\Big]_{2}^{4}$

$=6\ln 2-2$

따라서 구하는 값은 ④이다.

3 (1) 곡선 $y=\sqrt{x}-1$과 x축의 교점의 x좌표는 $\sqrt{x}-1=0$에서 $x=1$

따라서 오른쪽 그림에서 구하는 넓이는

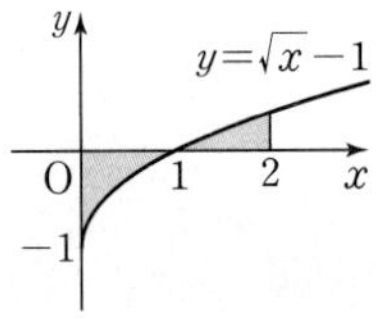

$\displaystyle\int_{0}^{1}(-\sqrt{x}+1)\,dx$

$\qquad+\displaystyle\int_{1}^{2}(\sqrt{x}-1)\,dx$

$=\Big[-\dfrac{2}{3}x^{\frac{3}{2}}+x\Big]_{0}^{1}+\Big[\dfrac{2}{3}x^{\frac{3}{2}}-x\Big]_{1}^{2}$

$=\dfrac{1}{3}+\dfrac{4\sqrt{2}-5}{3}=\dfrac{4\sqrt{2}-4}{3}$

(2) $y=\ln x$에서 $x=e^{y}$

따라서 오른쪽 그림에서 구하는 넓이는

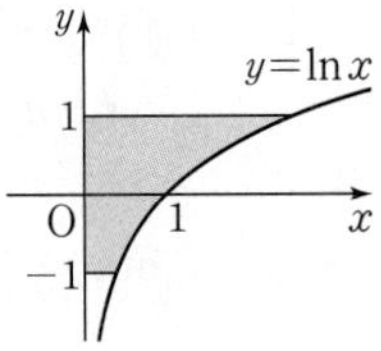

$\displaystyle\int_{-1}^{1}e^{y}\,dy=\Big[e^{y}\Big]_{-1}^{1}=e-\dfrac{1}{e}$

4 오른쪽 그림에서 넓이 S_1은

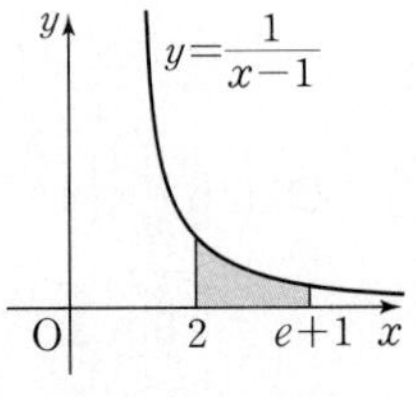

$S_1=\displaystyle\int_{2}^{e+1}\dfrac{1}{x-1}\,dx$

$=\Big[\ln|x-1|\Big]_{2}^{e+1}=1$

한편 $y=\dfrac{1}{x-1}$에서 $y(x-1)=1$

$xy=y+1$ $\therefore\ x=1+\dfrac{1}{y}$

따라서 오른쪽 그림에서 넓이 S_2는

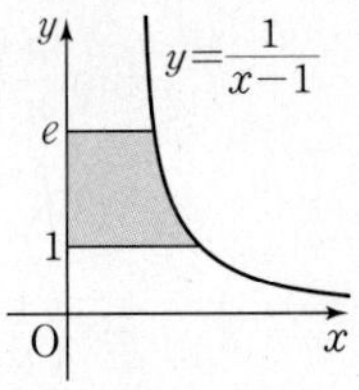

$S_2=\displaystyle\int_{1}^{e}\left(1+\dfrac{1}{y}\right)dy$

$=\Big[y+\ln|y|\Big]_{1}^{e}=e$

$\therefore\ S_1+S_2=1+e$

5 (1) $0\le x\le\pi$일 때, 두 곡선의 교점의 x좌표는 $\sin x=\cos x$에서

$x=\dfrac{\pi}{4}$

따라서 오른쪽 그림에서 구하는 넓이는

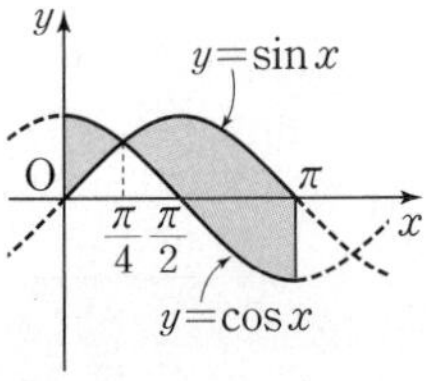

$\displaystyle\int_{0}^{\frac{\pi}{4}}(\cos x-\sin x)\,dx$

$\qquad+\displaystyle\int_{\frac{\pi}{4}}^{\pi}(\sin x-\cos x)\,dx$

$=\Big[\sin x+\cos x\Big]_{0}^{\frac{\pi}{4}}+\Big[-\cos x-\sin x\Big]_{\frac{\pi}{4}}^{\pi}$

$=(\sqrt{2}-1)+(1+\sqrt{2})$

$=2\sqrt{2}$

(2) 두 곡선의 교점의 x좌표는 $e^{x}=e^{2x}$에서 $x=0$

따라서 오른쪽 그림에서 구하는 넓이는

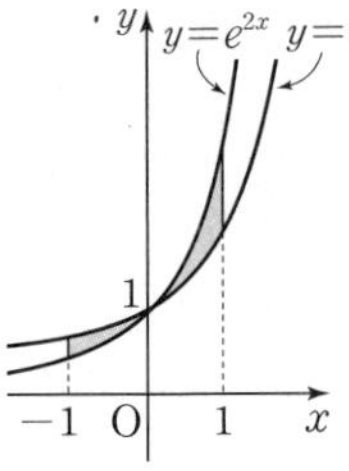

$\displaystyle\int_{-1}^{0}(e^{x}-e^{2x})\,dx$

$\qquad+\displaystyle\int_{0}^{1}(e^{2x}-e^{x})\,dx$

$=\Big[e^{x}-\dfrac{1}{2}e^{2x}\Big]_{-1}^{0}+\Big[\dfrac{1}{2}e^{2x}-e^{x}\Big]_{0}^{1}$

$=\left(\dfrac{1}{2}-\dfrac{1}{e}+\dfrac{1}{2e^{2}}\right)+\left(\dfrac{e^{2}}{2}-e+\dfrac{1}{2}\right)$

$=\dfrac{e^{2}}{2}-e-\dfrac{1}{e}+\dfrac{1}{2e^{2}}+1$

6 두 곡선의 교점의 x좌표는 $\cos x=\sin 2x$에서

$\cos x=\sin(x+x)$

$\cos x=2\sin x\cos x$

$\cos x(1-2\sin x)=0$

$\cos x=0$ 또는 $\sin x=\dfrac{1}{2}$

$\therefore\ x=-\dfrac{\pi}{2}$ 또는 $x=\dfrac{\pi}{6}$ 또는 $x=\dfrac{\pi}{2}\left(\because\ -\dfrac{\pi}{2}\le x\le\dfrac{\pi}{2}\right)$

오른쪽 그림에서 구하는 넓이는

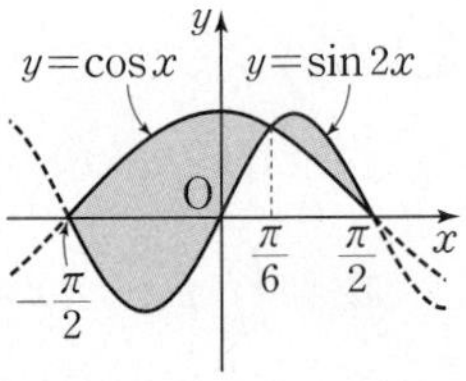

$\displaystyle\int_{-\frac{\pi}{2}}^{\frac{\pi}{6}}(\cos x-\sin 2x)\,dx$

$\qquad+\displaystyle\int_{\frac{\pi}{6}}^{\frac{\pi}{2}}(\sin 2x-\cos x)\,dx$

$=\Big[\sin x+\dfrac{1}{2}\cos 2x\Big]_{-\frac{\pi}{2}}^{\frac{\pi}{6}}$

$\qquad+\Big[-\dfrac{1}{2}\cos 2x-\sin x\Big]_{\frac{\pi}{6}}^{\frac{\pi}{2}}$

$=\dfrac{9}{4}+\dfrac{1}{4}$

$=\dfrac{5}{2}$

따라서 구하는 도형의 넓이는 ⑤이다.

확인 문제 p. 80

1 단면과 밑면의 닮음비가 $x:h$이므로 넓이의 비는

$S(x):S=\boxed{x^2}:h^2$ $\therefore$ $S(x)=\boxed{\dfrac{S}{h^2}x^2}$

따라서 구하는 부피는

$$\int_0^h S(x)\,dx=\int_0^h \frac{S}{h^2}x^2\,dx$$
$$=\frac{S}{h^2}\left[\frac{1}{3}x^3\right]_0^h$$
$$=\frac{S}{h^2}\times\frac{1}{3}h^3=\boxed{\frac{1}{3}Sh}$$

$\therefore$ (가) x^2 (나) $\dfrac{S}{h^2}x^2$ (다) $\dfrac{1}{3}Sh$

2 (1) $0+\displaystyle\int_0^2 \sin \pi t\,dt=\left[-\frac{1}{\pi}\cos \pi t\right]_0^2=0$

(2) $\displaystyle\int_0^2 |\sin \pi t|\,dt=\int_0^1 \sin \pi t\,dt+\int_1^2(-\sin \pi t)dt$
$$=\left[-\frac{1}{\pi}\cos \pi t\right]_0^1+\left[\frac{1}{\pi}\cos \pi t\right]_1^2$$
$$=\frac{2}{\pi}+\frac{2}{\pi}=\frac{4}{\pi}$$

핵심+유형 교/과/서/속 실전 문제 p. 81

1 물의 깊이가 x일 때, 수면의 넓이를 $S(x)$라고 하면

$S(x)=x^2+2$

따라서 구하는 물의 부피는

$$\int_0^3 S(x)\,dx=\int_0^3(x^2+2)\,dx$$
$$=\left[\frac{1}{3}x^3+2x\right]_0^3=15$$

2 x축에 수직인 평면으로 입체도형을 자른 단면은 한 변의 길이가 $\tan x$인 정삼각형이므로 단면의 넓이를 $S(x)$라고 하면

$S(x)=\dfrac{\sqrt{3}}{4}\tan^2 x$

따라서 구하는 부피는

$$\int_0^{\frac{\pi}{4}} S(x)\,dx=\int_0^{\frac{\pi}{4}}\frac{\sqrt{3}}{4}\tan^2 x\,dx$$
$$=\frac{\sqrt{3}}{4}\int_0^{\frac{\pi}{4}}(\sec^2 x-1)\,dx$$
$$=\frac{\sqrt{3}}{4}\left[\tan x-x\right]_0^{\frac{\pi}{4}}$$
$$=\frac{\sqrt{3}}{4}\left(1-\frac{\pi}{4}\right)$$

3 (1) $\dfrac{dx}{dt}=4t,\ \dfrac{dy}{dt}=-3t$이므로 점 P가 움직인 거리는

$$\int_1^3\sqrt{(4t)^2+(-3t)^2}\,dt=\int_1^3\sqrt{25t^2}\,dt$$
$$=\int_1^3 5t\,dt$$
$$=\left[\frac{5}{2}t^2\right]_1^3=20$$

(2) $\dfrac{dx}{dt}=t^2-2,\ \dfrac{dy}{dt}=2\sqrt{2}t$이므로 점 P가 움직인 거리는

$$\int_1^3\sqrt{(t^2-2)^2+(2\sqrt{2}t)^2}\,dt=\int_1^3\sqrt{t^4+4t^2+4}\,dt$$
$$=\int_1^3(t^2+2)\,dt$$
$$=\left[\frac{1}{3}t^3+2t\right]_1^3=\frac{38}{3}$$

4 $\dfrac{dx}{dt}=e^t\cos t-e^t\sin t,\ \dfrac{dy}{dt}=e^t\sin t+e^t\cos t$이므로 점 P가 움직인 거리는

$$\int_0^2\sqrt{(e^t\cos t-e^t\sin t)^2+(e^t\sin t+e^t\cos t)^2}\,dt$$
$$=\int_0^2\sqrt{2e^{2t}(\sin^2 t+\cos^2 t)}\,dt$$
$$=\int_0^2\sqrt{2e^{2t}}\,dt=\sqrt{2}\int_0^2 e^t\,dt$$
$$=\sqrt{2}\left[e^t\right]_0^2=\sqrt{2}(e^2-1)$$

5 (1) $\dfrac{dy}{dx}=\dfrac{3}{2}\left(x-\dfrac{4}{9}\right)^{\frac{1}{2}}$이므로 구하는 곡선의 길이는

$$\int_1^3\sqrt{1+\left\{\frac{3}{2}\left(x-\frac{4}{9}\right)^{\frac{1}{2}}\right\}^2}\,dx=\int_1^3\sqrt{1+\frac{9}{4}\left(x-\frac{4}{9}\right)}\,dx$$
$$=\int_1^3\frac{3}{2}x^{\frac{1}{2}}\,dx=\left[x^{\frac{3}{2}}\right]_1^3$$
$$=3\sqrt{3}-1$$

(2) $\dfrac{dy}{dx}=\dfrac{1}{2}(x^2+2)^{\frac{1}{2}}\times 2x=x(x^2+2)^{\frac{1}{2}}$이므로 구하는 곡선의 길이는

$$\int_1^3\sqrt{1+\{x(x^2+2)^{\frac{1}{2}}\}^2}\,dx=\int_1^3\sqrt{1+x^2(x^2+2)}\,dx$$
$$=\int_1^3\sqrt{x^4+2x^2+1}\,dx$$
$$=\int_1^3(x^2+1)\,dx$$
$$=\left[\frac{1}{3}x^3+x\right]_1^3=\frac{32}{3}$$

6 $\dfrac{dy}{dx}=\dfrac{1}{2}\left(x-\dfrac{1}{x}\right)$이므로 구하는 곡선의 길이는

$$\int_2^4\sqrt{1+\left\{\frac{1}{2}\left(x-\frac{1}{x}\right)\right\}^2}\,dx=\int_2^4\sqrt{\frac{1}{4}\left(x+\frac{1}{x}\right)^2}\,dx$$
$$=\int_2^4\frac{1}{2}\left(x+\frac{1}{x}\right)\,dx$$
$$=\frac{1}{2}\left[\frac{1}{2}x^2+\ln x\right]_2^4=3+\frac{\ln 2}{2}$$

1 ③	2 ㄱ, ㄴ, ㄷ	3 $\ln 3$	4 1
5 ④	6 4	7 $\dfrac{2}{\pi}-\dfrac{1}{2}$	8 43	9 $\dfrac{1}{2}$
10 $\dfrac{14}{3}-2\ln 2$	11 $\dfrac{e}{2}-1$	12 9	13 $\dfrac{2}{3}$
14 $\dfrac{3}{2}$	15 ②	16 $\sqrt{3}(e^2+1)$	17 ①
18 2	19 3	20 $\dfrac{1}{2}\left(e^3-\dfrac{1}{e^3}\right)$	21 ②
22 $\dfrac{3}{4}$	23 $\dfrac{2\sqrt{3}}{3}$	24 $\dfrac{3}{4}$	25 $-\dfrac{2}{3}$	26 $\dfrac{3}{2}$
27 $\dfrac{32}{3}$			

1 색칠한 직사각형의 넓이의 합을 S_n이라고 하면

$$S_n=\frac{1}{n}\times\left(\frac{1}{n}\right)^2+\frac{1}{n}\times\left(\frac{2}{n}\right)^2+\frac{1}{n}\times\left(\frac{3}{n}\right)^2+\cdots+\frac{1}{n}\times\left(\frac{n}{n}\right)^2$$

$$=\frac{1}{n^3}\sum_{k=1}^{n}\boxed{k^2}=\frac{1}{n^3}\times\frac{n(n+1)(2n+1)}{6}$$

$$=\frac{1}{6}\left(1+\frac{1}{n}\right)\boxed{\left(2+\frac{1}{n}\right)}$$

$$\therefore S=\lim_{n\to\infty}S_n=\boxed{\frac{1}{3}}$$

$$\therefore \text{(가)}\ k^2 \quad \text{(나)}\ 2+\frac{1}{n} \quad \text{(다)}\ \frac{1}{3}$$

2 $\displaystyle\lim_{n\to\infty}\frac{(3n+1)^4+(3n+2)^4+\cdots+(3n+n)^4}{n^5}$

$$=\lim_{n\to\infty}\left\{\left(3+\frac{1}{n}\right)^4+\left(3+\frac{2}{n}\right)^4+\cdots+\left(3+\frac{n}{n}\right)^4\right\}\times\frac{1}{n}$$

$$=\lim_{n\to\infty}\sum_{k=1}^{n}\left(3+\frac{k}{n}\right)^4\times\frac{1}{n}$$

ㄱ. $f(x)=x^4$, $a=3$, $b=4$로 놓으면

$$\Delta x=\frac{b-a}{n}=\frac{1}{n},\ x_k=a+k\Delta x=3+\frac{k}{n}$$

$$\therefore \lim_{n\to\infty}\sum_{k=1}^{n}\left(3+\frac{k}{n}\right)^4\times\frac{1}{n}=\int_3^4 x^4\,dx$$

ㄴ. $f(x)=(x+3)^4$, $a=0$, $b=1$로 놓으면

$$\Delta x=\frac{b-a}{n}=\frac{1}{n},\ x_k=a+k\Delta x=\frac{k}{n}$$

$$\therefore \lim_{n\to\infty}\sum_{k=1}^{n}\left(3+\frac{k}{n}\right)^4\times\frac{1}{n}=\int_0^1 (x+3)^4\,dx$$

ㄷ. $f(x)=(x-3)^4$, $a=6$, $b=7$로 놓으면

$$\Delta x=\frac{b-a}{n}=\frac{1}{n},\ x_k=a+k\Delta x=6+\frac{k}{n}$$

$$\therefore \lim_{n\to\infty}\sum_{k=1}^{n}\left(3+\frac{k}{n}\right)^4\times\frac{1}{n}=\int_6^7 (x-3)^4\,dx$$

따라서 보기 중 옳은 것은 ㄱ, ㄴ, ㄷ이다.

3 $a=1$, $b=2$로 놓으면

$$\Delta x=\frac{b-a}{n}=\frac{1}{n},\ x_k=a+k\Delta x=1+\frac{k}{n}$$

$$\therefore \lim_{n\to\infty}\sum_{k=1}^{n}\frac{1}{n}f\left(1+\frac{k}{n}\right)=\int_1^2 f(x)\,dx$$

$$=\int_1^2 \frac{2x+1}{x^2+x}\,dx$$

$$=\Big[\ln|x^2+x|\Big]_1^2=\ln 3$$

4 곡선 $y=e-e^x$과 x축의 교점의 x좌표는 $e-e^x=0$에서

$e^x=e$ ∴ $x=1$

따라서 오른쪽 그림에서 구하는 넓이는

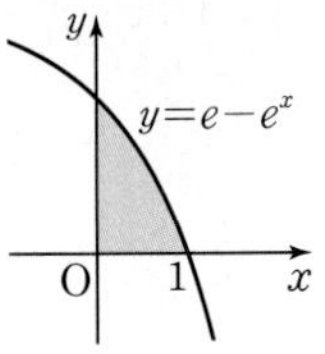

$$\int_0^1 (e-e^x)\,dx=\Big[ex-e^x\Big]_0^1=1$$

5 곡선 $y=x\cos x$와 x축의 교점의 x좌표는 $x\cos x=0$에서

$x=0$ 또는 $\cos x=0$

∴ $x=0$ 또는 $x=\dfrac{\pi}{2}$ 또는 $x=\dfrac{3}{2}\pi$ $\left(\because 0\le x\le\dfrac{3}{2}\pi\right)$

따라서 오른쪽 그림에서 구하는 넓이는

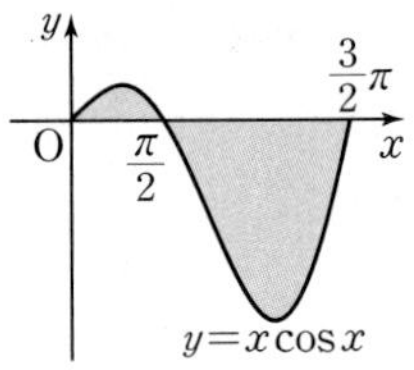

$$\int_0^{\frac{\pi}{2}} x\cos x\,dx$$

$$+\int_{\frac{\pi}{2}}^{\frac{3}{2}\pi}(-x\cos x)\,dx$$

$$=\Big[x\sin x\Big]_0^{\frac{\pi}{2}}-\int_0^{\frac{\pi}{2}}\sin x\,dx-\Big[x\sin x\Big]_{\frac{\pi}{2}}^{\frac{3}{2}\pi}$$

$$+\int_{\frac{\pi}{2}}^{\frac{3}{2}\pi}\sin x\,dx$$

$$=\frac{\pi}{2}+\Big[\cos x\Big]_0^{\frac{\pi}{2}}+2\pi-\Big[\cos x\Big]_{\frac{\pi}{2}}^{\frac{3}{2}\pi}$$

$$=\frac{\pi}{2}-1+2\pi-0=\frac{5}{2}\pi-1$$

6 오른쪽 그림에서 색칠한 부분의 넓이는

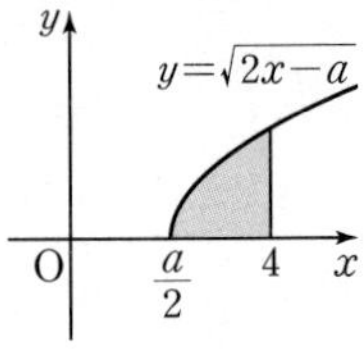

$$\int_{\frac{a}{2}}^4 \sqrt{2x-a}\,dx=\Big[\frac{1}{3}(2x-a)^{\frac{3}{2}}\Big]_{\frac{a}{2}}^4$$

$$=\frac{1}{3}(8-a)^{\frac{3}{2}}$$

즉, $\dfrac{1}{3}(8-a)^{\frac{3}{2}}=\dfrac{8}{3}$에서

$8-a=4$

∴ $a=4$

7 곡선 $y=\sin\dfrac{\pi}{2}x\ (0\le x\le 2)$와

직선 $y=x$는 오른쪽 그림과 같고 교점의 x좌표는

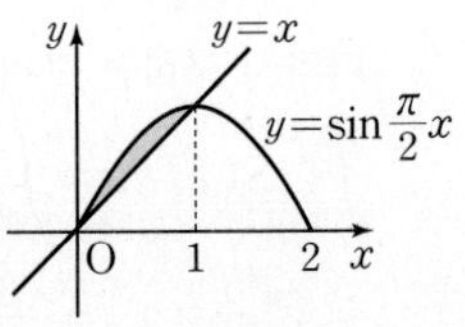

$x=0$ 또는 $x=1$

따라서 구하는 넓이는

$$\int_0^1 \left(\sin\frac{\pi}{2}x-x\right)dx=\Big[-\frac{2}{\pi}\cos\frac{\pi}{2}x-\frac{1}{2}x^2\Big]_0^1$$

$$=\frac{2}{\pi}-\frac{1}{2}$$

8 두 곡선 $y=\dfrac{1}{x+1}$, $y=-\dfrac{2}{x-8}$ 의 교점의 x좌표는

$\dfrac{1}{x+1}=-\dfrac{2}{x-8}$ 에서 $2(x+1)=-(x-8)$

$3x=6$ $\therefore x=2$

오른쪽 그림에서 구하는 넓이는

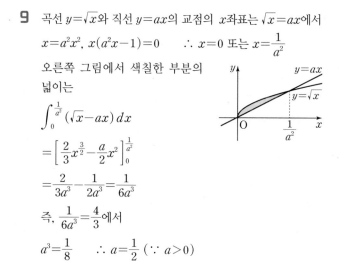

$\displaystyle\int_0^2\left(\dfrac{1}{x+1}+\dfrac{2}{x-8}\right)dx$

$=\Big[\ln|x+1|+2\ln|x-8|\Big]_0^2$

$=\ln 3+2\ln 6-2\ln 8$

$=\ln\dfrac{27}{16}$

따라서 $a=16$, $b=27$이므로 $a+b=43$

9 곡선 $y=\sqrt{x}$와 직선 $y=ax$의 교점의 x좌표는 $\sqrt{x}=ax$에서

$x=a^2x^2$, $x(a^2x-1)=0$ $\therefore x=0$ 또는 $x=\dfrac{1}{a^2}$

오른쪽 그림에서 색칠한 부분의 넓이는

$\displaystyle\int_0^{\frac{1}{a^2}}(\sqrt{x}-ax)\,dx$

$=\left[\dfrac{2}{3}x^{\frac{3}{2}}-\dfrac{a}{2}x^2\right]_0^{\frac{1}{a^2}}$

$=\dfrac{2}{3a^3}-\dfrac{1}{2a^3}=\dfrac{1}{6a^3}$

즉, $\dfrac{1}{6a^3}=\dfrac{4}{3}$에서

$a^3=\dfrac{1}{8}$ $\therefore a=\dfrac{1}{2}$ $(\because a>0)$

10 두 곡선 $y=x^2$, $y=\dfrac{1}{x}$의 교점의 x좌표는 $x^2=\dfrac{1}{x}$에서

$x^3=1$ $\therefore x=1$ $(\because x\ge 0)$

따라서 두 곡선의 교점의 y좌표는 $y=1$

$y=x^2$, $y=\dfrac{1}{x}$에서 각각 $x=\sqrt{y}$, $x=\dfrac{1}{y}$

이므로 오른쪽 그림에서 구하는 넓이는

$\displaystyle\int_1^4\left(\sqrt{y}-\dfrac{1}{y}\right)dy=\left[\dfrac{2}{3}y^{\frac{3}{2}}-\ln y\right]_1^4$

$=\dfrac{14}{3}-2\ln 2$

11 $f(x)=\ln x$라고 하면 $f'(x)=\dfrac{1}{x}$

접점의 좌표를 $(t,\ln t)$라고 하면 접선의 방정식은

$y-\ln t=\dfrac{1}{t}(x-t)$ ...... ㉠

이 직선이 원점을 지나므로

$-\ln t=-1$ $\therefore t=e$

이것을 ㉠에 대입하면 접선의 방정식은

$y-1=\dfrac{1}{e}(x-e)$ $\therefore y=\dfrac{1}{e}x$

$y=\ln x$, $y=\dfrac{1}{e}x$에서 각각

$x=e^y$, $x=ey$이므로 오른쪽 그림에서 구하는 넓이는

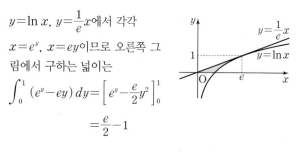

$\displaystyle\int_0^1(e^y-ey)\,dy=\left[e^y-\dfrac{e}{2}y^2\right]_0^1$

$=\dfrac{e}{2}-1$

12 $\displaystyle\int_0^a(\sqrt{x}-2)\,dx=0$이므로 $\left[\dfrac{2}{3}x^{\frac{3}{2}}-2x\right]_0^a=0$

$\dfrac{2}{3}a^{\frac{3}{2}}-2a=0$, $\dfrac{2}{3}a(\sqrt{a}-3)=0$

$\therefore \sqrt{a}=3$ $(\because a>4)$ $\therefore a=9$

13 두 곡선 $y=f(x)$, $y=g(x)$는 직선 $y=x$에 대하여 대칭이므로 구하는 넓이는 곡선 $y=f(x)$와 직선 $y=x$로 둘러싸인 도형의 넓이의 2배이다.

곡선 $y=f(x)$와 직선 $y=x$의 교점의 x좌표는

$\sqrt{4x-3}=x$에서

$4x-3=x^2$, $x^2-4x+3=0$

$(x-1)(x-3)=0$ $\therefore x=1$ 또는 $x=3$

따라서 오른쪽 그림에서 구하는 넓이는

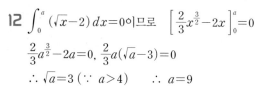

$\displaystyle 2\int_1^3(\sqrt{4x-3}-x)\,dx$

$=2\left[\dfrac{1}{6}(4x-3)^{\frac{3}{2}}-\dfrac{1}{2}x^2\right]_1^3$

$=2\times\dfrac{1}{3}=\dfrac{2}{3}$

14 $S(a)=\displaystyle\int_1^a\dfrac{3\ln x}{x}\,dx$에서 $\ln x=t$로 놓으면 $\dfrac{dt}{dx}=\dfrac{1}{x}$이고, $x=1$일 때 $t=0$, $x=a$일 때 $t=\ln a$이므로

$S(a)=\displaystyle\int_0^{\ln a}3t\,dt=\left[\dfrac{3}{2}t^2\right]_0^{\ln a}=\dfrac{3}{2}(\ln a)^2$

$\therefore \displaystyle\lim_{a\to 1+}\dfrac{S(a)}{(a-1)^2}=\dfrac{3}{2}\lim_{a\to 1+}\left(\dfrac{\ln a}{a-1}\right)^2$

$=\dfrac{3}{2}\displaystyle\lim_{x\to 0+}\left\{\dfrac{\ln(1+x)}{x}\right\}^2=\dfrac{3}{2}\times 1^2=\dfrac{3}{2}$

15 물의 깊이가 x일 때, 수면의 넓이를 $S(x)$라고 하면

$S(x)=\pi(e^{\sin x}\cos x+1)$

따라서 구하는 물의 부피는

$\displaystyle\int_0^{\frac{\pi}{2}}S(x)\,dx=\pi\int_0^{\frac{\pi}{2}}(e^{\sin x}\cos x+1)\,dx$

$=\pi\displaystyle\int_0^{\frac{\pi}{2}}e^{\sin x}\cos x\,dx+\pi\int_0^{\frac{\pi}{2}}dx$ ...... ㉠

$\displaystyle\int_0^{\frac{\pi}{2}}e^{\sin x}\cos x\,dx$에서 $\sin x=t$로 놓으면 $\dfrac{dt}{dx}=\cos x$이고 $x=0$일 때 $t=0$, $x=\dfrac{\pi}{2}$일 때 $t=1$이므로

$\displaystyle\int_0^{\frac{\pi}{2}}e^{\sin x}\cos x\,dx=\int_0^1 e^t\,dt=\left[e^t\right]_0^1=e-1$

이것을 ㉠에 대입하면

$$\int_0^{\frac{\pi}{2}} S(x)\,dx = \pi(e-1) + \pi\int_0^{\frac{\pi}{2}} dx$$

$$= \pi(e-1) + \pi\left[x\right]_0^{\frac{\pi}{2}} = \pi(e-1) + \frac{\pi^2}{2}$$

16 곡선 $y=\sqrt{4\ln x}$와 x축의 교점의 x좌표는 $x=1$
x축에 수직인 평면으로 입체도형
을 자른 단면의 넓이를 $S(x)$라고
하면

$$S(x) = \frac{\sqrt{3}}{4}(\sqrt{4\ln x})^2 = \sqrt{3}\ln x$$

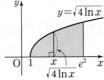

따라서 구하는 부피는

$$\int_1^{e^2} S(x)\,dx = \int_1^{e^2} \sqrt{3}\ln x\,dx$$

$$= \sqrt{3}\left(\left[x\ln x\right]_1^{e^2} - \int_1^{e^2} dx\right)$$

$$= \sqrt{3}\left(2e^2 - \left[x\right]_1^{e^2}\right) = \sqrt{3}(e^2+1)$$

17 곡선 $y=\frac{1}{2}x^2+2$와 y축의 교점의 y좌표는 $y=2$

$y=\frac{1}{2}x^2+2$에서 $x^2=2(y-2)$

y축에 수직인 평면으로 입체도형
을 자른 단면의 넓이를 $S(y)$라고
하면

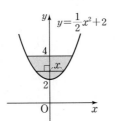

$$S(y) = \frac{\pi}{2}x^2 = \pi(y-2)$$

따라서 구하는 부피는

$$\int_2^4 S(y)\,dy = \int_2^4 \pi(y-2)\,dy$$

$$= \pi\left[\frac{1}{2}y^2 - 2y\right]_2^4 = 2\pi$$

18 운동 방향이 바뀌는 순간의 속도는 0이므로 $\cos\dfrac{t}{2}=0$

이때 $t>0$이므로 $t=\pi$ 또는 $t=3\pi$ 또는 $\cdots$
따라서 처음으로 운동 방향을 바꾸는 시각은 $t=\pi$이므로 구
하는 거리는

$$\int_0^{\pi} \left|\cos\frac{t}{2}\right|\,dt = \int_0^{\pi} \cos\frac{t}{2}\,dt = \left[2\sin\frac{t}{2}\right]_0^{\pi} = 2$$

19 $\dfrac{dx}{dt}=t^2-1$, $\dfrac{dy}{dt}=2t$이므로 $t=0$에서 $t=a$까지 점 P가
움직인 거리는

$$\int_0^a \sqrt{(t^2-1)^2 + (2t)^2}\,dt = \int_0^a \sqrt{t^4 + 2t^2 + 1}\,dt$$

$$= \int_0^a (t^2+1)\,dt$$

$$= \left[\frac{1}{3}t^3 + t\right]_0^a = \frac{1}{3}a^3 + a$$

즉, $\dfrac{1}{3}a^3 + a = 12$에서 $a^3 + 3a - 36 = 0$

$(a-3)(a^2+3a+12)=0$

$\therefore a=3$ ($\because a^2+3a+12>0$)

20 $\dfrac{dy}{dx} = \dfrac{e^x - e^{-x}}{2}$이므로 곡선의 길이는

$$\int_0^3 \sqrt{1 + \left(\frac{e^x - e^{-x}}{2}\right)^2}\,dx = \int_0^3 \sqrt{\left(\frac{e^x + e^{-x}}{2}\right)^2}\,dx$$

$$= \int_0^3 \frac{e^x + e^{-x}}{2}\,dx$$

$$= \frac{1}{2}\left[e^x - e^{-x}\right]_0^3 = \frac{1}{2}\left(e^3 - \frac{1}{e^3}\right)$$

21 $\dfrac{dx}{dt}=6t^2$, $\dfrac{dy}{dt}=6t$이므로 곡선의 길이를 l이라고 하면

$$l = \int_0^1 \sqrt{(6t^2)^2 + (6t)^2}\,dt = \int_0^1 \sqrt{36t^2(t^2+1)}\,dt$$

$$= \int_0^1 6t\sqrt{t^2+1}\,dt$$

$t^2+1=s$로 놓으면 $\dfrac{ds}{dt}=2t$이고, $t=0$일 때 $s=1$, $t=1$일
때 $s=2$이므로

$$l = \int_0^1 6t\sqrt{t^2+1}\,dt = \int_1^2 3\sqrt{s}\,ds = \left[2s^{\frac{3}{2}}\right]_1^2 = 4\sqrt{2} - 2$$

22 두 곡선 $y=\cos x\ \left(0\le x\le \dfrac{\pi}{2}\right)$,

$y=a\sin x$의 교점의 x좌표를 θ
라고 하면

$$\cos\theta = a\sin\theta \qquad \cdots\cdots ㉠$$

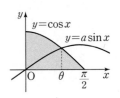

양변을 제곱하면

$\cos^2\theta = a^2\sin^2\theta$, $\cos^2\theta = a^2(1-\cos^2\theta)$

$(1+a^2)\cos^2\theta = a^2$, $\cos^2\theta = \dfrac{a^2}{1+a^2}$

이때 $\cos\theta>0$이므로 $\cos\theta = \dfrac{a}{\sqrt{1+a^2}}$ $\qquad \cdots\cdots ㉡$

㉡을 ㉠에 대입하여 풀면 $\sin\theta = \dfrac{1}{\sqrt{1+a^2}}$ $\qquad \cdots\cdots ㉢$

곡선 $y=\cos x\ \left(0\le x\le \dfrac{\pi}{2}\right)$와 x축 및 y축으로 둘러싸인 도
형의 넓이를 S_1이라고 하면

$$S_1 = \int_0^{\frac{\pi}{2}} \cos x\,dx = \left[\sin x\right]_0^{\frac{\pi}{2}} = 1$$

두 곡선 $y=\cos x\ \left(0\le x\le \dfrac{\pi}{2}\right)$, $y=a\sin x$와 y축으로 둘
러싸인 도형의 넓이를 S_2라고 하면

$$S_2 = \int_0^{\theta} (\cos x - a\sin x)\,dx$$

$$= \left[\sin x + a\cos x\right]_0^{\theta} = \sin\theta + a\cos\theta - a$$

이때 $S_2 = \dfrac{1}{2}S_1$이므로

$$\sin\theta + a\cos\theta - a = \frac{1}{2} \qquad \cdots\cdots ㉣$$

ㄹ에 ㄴ, ㄷ을 대입하면

$$\frac{1}{\sqrt{1+a^2}}+\frac{a^2}{\sqrt{1+a^2}}-a=\frac{1}{2}$$

$$\frac{1+a^2}{\sqrt{1+a^2}}=a+\frac{1}{2},\ \sqrt{1+a^2}=a+\frac{1}{2}$$

양변을 제곱하면

$$1+a^2=a^2+a+\frac{1}{4}\qquad\therefore a=\frac{3}{4}$$

23 오른쪽 그림과 같이 밑면의 중심을 원점 O, 밑면의 지름을 포함하는 직선을 x축으로 하고, x축 위의 점 $P(x,\ 0)(-1\le x\le 1)$을 지나고 x축에 수직인 평면으로 입체도형을 자른 단면을 삼각형 PQR라고 하면

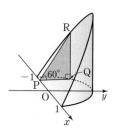

$$\overline{PQ}=\sqrt{\overline{OQ}^2-\overline{OP}^2}=\sqrt{1-x^2}$$

$$\overline{RQ}=\overline{PQ}\tan 60^\circ=\sqrt{3(1-x^2)}$$

삼각형 PQR의 넓이를 $S(x)$라고 하면

$$S(x)=\frac{1}{2}\times\overline{PQ}\times\overline{RQ}=\frac{\sqrt{3}}{2}(1-x^2)$$

따라서 구하는 부피는

$$\int_{-1}^{1}S(x)\,dx=\int_{-1}^{1}\frac{\sqrt{3}}{2}(1-x^2)\,dx$$

$$=\frac{\sqrt{3}}{2}\Big[x-\frac{1}{3}x^3\Big]_{-1}^{1}=\frac{2\sqrt{3}}{3}$$

24 곡선의 길이가 $2\sqrt{t}+f(t)+2$이므로

$$\int_{1}^{t}\sqrt{1+\{f'(x)\}^2}\,dx=2\sqrt{t}+f(t)+2$$

양변을 t에 대하여 미분하면

$$\sqrt{1+\{f'(t)\}^2}=\frac{1}{\sqrt{t}}+f'(t)$$

$$1+\{f'(t)\}^2=\frac{1}{t}+\frac{2}{\sqrt{t}}f'(t)+\{f'(t)\}^2$$

$$1=\frac{1}{t}+\frac{2}{\sqrt{t}}f'(t)$$

위 식의 양변에 $t=4$를 대입하면

$$1=\frac{1}{4}+f'(4)\qquad\therefore f'(4)=\frac{3}{4}$$

25 곡선 $y=\dfrac{2x}{x^2+3}$와 직선 $y=\dfrac{1}{2}x$의 교점의 x좌표는

$$\frac{2x}{x^2+3}=\frac{1}{2}x\text{에서}\quad 4x=x^3+3x,\ x(x+1)(x-1)=0$$

$$\therefore x=-1\ \text{또는}\ x=0\ \text{또는}\ x=1\qquad\cdots\cdots\text{(가)}$$

곡선과 직선으로 둘러싸인 두 도형의 넓이가 같으므로 구하는 넓이는

$$2\int_{0}^{1}\Big(\frac{2x}{x^2+3}-\frac{1}{2}x\Big)dx=2\Big[\ln(x^2+3)-\frac{1}{4}x^2\Big]_{0}^{1}$$

$$=2\Big(\ln 4-\frac{1}{4}-\ln 3\Big)$$

$$=-\frac{1}{2}+2\ln\frac{4}{3}\qquad\cdots\cdots\text{(나)}$$

따라서 $a=-\dfrac{1}{2}$, $b=\dfrac{4}{3}$이므로 $ab=-\dfrac{2}{3}\qquad\cdots\cdots\text{(다)}$

채점 기준	배점
(가) 곡선과 직선의 교점의 x좌표를 구한다.	2점
(나) 곡선과 직선으로 둘러싸인 도형의 넓이를 구한다.	3점
(다) ab의 값을 구한다.	1점

26 $$S_A=\int_{e}^{e^2}\log_3 x\,dx$$

$$=\frac{1}{\ln 3}\int_{e}^{e^2}\ln x\,dx$$

$$=\frac{1}{\ln 3}\Big(\Big[x\ln x\Big]_{e}^{e^2}-\int_{e}^{e^2}dx\Big)$$

$$=\frac{1}{\ln 3}\Big(2e^2-e-\Big[x\Big]_{e}^{e^2}\Big)=\frac{e^2}{\ln 3}\qquad\cdots\cdots\text{(가)}$$

$$S_B=\int_{e}^{e^2}(\log_2 x-\log_3 x)\,dx$$

$$=\Big(\frac{1}{\ln 2}-\frac{1}{\ln 3}\Big)\int_{e}^{e^2}\ln x\,dx$$

$$=\frac{e^2}{\ln 2}-\frac{e^2}{\ln 3}\qquad\cdots\cdots\text{(나)}$$

$$\therefore \frac{S_B}{S_A}=\frac{\dfrac{e^2}{\ln 2}-\dfrac{e^2}{\ln 3}}{\dfrac{e^2}{\ln 3}}=\frac{\ln 3}{\ln 2}-1$$

$$=\log_2 3-1=\log_2\frac{3}{2}$$

$$\therefore k=\frac{3}{2}\qquad\cdots\cdots\text{(다)}$$

채점 기준	배점
(가) S_A의 값을 구한다.	2점
(나) S_B의 값을 구한다.	2점
(다) k의 값을 구한다.	2점

27 오른쪽 그림과 같이 반원의 지름의 중심을 원점 O, 지름을 포함하는 직선을 x축으로 하고, x축 위의 점 $P(x,\ 0)(-2\le x\le 2)$을 지나고 x축에 수직인 평면으로 입체도형을 자를 때 반원과 만나는 P가 아닌 점을 Q라고 하면

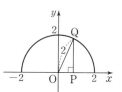

$$\overline{PQ}=\sqrt{\overline{OQ}^2-\overline{OP}^2}=\sqrt{4-x^2}$$

점 P를 지나고 x축에 수직인 평면으로 입체도형을 자른 단면의 넓이를 $S(x)$라고 하면

$$S(x)=\overline{PQ}^2=(\sqrt{4-x^2})^2=4-x^2\qquad\cdots\cdots\text{(가)}$$

따라서 구하는 부피는

$$\int_{-2}^{2}S(x)\,dx=\int_{-2}^{2}(4-x^2)\,dx$$

$$=\Big[4x-\frac{1}{3}x^3\Big]_{-2}^{2}=\frac{32}{3}\qquad\cdots\cdots\text{(나)}$$

채점 기준	배점
(가) 단면의 넓이를 식으로 나타낸다.	4점
(나) 입체도형의 부피를 구한다.	3점

1 ②	2 ⑤	3 ⑤	4 ⑤	5 ①
6 ④	7 ②	8 ③	9 ②	10 3
11 1	12 2	13 (1) 2 (2) $\frac{5}{4}$		14 2

1 ㄱ. 수열 $\{3-5n\}$은 발산$(-\infty)$한다.

ㄴ. $\lim\limits_{n\to\infty}\dfrac{1}{n^2}=0$ (수렴)

ㄷ. 수열 $\{2+(-1)^n\}$은 발산(진동)한다.

ㄹ. $\lim\limits_{n\to\infty}\dfrac{2n}{n+3}=2$ (수렴)

따라서 보기 중 수렴하는 수열은 ㄴ, ㄹ이다.

2 수열 $\{a_n\}$이 0이 아닌 실수에 수렴하므로

$\lim\limits_{n\to\infty}a_n=\lim\limits_{n\to\infty}a_{n+1}=\alpha\,(\alpha\neq0)$라고 하면

$a_n+\dfrac{4}{a_{n+1}}+4=0$에서 $\lim\limits_{n\to\infty}\left(a_n+\dfrac{4}{a_{n+1}}+4\right)=0$이므로

$\alpha+\dfrac{4}{\alpha}+4=0,\ \alpha^2+4\alpha+4=0$

$(\alpha+2)^2=0$ $\therefore \alpha=-2$

따라서 $\lim\limits_{n\to\infty}a_n=-2$이므로

$\lim\limits_{n\to\infty}(a_n+6)=-2+6=4$

3 ① $\lim\limits_{n\to\infty}\dfrac{n+3}{2n^2-1}=0$ ② $\lim\limits_{n\to\infty}\dfrac{(-1)^n}{2n+1}=0$

③ $\lim\limits_{n\to\infty}\dfrac{(n+1)^2}{n^2-3}=1$ ④ $\lim\limits_{n\to\infty}\dfrac{n}{\sqrt{n^2+4}}=1$

⑤ $\lim\limits_{n\to\infty}\dfrac{n\sqrt{n}}{3n+2}=\infty$

따라서 극한값이 존재하지 않는 것은 ⑤이다.

4 $1\times2+2\times3+3\times4+\cdots+n(n+1)$

$=\sum\limits_{k=1}^{n}k(k+1)=\sum\limits_{k=1}^{n}k^2+\sum\limits_{k=1}^{n}k$

$=\dfrac{n(n+1)(2n+1)}{6}+\dfrac{n(n+1)}{2}=\dfrac{n(n+1)(n+2)}{3}$

$\therefore \lim\limits_{n\to\infty}\dfrac{n^3}{1\times2+2\times3+3\times4+\cdots+n(n+1)}$

$=\lim\limits_{n\to\infty}\dfrac{n^3}{\dfrac{n(n+1)(n+2)}{3}}=\lim\limits_{n\to\infty}\dfrac{3n^3}{n(n+1)(n+2)}=3$

5 $\lim\limits_{n\to\infty}(n+4)a_n=\lim\limits_{n\to\infty}\left\{(2n+3)a_n\times\dfrac{n+4}{2n+3}\right\}=2\times\dfrac{1}{2}=1$

6 $b\geq0$이면 $\lim\limits_{n\to\infty}(\sqrt{n^2+an}+bn)=\infty$이므로 $b<0$

$\lim\limits_{n\to\infty}(\sqrt{n^2+an}+bn)$

$=\lim\limits_{n\to\infty}\dfrac{(\sqrt{n^2+an}+bn)(\sqrt{n^2+an}-bn)}{\sqrt{n^2+an}-bn}$

$=\lim\limits_{n\to\infty}\dfrac{(1-b^2)n^2+an}{\sqrt{n^2+an}-bn}$

$1-b^2\neq0$이면 $\lim\limits_{n\to\infty}\dfrac{(1-b^2)n^2+an}{\sqrt{n^2+an}-bn}=\infty$ (또는 $-\infty$)이므로

$1-b^2=0$ $\therefore b=-1\ (\because b<0)$

따라서 $\lim\limits_{n\to\infty}\dfrac{an}{\sqrt{n^2+an}+n}=\dfrac{a}{2}=4$이므로 $a=8$

$\therefore a+b=7$

7 $n>2$인 모든 자연수 n에 대하여

$0<2n^2-4n<a_n<2n^2+4n$이므로

$\dfrac{1}{2n^2+4n}<\dfrac{1}{a_n}<\dfrac{1}{2n^2-4n}$

위의 부등식의 각 변에 n^2을 곱하면

$\dfrac{n^2}{2n^2+4n}<\dfrac{n^2}{a_n}<\dfrac{n^2}{2n^2-4n}$

이때 $\lim\limits_{n\to\infty}\dfrac{n^2}{2n^2+4n}=\dfrac{1}{2}$, $\lim\limits_{n\to\infty}\dfrac{n^2}{2n^2-4n}=\dfrac{1}{2}$이므로

$\lim\limits_{n\to\infty}\dfrac{n^2}{a_n}=\dfrac{1}{2}$

8 주어진 등비수열의 첫째항은 $(x-1)(2x-1)$, 공비는

$2x-1$이므로 이 등비수열이 수렴하려면

$(x-1)(2x-1)=0$ 또는 $-1<2x-1\leq1$

$(x-1)(2x-1)=0$에서 $x=1$ 또는 $x=\dfrac{1}{2}$ ⋯⋯ ㉠

$-1<2x-1\leq1$에서 $0<x\leq1$ ⋯⋯ ㉡

㉠, ㉡에서 $0<x\leq1$

9 $\log_2 a_n=n$에서 $a_n=2^n$

$\log_3 b_n=n+1$에서 $b_n=3^{n+1}$

$\therefore \lim\limits_{n\to\infty}\dfrac{a_n-b_n}{a_n+b_n}=\lim\limits_{n\to\infty}\dfrac{2^n-3^{n+1}}{2^n+3^{n+1}}=\lim\limits_{n\to\infty}\dfrac{\left(\dfrac{2}{3}\right)^n-3}{\left(\dfrac{2}{3}\right)^n+3}=-1$

10 (i) $0<r<1$일 때, $\lim\limits_{n\to\infty}r^n=0$이므로

$\lim\limits_{n\to\infty}\dfrac{r^{n+2}+2r+5}{r^n+1}=2r+5=4$

그런데 $0<r<1$이므로 이를 만족하는 실수 r는 없다.

(ii) $r=1$일 때, $\lim\limits_{n\to\infty}r^n=1$이므로

$\lim\limits_{n\to\infty}\dfrac{r^{n+2}+2r+5}{r^n+1}=\dfrac{1+2+5}{1+1}=4$

$\therefore r=1$

(iii) $r>1$일 때, $\lim\limits_{n\to\infty}\left(\dfrac{1}{r}\right)^n=0$이므로

$\lim\limits_{n\to\infty}\dfrac{r^{n+2}+2r+5}{r^n+1}=\lim\limits_{n\to\infty}\dfrac{r^2+2\left(\dfrac{1}{r}\right)^{n-1}+5\left(\dfrac{1}{r}\right)^n}{1+\left(\dfrac{1}{r}\right)^n}$

$=r^2=4$

$\therefore r=2\ (\because r>1)$

(i), (ii), (iii)에서 실수 r는 1, 2이므로 $1+2=3$

11 $\dfrac{a_2}{a_1}\le\dfrac{2}{3}$, $\dfrac{a_3}{a_2}\le\dfrac{2}{3}$, $\dfrac{a_4}{a_3}\le\dfrac{2}{3}$, $\cdots$, $\dfrac{a_n}{a_{n-1}}\le\dfrac{2}{3}$이므로

$0<\dfrac{a_2}{a_1}\times\dfrac{a_3}{a_2}\times\dfrac{a_4}{a_3}\times\cdots\times\dfrac{a_n}{a_{n-1}}\le\left(\dfrac{2}{3}\right)^{n-1}$

$0<\dfrac{a_n}{a_1}\le\left(\dfrac{2}{3}\right)^{n-1}$

$a_1>0$이므로 위의 부등식의 각 변에 a_1을 곱하면

$\therefore\ 0<a_n\le a_1\left(\dfrac{2}{3}\right)^{n-1}$

이때 $\displaystyle\lim_{n\to\infty}a_1\left(\dfrac{2}{3}\right)^{n-1}=0$이므로 $\displaystyle\lim_{n\to\infty}a_n=0$

$\therefore\ \displaystyle\lim_{n\to\infty}\dfrac{4a_n+n+3}{a_n+n+2}=1$

12 이차방정식 $x^2+2a_nx+a_{n+1}+2=0$이 중근을 가지므로 이 이차방정식의 판별식을 D라고 하면

$\dfrac{D}{4}=a_n{}^2-(a_{n+1}+2)=0$

$\therefore\ a_n{}^2-a_{n+1}-2=0$ ...... (가)

즉, $\displaystyle\lim_{n\to\infty}(a_n{}^2-a_{n+1}-2)=0$이고 수열 $\{a_n\}$이 수렴하므로

$\displaystyle\lim_{n\to\infty}a_n=\lim_{n\to\infty}a_{n+1}=\alpha$ (α는 실수)라고 하면 ...... (나)

$\alpha^2-\alpha-2=0$, $(\alpha+1)(\alpha-2)=0$

$\therefore\ \alpha=2\ (\because a_n>0)$ $\therefore\ \displaystyle\lim_{n\to\infty}a_n=2$ ...... (다)

채점 기준	배점
(가) 판별식을 이용하여 a_n에 대한 식을 세운다.	2점
(나) $\displaystyle\lim_{n\to\infty}a_n$, $\displaystyle\lim_{n\to\infty}a_{n+1}$의 값이 서로 같음을 알고 한 문자로 놓는다.	3점
(다) $\displaystyle\lim_{n\to\infty}a_n$의 값을 구한다.	3점

13 (1) $\displaystyle\lim_{n\to\infty}(2a_n-b_n)=3$에서 $\displaystyle\lim_{n\to\infty}a_n\left(2-\dfrac{b_n}{a_n}\right)=3$

$\displaystyle\lim_{n\to\infty}\left(2-\dfrac{b_n}{a_n}\right)\ne0$이면 $\displaystyle\lim_{n\to\infty}a_n\left(2-\dfrac{b_n}{a_n}\right)=\infty$ (또는 $-\infty$)

이므로

$\displaystyle\lim_{n\to\infty}\left(2-\dfrac{b_n}{a_n}\right)=0$ $\therefore\ \displaystyle\lim_{n\to\infty}\dfrac{b_n}{a_n}=2$ ...... (가)

(2) $\displaystyle\lim_{n\to\infty}\dfrac{a_n+2b_n}{2a_n+b_n}=\lim_{n\to\infty}\dfrac{1+2\times\dfrac{b_n}{a_n}}{2+\dfrac{b_n}{a_n}}=\dfrac{1+4}{2+2}=\dfrac{5}{4}$ ...... (나)

채점 기준	배점
(가) $\displaystyle\lim_{n\to\infty}\dfrac{b_n}{a_n}$의 값을 구한다.	4점
(나) $\displaystyle\lim_{n\to\infty}\dfrac{a_n+2b_n}{2a_n+b_n}$의 값을 구한다.	3점

14 등비수열 $\left\{\left(\dfrac{2x-1}{3}\right)^n\right\}$의 첫째항은 $\dfrac{2x-1}{3}$, 공비는

$\dfrac{2x-1}{3}$이므로 이 등비수열이 수렴하려면

$-1<\dfrac{2x-1}{3}\le1$ $\therefore\ -1<x\le2$ ...... ㉠ ...... (가)

등비수열 $\left\{\left(\dfrac{\log_3 x}{2}\right)^n\right\}$의 첫째항은 $\dfrac{\log_3 x}{2}$, 공비는 $\dfrac{\log_3 x}{2}$

이므로 이 등비수열이 수렴하려면

$-1<\dfrac{\log_3 x}{2}\le1$ $\therefore\ \dfrac{1}{9}<x\le9$ ...... ㉡ ...... (나)

㉠, ㉡에서 $\dfrac{1}{9}<x\le2$이므로 두 등비수열이 모두 수렴하기

위한 정수 x는 1, 2의 2개이다. ...... (다)

채점 기준	배점
(가) 수열 $\left\{\left(\dfrac{2x-1}{3}\right)^n\right\}$이 수렴하기 위한 x의 값의 범위를 구한다.	3점
(나) 수열 $\left\{\left(\dfrac{\log_3 x}{2}\right)^n\right\}$이 수렴하기 위한 x의 값의 범위를 구한다.	3점
(다) 조건을 만족하는 정수 x의 개수를 구한다.	2점

03~04강 내공 점검 p. 90~91

1 ⑤	2 ①	3 ②	4 ㄴ	5 ㄷ
6 3	7 $\dfrac{3}{2}$	8 $\dfrac{7}{8}$	9 ④	10 4
11 3	12 $\dfrac{35}{6}$	13 3		

1 $\dfrac{3}{1^2\times2^2}+\dfrac{5}{2^2\times3^2}+\dfrac{7}{3^2\times4^2}+\dfrac{9}{4^2\times5^2}+\cdots$

$=\displaystyle\sum_{n=1}^{\infty}\dfrac{2n+1}{n^2(n+1)^2}=\lim_{n\to\infty}\sum_{k=1}^{n}\dfrac{2k+1}{k^2(k+1)^2}$

$=\displaystyle\lim_{n\to\infty}\sum_{k=1}^{n}\left\{\dfrac{1}{k^2}-\dfrac{1}{(k+1)^2}\right\}$

$=\displaystyle\lim_{n\to\infty}\left\{\left(1-\dfrac{1}{2^2}\right)+\left(\dfrac{1}{2^2}-\dfrac{1}{3^2}\right)+\left(\dfrac{1}{3^2}-\dfrac{1}{4^2}\right)\right.$

$\left.+\cdots+\left(\dfrac{1}{n^2}-\dfrac{1}{(n+1)^2}\right)\right\}$

$=\displaystyle\lim_{n\to\infty}\left\{1-\dfrac{1}{(n+1)^2}\right\}=1$

2 $a_n=S_n-S_{n-1}=(2n^2+5n)-\{2(n-1)^2+5(n-1)\}$

$=4n+3$ (단, $n\ge2$)

이때 $a_1=S_1=7$이므로 $a_n=4n+3$

$\therefore\ \displaystyle\sum_{n=1}^{\infty}\dfrac{1}{a_na_{n+1}}=\lim_{n\to\infty}\sum_{k=1}^{n}\dfrac{1}{(4k+3)(4k+7)}$

$=\displaystyle\lim_{n\to\infty}\sum_{k=1}^{n}\dfrac{1}{4}\left(\dfrac{1}{4k+3}-\dfrac{1}{4k+7}\right)$

$=\dfrac{1}{4}\displaystyle\lim_{n\to\infty}\left\{\left(\dfrac{1}{7}-\dfrac{1}{11}\right)+\left(\dfrac{1}{11}-\dfrac{1}{15}\right)\right.$

$+\left(\dfrac{1}{15}-\dfrac{1}{19}\right)+\cdots+\left(\dfrac{1}{4n+3}-\dfrac{1}{4n+7}\right)\left.\right\}$

$=\dfrac{1}{4}\displaystyle\lim_{n\to\infty}\left(\dfrac{1}{7}-\dfrac{1}{4n+7}\right)=\dfrac{1}{28}$

3 $\sum\limits_{n=1}^{\infty}(4-2a_n)$이 수렴하므로 $\lim\limits_{n\to\infty}(4-2a_n)=0$

$\therefore \lim\limits_{n\to\infty}a_n=2$

$\therefore \lim\limits_{n\to\infty}\dfrac{3a_n+2}{a_n+2}=\dfrac{3\times2+2}{2+2}=2$

4 ㄱ. [반례] $a_n=\sqrt{n+1}-\sqrt{n}$이면

$\lim\limits_{n\to\infty}a_n=\lim\limits_{n\to\infty}\dfrac{1}{\sqrt{n+1}+\sqrt{n}}=0$이지만

$\sum\limits_{n=1}^{\infty}a_n=\lim\limits_{n\to\infty}\sum\limits_{k=1}^{n}(\sqrt{k+1}-\sqrt{k})$

$\qquad=\lim\limits_{n\to\infty}\{(\sqrt{2}-\sqrt{1})+(\sqrt{3}-\sqrt{2})+(\sqrt{4}-\sqrt{3})$

$\qquad\qquad\qquad+\cdots+(\sqrt{n+1}-\sqrt{n})\}$

$\qquad=\lim\limits_{n\to\infty}(\sqrt{n+1}-1)=\infty$

ㄴ. $\sum\limits_{n=1}^{\infty}a_n=\sum\limits_{n=1}^{\infty}\{(a_n-2b_n)+2b_n\}=\sum\limits_{n=1}^{\infty}(a_n-2b_n)+2\sum\limits_{n=1}^{\infty}b_n$

따라서 $\sum\limits_{n=1}^{\infty}a_n$도 수렴한다.

ㄷ. [반례] $a_n=n$, $b_n=n$이면 $\sum\limits_{n=1}^{\infty}(a_n-b_n)=0$이지만

$\lim\limits_{n\to\infty}a_n$, $\lim\limits_{n\to\infty}b_n$의 값은 존재하지 않는다.

따라서 보기 중 옳은 것은 ㄴ이다.

5 ㄱ. $1+3+5+7+9+11+\cdots=\sum\limits_{n=1}^{\infty}(2n-1)$에서

$\lim\limits_{n\to\infty}(2n-1)=\infty\neq0$이므로 주어진 급수는 발산한다.

ㄴ. $S_1=2$, $S_2=-2$, $S_3=4$, $S_4=-4$, $S_5=6$, $S_6=-6$, $\cdots$

이므로 $S_{2n-1}=2n$, $S_{2n}=-2n$

$\therefore \lim\limits_{n\to\infty}S_{2n-1}=\infty$, $\lim\limits_{n\to\infty}S_{2n}=-\infty$

따라서 주어진 급수는 발산한다.

ㄷ. 주어진 등비급수의 공비는 $-\dfrac{1}{2}$이고 $\left|-\dfrac{1}{2}\right|<1$이므로

이 급수는 수렴한다.

따라서 보기 중 수렴하는 급수는 ㄷ이다.

6 주어진 등비급수의 공비는 $\dfrac{x^2}{3}$이므로 이 등비급수가 수렴

하려면

$-1<\dfrac{x^2}{3}<1$, $x^2<3$ $\quad \therefore -\sqrt{3}<x<\sqrt{3}$

따라서 정수 x는 -1, 0, 1의 3개이다.

7 $6x^2-5x+1=0$에서 $(3x-1)(2x-1)=0$

$\therefore x=\dfrac{1}{3}$ 또는 $x=\dfrac{1}{2}$

$\therefore \sum\limits_{n=1}^{\infty}(\alpha^n+\beta^n)=\sum\limits_{n=1}^{\infty}\left\{\left(\dfrac{1}{3}\right)^n+\left(\dfrac{1}{2}\right)^n\right\}$

$\qquad=\sum\limits_{n=1}^{\infty}\left(\dfrac{1}{3}\right)^n+\sum\limits_{n=1}^{\infty}\left(\dfrac{1}{2}\right)^n$

$\qquad=\dfrac{\frac{1}{3}}{1-\frac{1}{3}}+\dfrac{\frac{1}{2}}{1-\frac{1}{2}}=\dfrac{1}{2}+1=\dfrac{3}{2}$

8 $a_1^2+a_1=6$이므로 $a_2=1$, $a_2^2+a_2=2$이므로 $a_3=2$, $\cdots$

따라서 $a_1=2$, $a_2=1$, $a_3=2$, $a_4=1$, $\cdots$이므로

$\sum\limits_{n=1}^{\infty}\dfrac{a_n}{3^n}=\dfrac{2}{3}+\dfrac{1}{3^2}+\dfrac{2}{3^3}+\dfrac{1}{3^4}+\dfrac{2}{3^5}+\dfrac{1}{3^6}+\cdots$

$\qquad=\left(\dfrac{2}{3}+\dfrac{2}{3^3}+\dfrac{2}{3^5}+\cdots\right)+\left(\dfrac{1}{3^2}+\dfrac{1}{3^4}+\dfrac{1}{3^6}+\cdots\right)$

$\qquad=\dfrac{\frac{2}{3}}{1-\frac{1}{9}}+\dfrac{\frac{1}{9}}{1-\frac{1}{9}}=\dfrac{3}{4}+\dfrac{1}{8}=\dfrac{7}{8}$

9 등비수열 $\{a_n\}$의 첫째항을 a, 공비를 r라고 하면

$a_2=0.3\dot{5}$에서 $ar=\dfrac{16}{45}$ $\qquad \cdots\cdots$ ㉠

$a_5=0.0\dot{4}$에서 $ar^4=\dfrac{2}{45}$ $\qquad \cdots\cdots$ ㉡

㉡$\div$㉠을 하면 $r^3=\dfrac{1}{8}$ $\quad \therefore r=\dfrac{1}{2}$

$r=\dfrac{1}{2}$을 ㉠에 대입하여 풀면 $a=\dfrac{32}{45}$

$\therefore \sum\limits_{n=1}^{\infty}a_n=\dfrac{\frac{32}{45}}{1-\frac{1}{2}}=\dfrac{64}{45}=1.4\dot{2}$

10 정삼각형 $A_{n-1}A_nB_n$의 넓이가 $\dfrac{\sqrt{3}}{4^{n-1}}$이므로

$\dfrac{\sqrt{3}}{4}\overline{A_{n-1}A_n}^2=\dfrac{\sqrt{3}}{4^{n-1}}$ $\quad \therefore \overline{A_{n-1}A_n}=\dfrac{1}{2^{n-2}}$

따라서 점 B_n의 x좌표는

$x_1=\dfrac{1}{2}\overline{A_0A_1}=1$

$x_2=\overline{A_0A_1}+\dfrac{1}{2}\overline{A_1A_2}=2+\dfrac{1}{2}$

$x_3=\overline{A_0A_2}+\dfrac{1}{2}\overline{A_2A_3}=(2+1)+\left(\dfrac{1}{2}\right)^2$

$\vdots$

$x_n=\overline{A_0A_{n-1}}+\dfrac{1}{2}\overline{A_{n-1}A_n}=\sum\limits_{k=1}^{n-1}\dfrac{1}{2^{k-2}}+\dfrac{1}{2^{n-1}}$

$\therefore \lim\limits_{n\to\infty}x_n=\lim\limits_{n\to\infty}\left(\sum\limits_{k=1}^{n-1}\dfrac{1}{2^{k-2}}+\dfrac{1}{2^{n-1}}\right)$

$\qquad=\sum\limits_{n=1}^{\infty}\dfrac{1}{2^{n-2}}+\lim\limits_{n\to\infty}\dfrac{1}{2^{n-1}}=\dfrac{2}{1-\frac{1}{2}}+0=4$

11 $\sum\limits_{n=1}^{\infty}n(a_n-a_{n+1})$

$=\lim\limits_{n\to\infty}\sum\limits_{k=1}^{n}k(a_k-a_{k+1})$

$=\lim\limits_{n\to\infty}\{(a_1-a_2)+2(a_2-a_3)+3(a_3-a_4)$

$\qquad\qquad\qquad+\cdots+n(a_n-a_{n+1})\}$

$=\lim\limits_{n\to\infty}\{(a_1+a_2+a_3+\cdots+a_n)-na_{n+1}\}$ $\qquad \cdots\cdots$ (가)

$=\lim\limits_{n\to\infty}\sum\limits_{k=1}^{n}a_k-\lim\limits_{n\to\infty}na_{n+1}=\sum\limits_{n=1}^{\infty}a_n-\lim\limits_{n\to\infty}(n-1)a_n$

$=5-\lim\limits_{n\to\infty}\left\{(2n-1)a_n\times\dfrac{n-1}{2n-1}\right\}$

$=5-4\times\dfrac{1}{2}=3$ $\qquad\qquad\qquad\qquad\qquad \cdots\cdots$ (나)

채점 기준	배점
(가) $\sum\limits_{n=1}^{\infty} n(a_n - a_{n+1})$ 을 극한을 이용하여 나타낸다.	4점
(나) $\sum\limits_{n=1}^{\infty} n(a_n - a_{n+1})$ 의 값을 구한다.	6점

12 $\sum\limits_{n=1}^{\infty}\{2(2a_n+b_n)-(a_n+2b_n)\}=2\times7-8=6$ 에서

$\sum\limits_{n=1}^{\infty} 3a_n=6$ $\therefore \sum\limits_{n=1}^{\infty} a_n=2$ …… (가)

$\sum\limits_{n=1}^{\infty}\{(2a_n+b_n)-2a_n\}=7-2\times2=3$ 에서

$\sum\limits_{n=1}^{\infty} b_n=3$ …… (나)

두 등비수열 $\{a_n\}$, $\{b_n\}$ 의 공비를 각각 r, s라고 하면

$\dfrac{1}{1-r}=2$, $\dfrac{2}{1-s}=3$ $\therefore r=\dfrac{1}{2}$, $s=\dfrac{1}{3}$ …… (다)

$\therefore \sum\limits_{n=1}^{\infty}(a_n{}^2+b_n{}^2)=\sum\limits_{n=1}^{\infty} a_n{}^2+\sum\limits_{n=1}^{\infty} b_n{}^2$

$=\dfrac{1}{1-\dfrac{1}{4}}+\dfrac{4}{1-\dfrac{1}{9}}$

$=\dfrac{4}{3}+\dfrac{9}{2}=\dfrac{35}{6}$ …… (라)

채점 기준	배점
(가) $\sum\limits_{n=1}^{\infty} a_n$ 의 값을 구한다.	2점
(나) $\sum\limits_{n=1}^{\infty} b_n$ 의 값을 구한다.	2점
(다) 두 수열 $\{a_n\}$, $\{b_n\}$ 의 공비를 각각 구한다.	3점
(라) $\sum\limits_{n=1}^{\infty}(a_n{}^2+b_n{}^2)$ 의 값을 구한다.	3점

13 $\overline{AA_1}=\dfrac{2}{m+1}=\overline{BB_1}$, $\overline{A_1B}=\dfrac{2m}{m+1}$ 이므로

$\overline{A_1B_1}=\sqrt{\left(\dfrac{2}{m+1}\right)^2+\left(\dfrac{2m}{m+1}\right)^2}=\dfrac{2\sqrt{m^2+1}}{m+1}$

$\therefore S_1=\dfrac{4(m^2+1)}{(m+1)^2}$ …… (가)

$\square A_nB_nC_nD_n \backsim \square A_{n+1}B_{n+1}C_{n+1}D_{n+1}$ 이고 닮음비가

$1:\dfrac{\sqrt{m^2+1}}{m+1}$ 이므로

$S_{n+1}=\dfrac{m^2+1}{(m+1)^2} S_n$ …… (나)

$\therefore \sum\limits_{n=1}^{\infty} S_n=\dfrac{\dfrac{4(m^2+1)}{(m+1)^2}}{1-\dfrac{m^2+1}{(m+1)^2}}=\dfrac{2(m^2+1)}{m}$

즉, $\dfrac{2(m^2+1)}{m}=\dfrac{20}{3}$ 에서

$3(m^2+1)=10m$, $(3m-1)(m-3)=0$

$\therefore m=3 \ (\because m>1)$ …… (다)

채점 기준	배점
(가) S_1 을 m에 대한 식으로 나타낸다.	3점
(나) S_n 과 S_{n+1} 사이의 관계식을 구한다.	3점
(다) m의 값을 구한다.	4점

05~06강 내공 점검   p. 92~93

1 -5	2 ②	3 ③	4 ④	5 ⑤
6 5	7 ②	8 ⑤	9 ④	10 ②
11 (1) 3 (2) e^9		12 1	13 -3	

1 $\lim\limits_{x\to\infty}\dfrac{2^{x+1}+5^{x+1}}{2^x-5^x}=\lim\limits_{x\to\infty}\dfrac{2\left(\dfrac{2}{5}\right)^x+5}{\left(\dfrac{2}{5}\right)^x-1}=-5$

2 $\lim\limits_{x\to2+}\{\ln(2x-4)-\ln(2x^2-5x+2)\}$

$=\lim\limits_{x\to2+}\ln\dfrac{2(x-2)}{(2x-1)(x-2)}$

$=\lim\limits_{x\to2+}\ln\dfrac{2}{2x-1}$

$=\ln\dfrac{2}{3}$

3 ㄱ. $\lim\limits_{x\to\infty}\left(1+\dfrac{1}{x}\right)^{2x}=\lim\limits_{x\to\infty}\left\{\left(1+\dfrac{1}{x}\right)^x\right\}^2=e^2$

ㄴ. $\lim\limits_{x\to\infty}\left(1+\dfrac{1}{x}\right)^{\sqrt{2x}}=\lim\limits_{x\to\infty}\left\{\left(1+\dfrac{1}{x}\right)^x\right\}^{\sqrt{\frac{2}{x}}}=e^0=1$

ㄷ. $\lim\limits_{x\to\infty}\left(1+\dfrac{1}{x}\right)^{2x^2}=\lim\limits_{x\to\infty}\left\{\left(1+\dfrac{1}{x}\right)^x\right\}^{2x}=\infty$

따라서 보기 중 극한값이 존재하는 함수는 ㄱ, ㄴ이다.

4 $f(n)=\lim\limits_{x\to0}\dfrac{e^{2nx}-e^x}{x}$

$=\lim\limits_{x\to0}\dfrac{e^{2nx}-1-(e^x-1)}{x}$

$=\lim\limits_{x\to0}\left(\dfrac{e^{2nx}-1}{2nx}\times2n-\dfrac{e^x-1}{x}\right)$

$=2n-1$

$\therefore \sum\limits_{n=1}^{10} f(n)=\sum\limits_{n=1}^{10}(2n-1)$

$=2\times\dfrac{10\times11}{2}-10=100$

5 $\lim\limits_{x\to0}\dfrac{e^{6x}-ae^{3x}+1}{x\ln(1+2x)}=b$ 에서 $\lim\limits_{x\to0} x\ln(1+2x)=0$ 이므로

$\lim\limits_{x\to0}(e^{6x}-ae^{3x}+1)=0$, $2-a=0$

$\therefore a=2$

$a=2$ 를 주어진 식에 대입하면

$\lim\limits_{x\to0}\dfrac{e^{6x}-2e^{3x}+1}{x\ln(1+2x)}=\lim\limits_{x\to0}\dfrac{(e^{3x}-1)^2}{x\ln(1+2x)}$

$=\lim\limits_{x\to0}\left\{\left(\dfrac{e^{3x}-1}{3x}\right)^2\times\dfrac{2x}{\ln(1+2x)}\times\dfrac{9}{2}\right\}$

$=1^2\times1\times\dfrac{9}{2}=\dfrac{9}{2}$

$\therefore b=\dfrac{9}{2}$

$\therefore a+b=\dfrac{13}{2}$

6 점 P의 좌표를 $(t, e^{2t}-1)$이라고 하면

$\mathrm{H}(t, 0)$, $\mathrm{Q}\left(t, \dfrac{1}{3}t\right)$

따라서 $\overline{\mathrm{OH}}=t$, $\overline{\mathrm{PQ}}=e^{2t}-1-\dfrac{1}{3}t$, $\overline{\mathrm{QH}}=\dfrac{1}{3}t$이므로

$S=\dfrac{1}{2}t\left(e^{2t}-1-\dfrac{1}{3}t\right)$, $T=\dfrac{1}{2}\times t\times\dfrac{1}{3}t=\dfrac{1}{6}t^2$

점 P가 원점 O에 한없이 가까워지면 $t\to0+$이므로

$\displaystyle\lim_{t\to0+}\dfrac{S}{T}=\lim_{t\to0+}\dfrac{\dfrac{1}{2}t\left(e^{2t}-1-\dfrac{1}{3}t\right)}{\dfrac{1}{6}t^2}$

$\qquad\qquad=\displaystyle\lim_{t\to0+}\left(\dfrac{e^{2t}-1}{2t}\times6-1\right)=1\times6-1=5$

7 $f(x)=2^x-e^{x-2}\ln x=2^x-\dfrac{1}{e^2}\times e^x\ln x$이므로

$f'(x)=2^x\ln2-\dfrac{1}{e^2}\left(e^x\ln x+e^x\times\dfrac{1}{x}\right)$

$\qquad=2^x\ln2-e^{x-2}\left(\ln x+\dfrac{1}{x}\right)$

$\therefore f'(2)=4\ln2-\left(\ln2+\dfrac{1}{2}\right)=3\ln2-\dfrac{1}{2}$

8 $a_n=\displaystyle\lim_{h\to0}\dfrac{f(1+h)-f(1-h)}{h}$

$\quad=\displaystyle\lim_{h\to0}\left\{\dfrac{f(1+h)-f(1)}{h}+\dfrac{f(1-h)-f(1)}{-h}\right\}$

$\quad=f'(1)+f'(1)=2f'(1)$

이때 $f'(x)=2nx^{2n-1}e^x+x^{2n}e^x$이므로

$a_n=2f'(1)=2(2en+e)=4en+2e$

$\therefore \displaystyle\lim_{n\to\infty}\dfrac{a_n}{n}=\lim_{n\to\infty}\dfrac{4en+2e}{n}=4e$

9 $f(x)=e^x\ln3x=e^x(\ln3+\ln x)$이므로

$f'(x)=e^x(\ln3+\ln x)+e^x\times\dfrac{1}{x}$

$\qquad=f(x)+\dfrac{e^x}{x}$

따라서 $f'(x)-f(x)=\dfrac{e^x}{x}$이므로 $g(x)=\dfrac{1}{x}$

$\therefore g\left(\dfrac{1}{2}\right)=2$

10 $f'(x)=(4x+a)\ln x+2x+a$

이때 $\displaystyle\lim_{x\to1}\dfrac{f'(x)}{x-1}=b$에서 $\displaystyle\lim_{x\to1}(x-1)=0$이므로

$\displaystyle\lim_{x\to1}f'(x)=0$, $2+a=0$ $\quad\therefore a=-2$

$x-1=t$로 놓으면 $x\to1$일 때 $t\to0$이므로

$\displaystyle\lim_{x\to1}\dfrac{f'(x)}{x-1}=\lim_{x\to1}\dfrac{(4x-2)\ln x+2x-2}{x-1}$

$\qquad\qquad=\displaystyle\lim_{t\to0}\dfrac{(4t+2)\ln(1+t)+2t}{t}$

$\qquad\qquad=\displaystyle\lim_{t\to0}\left\{(4t+2)\times\dfrac{\ln(1+t)}{t}+2\right\}$

$\qquad\qquad=2\times1+2=4$

$\therefore b=4$ $\quad\therefore a+b=2$

11 (1) $x-1=t$로 놓으면 $x\to1$일 때 $t\to0$이므로

$\displaystyle\lim_{x\to1}x^{\frac{3}{x-1}}=\lim_{t\to0}(1+t)^{\frac{3}{t}}$

$\qquad\qquad=\displaystyle\lim_{t\to0}\{(1+t)^{\frac{1}{t}}\}^3=e^3$ $\qquad$······ (가)

즉, $e^a=e^3$에서 $a=3$ $\qquad$······ (나)

(2) $\displaystyle\lim_{x\to\infty}\left(1+\dfrac{a}{x}\right)^{ax}=\lim_{x\to\infty}\left(1+\dfrac{3}{x}\right)^{3x}$

$\qquad\qquad=\displaystyle\lim_{x\to\infty}\left\{\left(1+\dfrac{3}{x}\right)^{\frac{x}{3}}\right\}^9=e^9$ $\qquad$······ (다)

채점 기준	배점
(가) $\displaystyle\lim_{x\to1}x^{\frac{3}{x-1}}$의 값을 구한다.	4점
(나) a의 값을 구한다.	2점
(다) $\displaystyle\lim_{x\to\infty}\left(1+\dfrac{a}{x}\right)^{ax}$의 값을 구한다.	4점

12 함수 $f(x)$가 $x=0$에서 연속이므로 $\displaystyle\lim_{x\to0}f(x)=f(0)$에서

$\displaystyle\lim_{x\to0}\dfrac{e^x+e^{-x}-a}{2x^2}=b$

이때 $\displaystyle\lim_{x\to0}2x^2=0$이므로

$\displaystyle\lim_{x\to0}(e^x+e^{-x}-a)=0$, $2-a=0$

$\therefore a=2$ $\qquad$······ (가)

$\therefore \displaystyle\lim_{x\to0}\dfrac{e^x+e^{-x}-a}{2x^2}=\lim_{x\to0}\dfrac{e^x+e^{-x}-2}{2x^2}$

$\qquad\qquad=\displaystyle\lim_{x\to0}\dfrac{e^{2x}-2e^x+1}{2x^2e^x}=\lim_{x\to0}\dfrac{(e^x-1)^2}{2x^2e^x}$

$\qquad\qquad=\displaystyle\lim_{x\to0}\dfrac{1}{2e^x}\left(\dfrac{e^x-1}{x}\right)^2$

$\qquad\qquad=\dfrac{1}{2}\times1^2=\dfrac{1}{2}$ $\qquad$······ (나)

$\therefore b=\dfrac{1}{2}$ $\qquad$······ (다)

$\therefore ab=1$ $\qquad$······ (라)

채점 기준	배점
(가) a의 값을 구한다.	2점
(나) $\displaystyle\lim_{x\to0}f(x)$의 값을 구한다.	5점
(다) b의 값을 구한다.	2점
(라) ab의 값을 구한다.	1점

13 $f'(x)=(3x^2-4)e^x+(x^3-4x+4)e^x$

$\qquad=(x^3+3x^2-4x)e^x$ $\qquad$······ (가)

$f'(a)=0$에서 $(a^3+3a^2-4a)e^a=0$

$a^3+3a^2-4a=0$ $(\because e^a>0)$

$a(a+4)(a-1)=0$

$\therefore a=-4$ 또는 $a=0$ 또는 $a=1$ $\qquad$······ (나)

따라서 모든 실수 a의 값의 합은

$-4+0+1=-3$ $\qquad$······ (다)

채점 기준	배점
(가) $f'(x)$를 구한다.	6점
(나) a의 값을 구한다.	2점
(다) a의 값의 합을 구한다.	2점

1 ①	2 3	3 ②	4 ①	5 ③
6 ②	7 ⑤	8 ④	9 ④	10 ①
11 ①	12 2	13 2	14 −4	

1 $\sin\theta+\cos\theta=\dfrac{1}{2}$의 양변을 제곱하면

$\sin^2\theta+2\sin\theta\cos\theta+\cos^2\theta=\dfrac{1}{4}$

$1+2\sin\theta\cos\theta=\dfrac{1}{4}$　　$\therefore \sin\theta\cos\theta=-\dfrac{3}{8}$

$\therefore \csc\theta+\sec\theta=\dfrac{1}{\sin\theta}+\dfrac{1}{\cos\theta}$

$\qquad\qquad\qquad=\dfrac{\sin\theta+\cos\theta}{\sin\theta\cos\theta}$

$\qquad\qquad\qquad=\dfrac{\dfrac{1}{2}}{-\dfrac{3}{8}}=-\dfrac{4}{3}$

2 $\overline{OP}=\sqrt{5}$이므로　$\sin\theta=\dfrac{\sqrt{5}}{5}$, $\cos\theta=\dfrac{2\sqrt{5}}{5}$

$\therefore \sqrt{10}\sin\left(\theta+\dfrac{\pi}{4}\right)=\sqrt{10}\left(\sin\theta\cos\dfrac{\pi}{4}+\cos\theta\sin\dfrac{\pi}{4}\right)$

$\qquad\qquad\qquad\qquad=\sqrt{10}\left(\dfrac{\sqrt{5}}{5}\times\dfrac{\sqrt{2}}{2}+\dfrac{2\sqrt{5}}{5}\times\dfrac{\sqrt{2}}{2}\right)$

$\qquad\qquad\qquad\qquad=\sqrt{10}\times\dfrac{3\sqrt{10}}{10}=3$

3 $\tan x+3\cot x=\dfrac{15}{4}$에서

$\tan x+\dfrac{3}{\tan x}=\dfrac{15}{4}$

$\tan x=X$로 놓으면　$X+\dfrac{3}{X}=\dfrac{15}{4}$

$4X^2-15X+12=0$

위의 이차방정식의 두 근은 $\tan\alpha$, $\tan\beta$이므로 근과 계수의 관계에 의하여

$\tan\alpha+\tan\beta=\dfrac{15}{4}$, $\tan\alpha\tan\beta=3$

$\therefore \tan(\alpha+\beta)=\dfrac{\tan\alpha+\tan\beta}{1-\tan\alpha\tan\beta}$

$\qquad\qquad\qquad=\dfrac{\dfrac{15}{4}}{1-3}=-\dfrac{15}{8}$

4 두 직선 $y=x+2$, $y=3x-1$이 x축의 양의 방향과 이루는 각의 크기를 각각 α, β라고 하면

$\tan\alpha=1$, $\tan\beta=3$

이때 $\theta=\beta-\alpha$이므로

$\tan\theta=\tan(\beta-\alpha)$

$\qquad\quad=\dfrac{\tan\beta-\tan\alpha}{1+\tan\beta\tan\alpha}$

$\qquad\quad=\dfrac{3-1}{1+3\times1}=\dfrac{1}{2}$

5 점 P에서 변 AD에 내린 수선의 발을 R라 하고, ∠PAR=α라고 하면 직각삼각형 PAR에서

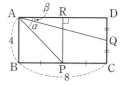

$\overline{AR}=4$, $\overline{PR}=4$

$\therefore \tan\alpha=\dfrac{\overline{PR}}{\overline{AR}}=\dfrac{4}{4}=1$

∠QAD=β라고 하면 직각삼각형 QAD에서

$\overline{AD}=8$, $\overline{QD}=2$

$\therefore \tan\beta=\dfrac{\overline{QD}}{\overline{AD}}=\dfrac{2}{8}=\dfrac{1}{4}$

이때 $\theta=\alpha-\beta$이므로

$\tan\theta=\tan(\alpha-\beta)$

$\qquad\quad=\dfrac{\tan\alpha-\tan\beta}{1+\tan\alpha\tan\beta}$

$\qquad\quad=\dfrac{1-\dfrac{1}{4}}{1+1\times\dfrac{1}{4}}=\dfrac{3}{5}$

6 $3\sin\theta-4\cos\theta=0$에서　$3\sin\theta=4\cos\theta$　……㉠

양변을 제곱하면

$9\sin^2\theta=16\cos^2\theta$, $9\sin^2\theta=16(1-\sin^2\theta)$

$\therefore \sin^2\theta=\dfrac{16}{25}$

$0<\theta<\pi$에서 $\sin\theta>0$이므로　$\sin\theta=\dfrac{4}{5}$

이것을 ㉠에 대입하여 풀면　$\cos\theta=\dfrac{3}{5}$

$\therefore 50\sin2\theta=50\times2\sin\theta\cos\theta$

$\qquad\qquad\quad=50\times2\times\dfrac{4}{5}\times\dfrac{3}{5}=48$

7 $f(x)=\cos2x+4\cos x-3$

$\qquad\quad=(2\cos^2x-1)+4\cos x-3$

$\qquad\quad=2\cos^2x+4\cos x-4$

$\qquad\quad=2(\cos x+1)^2-6$

이때 $-1\le\cos x\le1$이므로 $f(x)$는 $\cos x=1$일 때 최댓값이 $M=2$, $\cos x=-1$일 때 최솟값이 $m=-6$이다.

$\therefore M-m=8$

8 $\displaystyle\lim_{x\to2\pi}\dfrac{\sec x-1}{\tan^2x}=\lim_{x\to2\pi}\dfrac{\sec x-1}{\sec^2x-1}$

$\qquad\qquad\qquad\quad=\lim_{x\to2\pi}\dfrac{\sec x-1}{(\sec x+1)(\sec x-1)}$

$\qquad\qquad\qquad\quad=\lim_{x\to2\pi}\dfrac{1}{\sec x+1}$

$\qquad\qquad\qquad\quad=\lim_{x\to2\pi}\dfrac{1}{\dfrac{1}{\cos x}+1}$

$\qquad\qquad\qquad\quad=\lim_{x\to2\pi}\dfrac{\cos x}{1+\cos x}$

$\qquad\qquad\qquad\quad=\dfrac{1}{1+1}=\dfrac{1}{2}$

9
$$\lim_{x\to 0}\frac{2\sin x-\sin 2x}{x\sin^2 x}=\lim_{x\to 0}\frac{2\sin x-2\sin x\cos x}{x(1-\cos^2 x)}$$
$$=\lim_{x\to 0}\frac{2\sin x(1-\cos x)}{x(1+\cos x)(1-\cos x)}$$
$$=\lim_{x\to 0}\left(\frac{\sin x}{x}\times\frac{2}{1+\cos x}\right)$$
$$=1\times 1=1$$

10 $\lim_{x\to 0}\dfrac{\sqrt{6x+a}+b}{\tan x}=\dfrac{3}{2}$에서 $\lim_{x\to 0}\tan x=0$이므로
$$\lim_{x\to 0}(\sqrt{6x+a}+b)=0,\ \sqrt{a}+b=0$$
$$\therefore b=-\sqrt{a}\qquad\cdots\cdots\ \text{㉠}$$
㉠을 주어진 식에 대입하면
$$\lim_{x\to 0}\frac{\sqrt{6x+a}+b}{\tan x}=\lim_{x\to 0}\frac{\sqrt{6x+a}-\sqrt{a}}{\tan x}$$
$$=\lim_{x\to 0}\frac{6x}{\tan x(\sqrt{6x+a}+\sqrt{a})}$$
$$=\lim_{x\to 0}\left(\frac{x}{\tan x}\times\frac{6}{\sqrt{6x+a}+\sqrt{a}}\right)$$
$$=1\times\frac{3}{\sqrt{a}}=\frac{3}{\sqrt{a}}$$
즉, $\dfrac{3}{\sqrt{a}}=\dfrac{3}{2}$에서 $\sqrt{a}=2$ $\therefore a=4$
$a=4$를 ㉠에 대입하면 $b=-2$
$$\therefore ab=-8$$

11
$$g(x)=f'(x)$$
$$=e^x(\sin x+\cos x)+e^x(\cos x-\sin x)$$
$$=2e^x\cos x$$
$$h(x)=g'(x)$$
$$=2e^x\cos x-2e^x\sin x$$
$$=2e^x(\cos x-\sin x)$$
$h(x)=af(x)+bg(x)$에서
$$2e^x(\cos x-\sin x)=ae^x(\sin x+\cos x)+2be^x\cos x$$
$$e^x(-2\sin x+2\cos x)=e^x\{a\sin x+(a+2b)\cos x\}$$
따라서 $a=-2,\ a+2b=2$이므로 $b=2$
$$\therefore a+b=0$$

12 $\angle GPH=\theta$라고 하면 $0<\theta<\dfrac{\pi}{2}$
$\overline{PF}=\overline{PG}=\overline{PH}=a$이므로
$$S=\frac{1}{2}a^2\theta\qquad\cdots\cdots\ \text{㈎}$$
$\angle PFG=\angle PGF=\angle GPH=\theta$이므로
$$\angle FPG=\pi-2\theta$$
$$\therefore T=\frac{1}{2}\times\overline{GP}\times\overline{FP}\sin(\pi-2\theta)$$
$$=\frac{1}{2}\times a\times a\sin(\pi-2\theta)$$
$$=\frac{1}{2}a^2\sin 2\theta\qquad\cdots\cdots\ \text{㈏}$$

한편 점 G에서 선분 PH에 내린 수선의 발을 G′이라고 하면
삼각형 PGG′에서 $\sin\theta=\dfrac{\overline{GG'}}{\overline{PG}}=\dfrac{2}{a}$
따라서 $a\to\infty$일 때 $\theta\to 0+$이므로
$$\lim_{a\to\infty}\frac{T}{S}=\lim_{\theta\to 0+}\frac{\dfrac{1}{2}a^2\sin 2\theta}{\dfrac{1}{2}a^2\theta}$$
$$=\lim_{\theta\to 0+}\frac{\sin 2\theta}{2\theta}\times 2=1\times 2=2\qquad\cdots\cdots\ \text{㈐}$$

채점 기준	배점
㈎ S를 식으로 나타낸다.	2점
㈏ T를 식으로 나타낸다.	2점
㈐ $\lim_{a\to\infty}\dfrac{T}{S}$의 값을 구한다.	4점

13
$$f'(0)=\lim_{h\to 0}\frac{f(h)-f(0)}{h}$$
$$=\lim_{h\to 0}\frac{\sin 2h+h^2\cos\dfrac{1}{h}}{h}$$
$$=\lim_{h\to 0}\frac{\sin 2h}{2h}\times 2+\lim_{h\to 0}h\cos\frac{1}{h}\qquad\cdots\cdots\ \text{㈎}$$
$-1<\cos\dfrac{1}{h}<1$에서 $-|h|<h\cos\dfrac{1}{h}<|h|$이고
$\lim_{h\to 0}(-|h|)=\lim_{h\to 0}|h|=0$이므로
$$\lim_{h\to 0}h\cos\frac{1}{h}=0$$
$$\therefore f'(0)=1\times 2+0=2\qquad\cdots\cdots\ \text{㈏}$$

채점 기준	배점
㈎ $f'(0)$을 극한을 이용하여 나타낸다.	4점
㈏ $f'(0)$의 값을 구한다.	4점

14
$$\lim_{h\to 0}\frac{f\left(\dfrac{\pi}{2}+h\right)-f\left(\dfrac{\pi}{2}-h\right)}{h}$$
$$=\lim_{h\to 0}\left\{\frac{f\left(\dfrac{\pi}{2}+h\right)-f\left(\dfrac{\pi}{2}\right)}{h}+\frac{f\left(\dfrac{\pi}{2}-h\right)-f\left(\dfrac{\pi}{2}\right)}{-h}\right\}$$
$$=f'\left(\frac{\pi}{2}\right)+f'\left(\frac{\pi}{2}\right)=2f'\left(\frac{\pi}{2}\right)\qquad\cdots\cdots\ \text{㉠}\qquad\cdots\cdots\ \text{㈎}$$
이때 $f'(x)$를 구하면
$$f'(x)=\cos x\times\cos x+(1+\sin x)\times(-\sin x)$$
$$=\cos^2 x-\sin x-\sin^2 x\qquad\cdots\cdots\ \text{㈏}$$
따라서 ㉠에서 구하는 극한값은
$$2f'\left(\frac{\pi}{2}\right)=2(0-1-1^2)=-4\qquad\cdots\cdots\ \text{㈐}$$

채점 기준	배점
㈎ $\lim_{h\to 0}\dfrac{f\left(\frac{\pi}{2}+h\right)-f\left(\frac{\pi}{2}-h\right)}{h}=2f'\left(\frac{\pi}{2}\right)$임을 안다.	2점
㈏ $f'(x)$를 구한다.	3점
㈐ $2f'\left(\frac{\pi}{2}\right)$의 값을 구한다.	2점

1 ①	2 ③	3 $-\dfrac{1}{2}$	4 12	5 ①
6 ④	7 ①	8 ④	9 2	10 $\dfrac{10}{9}$
11 ③	12 -3	13 $\dfrac{3}{2}$	14 8	

1　$\displaystyle\lim_{x\to-1}\dfrac{f(x)-f(-1)}{x+1}=\lim_{x\to-1}\dfrac{f(x)-f(-1)}{x-(-1)}$
$\qquad\qquad\qquad\qquad\quad=f'(-1)$　　…… ㉠

이때 $f'(x)$를 구하면
$f'(x)=\dfrac{3(x^2+1)-(3x+1)\times 2x}{(x^2+1)^2}=\dfrac{-3x^2-2x+3}{(x^2+1)^2}$
따라서 ㉠에서 구하는 극한값은
$f'(-1)=\dfrac{1}{2}$

2　$f'(x)=\dfrac{e^x(\sin x-\cos x)-e^x(\cos x+\sin x)}{(\sin x-\cos x)^2}$
$\qquad\ =\dfrac{-2e^x\cos x}{(\sin x-\cos x)^2}$
$f'(\theta)=0$에서　$\cos\theta=0\ (\because e^\theta>0)$
$\therefore\ \theta=\dfrac{\pi}{2}$ 또는 $\theta=\dfrac{3}{2}\pi\ (\because 0\le\theta\le 2\pi)$
따라서 모든 θ의 값의 합은
$\dfrac{\pi}{2}+\dfrac{3}{2}\pi=2\pi$

3　$f(2)=2\ln 3$에서　$\dfrac{\ln 3}{2a+b}=2\ln 3$
$\therefore\ 4a+2b=1$　　…… ㉠
한편 $f(0)=0$이고,
$\displaystyle\lim_{h\to 0}\dfrac{f(h)}{h}=\lim_{h\to 0}\dfrac{f(h)-f(0)}{h}=f'(0)$이므로
$f'(0)=-\dfrac{2}{3}$
이때 $f'(x)=\dfrac{\dfrac{ax+b}{x+1}-a\ln(x+1)}{(ax+b)^2}$이므로
$f'(0)=\dfrac{b}{b^2}=-\dfrac{2}{3},\ 2b^2=-3b$
$b(2b+3)=0$　　$\therefore\ b=-\dfrac{3}{2}\ (\because b\ne 0)$
이것을 ㉠에 대입하여 풀면　$a=1$
$\therefore\ a+b=-\dfrac{1}{2}$

4　$g'(x)=3\{1+2f(x)\}^2\times 2f'(x)$
$\qquad\ =6\{1+2f(x)\}^2f'(x)$
$\therefore\ g'(1)=6\{1+2f(1)\}^2f'(1)$
$\qquad\qquad=6\{1+2\times(-1)\}^2\times 2=12$

5　$f'(x)=5(1-x^2)^4\times(-2x)=-10x(1-x^2)^4$
$g'(x)=\sec x\tan x$
$h'(x)=f'(g(x))g'(x)$이므로
$h'\!\left(\dfrac{\pi}{4}\right)=f'\!\left(g\!\left(\dfrac{\pi}{4}\right)\right)g'\!\left(\dfrac{\pi}{4}\right)$
$\qquad\quad=f'(\sqrt{2})\times\sqrt{2}$
$\qquad\quad=-10\sqrt{2}\times\sqrt{2}=-20$

6　$g(x)=1+e^{3x}$이라고 하면 $g(0)=2$이므로
$\displaystyle\lim_{x\to 0}\dfrac{f(1+e^{3x})-f(2)}{x}=\lim_{x\to 0}\dfrac{f(g(x))-f(g(0))}{x}$
$h(x)=f(g(x))$라고 하면 $h'(x)=f'(g(x))g'(x)$이므로
$\displaystyle\lim_{x\to 0}\dfrac{f(g(x))-f(g(0))}{x}=\lim_{x\to 0}\dfrac{h(x)-h(0)}{x}=h'(0)$
$\qquad\qquad\qquad\qquad\qquad=f'(g(0))g'(0)$
즉, $f'(g(0))g'(0)=12$이고, $g'(x)=3e^{3x}$이므로
$f'(2)\times 3=12$
$\therefore\ f'(2)=4$

7　함수 $f(x)$의 양변의 절댓값에 자연로그를 취하면
$\ln|f(x)|=\ln|3x|+2\ln|x-5|-3\ln|x+2|$
양변을 x에 대하여 미분하면
$\dfrac{f'(x)}{f(x)}=\dfrac{1}{x}+\dfrac{2}{x-5}-\dfrac{3}{x+2}$
$\therefore\ f'(x)=f(x)\times\left(\dfrac{1}{x}+\dfrac{2}{x-5}-\dfrac{3}{x+2}\right)$
따라서 $g(x)=\dfrac{1}{x}+\dfrac{2}{x-5}-\dfrac{3}{x+2}$이므로
$\displaystyle\lim_{x\to 4}g(x)=\lim_{x\to 4}\left(\dfrac{1}{x}+\dfrac{2}{x-5}-\dfrac{3}{x+2}\right)$
$\qquad\qquad=\dfrac{1}{4}+(-2)-\dfrac{1}{2}=-\dfrac{9}{4}$

8　$\dfrac{dx}{dt}=1+\sin t,\ \dfrac{dy}{dt}=2+\cos t$이므로
$\dfrac{dy}{dx}=\dfrac{\dfrac{dy}{dt}}{\dfrac{dx}{dt}}=\dfrac{2+\cos t}{1+\sin t}$
$\dfrac{dy}{dx}=1$, 즉 $\dfrac{2+\cos t}{1+\sin t}=1$에서
$2+\cos t=1+\sin t$
$1+\cos t=\sin t$
양변을 제곱하면
$1+2\cos t+\cos^2 t=\sin^2 t$
$1+2\cos t+\cos^2 t=1-\cos^2 t$
$\cos^2 t+\cos t=0$
$\cos t(\cos t+1)=0$
$\therefore\ \cos t=0$ 또는 $\cos t=-1$
그런데 $0<t<\pi$이므로　$t=\dfrac{\pi}{2}$

9 양변을 y에 대하여 미분하면

$$\frac{dx}{dy}=\frac{e^y}{e^y+1}$$

$$\therefore \frac{dy}{dx}=\frac{1}{\dfrac{dx}{dy}}=\frac{e^y+1}{e^y} \qquad \cdots\cdots \text{㉠}$$

$x=\ln(e^y+1)$에서 $x=\ln 2$일 때

$e^y+1=2,\ e^y=1$

$\therefore y=0$

따라서 ㉠에 $y=0$을 대입하면

$$\frac{dy}{dx}=2$$

10 곡선 $y=g(x)$가 점 $(5,\ 2)$를 지나므로

$g(5)=2 \qquad \therefore f(2)=5$

즉, $f(2)=6+a=5$이므로 $a=-1$

$f'(x)=3x^2-2x+1$이므로

$$b=g'(5)=\frac{1}{f'(2)}=\frac{1}{9}$$

$$\therefore b-a=\frac{10}{9}$$

11 $f'(x)=2x\sin \pi x+\pi x^2\cos \pi x$이므로

$f''(x)=2\sin \pi x+2\pi x\cos \pi x+2\pi x\cos \pi x-\pi^2 x^2\sin \pi x$

$\qquad\ =(2-\pi^2 x^2)\sin \pi x+4\pi x\cos \pi x$

$\therefore f''(1)=-4\pi$

12 주어진 식의 양변을 x에 대하여 미분하면

$2f'(2x-1)=4x^3+2x$

$\therefore f'(2x-1)=2x^3+x \qquad \cdots\cdots \text{(가)}$

$2x-1=-3$에서 $x=-1$이므로 위 식의 양변에 $x=-1$을 대입하면

$f'(-3)=-3 \qquad \cdots\cdots \text{(나)}$

채점 기준	배점
(가) $f'(2x-1)$을 구한다.	3점
(나) $f'(-3)$의 값을 구한다.	4점

13 주어진 식에서 $f(x)>0$이므로 양변에 자연로그를 취하면

$$\ln f(x)=\frac{5}{2}\ln(2+3x^2)-\frac{3}{2}\ln(1+x^2) \qquad \cdots\cdots \text{(가)}$$

양변을 x에 대하여 미분하면

$$\frac{f'(x)}{f(x)}=\frac{15x}{2+3x^2}-\frac{3x}{1+x^2} \qquad \cdots\cdots \text{(나)}$$

$$\therefore \frac{f'(1)}{f(1)}=3-\frac{3}{2}=\frac{3}{2} \qquad \cdots\cdots \text{(다)}$$

채점 기준	배점
(가) 양변에 자연로그를 취한다.	3점
(나) $\dfrac{f'(x)}{f(x)}$를 구한다.	3점
(다) $\dfrac{f'(1)}{f(1)}$의 값을 구한다.	2점

14 양변을 x에 대하여 미분하면

$$2x+2y\frac{dy}{dx}+y+x\frac{dy}{dx}-6=0$$

$$\therefore \frac{dy}{dx}=-\frac{2x+y-6}{x+2y} \ (\text{단},\ x+2y\neq 0) \qquad \cdots\cdots \text{(가)}$$

$\dfrac{dy}{dx}=1$에서 $\quad -\dfrac{2x+y-6}{x+2y}=1$

$-(2x+y-6)=x+2y$

$\therefore y=-x+2 \qquad \cdots\cdots \text{(나)}$

이것을 주어진 곡선의 방정식에 대입하여 정리하면

$x^2-8x+2=0$

두 점의 x좌표는 위의 이차방정식의 두 근이므로

$\alpha+\beta=8 \qquad \cdots\cdots \text{(다)}$

채점 기준	배점
(가) $\dfrac{dy}{dx}$를 구한다.	3점
(나) $\dfrac{dy}{dx}=1$을 만족하는 $x,\ y$에 대한 식을 구한다.	2점
(다) $\alpha+\beta$의 값을 구한다.	3점

11~13강 내공 점검 p.98~99

1 $\pi-2$	**2** ③	**3** $\dfrac{4}{e^3}$	**4** ③	**5** ③
6 ④	**7** ⑤	**8** ②	**9** ⑤	**10** ②
11 $\dfrac{7}{3}$	**12** (1) $a=4,\ b=5$ (2) 3	**13** $1\leq a<2$		

1 $f(x)=\tan \dfrac{x}{4}$라고 하면 $f'(x)=\dfrac{1}{4}\sec^2 \dfrac{x}{4}$

점 $(\pi,\ 1)$에서의 접선의 기울기는 $f'(\pi)=\dfrac{1}{2}$이므로 접선의 방정식은

$$y-1=\frac{1}{2}(x-\pi)$$

$$\therefore y=\frac{1}{2}x-\frac{\pi}{2}+1$$

따라서 접선의 x절편은

$$\frac{1}{2}x-\frac{\pi}{2}+1=0 \qquad \therefore x=\pi-2$$

2 $f(x)=\ln(x+2)$라고 하면 $f'(x)=\dfrac{1}{x+2}$

접점의 좌표를 $(t,\ \ln(t+2))$라고 하면 접선의 기울기는

$f'(t)=\dfrac{1}{t+2}$이므로 접선의 방정식은

$$y-\ln(t+2)=\frac{1}{t+2}(x-t) \qquad \cdots\cdots \text{㉠}$$

이 직선이 점 $(-2, 2)$를 지나므로

$2-\ln(t+2)=-1$, $\ln(t+2)=3$

$\therefore t=e^3-2$

이것을 ㉠에 대입하면

$y-3=\dfrac{1}{e^3}(x-e^3+2)$

$\therefore y=\dfrac{1}{e^3}x+\dfrac{2}{e^3}+2$

접선의 x절편은 $\dfrac{1}{e^3}x+\dfrac{2}{e^3}+2=0$에서 $x=-2e^3-2$

접선의 y절편은 $y=\dfrac{2}{e^3}+2$

따라서 구하는 넓이는

$\dfrac{1}{2}\times|-2e^3-2|\times\left(\dfrac{2}{e^3}+2\right)=2(e^3+1)\left(\dfrac{1}{e^3}+1\right)$

$\qquad\qquad\qquad\qquad\qquad=2e^3+\dfrac{2}{e^3}+4$

3 $f'(x)=2(x+1)e^x+(x+1)^2e^x=(x^2+4x+3)e^x$

$f'(x)=0$에서 $x^2+4x+3=0\ (\because\ e^x>0)$

$(x+3)(x+1)=0$ $\quad\therefore x=-3$ 또는 $x=-1$

$f''(x)=(2x+4)e^x+(x^2+4x+3)e^x$

$\qquad\quad=(x^2+6x+7)e^x$

$\therefore f''(-3)=-\dfrac{2}{e^3}<0,\ f''(-1)=\dfrac{2}{e}>0$

따라서 함수 $f(x)$는 $x=-3$에서 극대이고 극댓값은

$f(-3)=\dfrac{4}{e^3}$, $x=-1$에서 극소이고 극솟값은 $f(-1)=0$

이므로 모든 극값의 합은 $\dfrac{4}{e^3}$

4 $f'(x)=-e^{-x}\sin x+e^{-x}\cos x$

$\qquad\quad=-e^{-x}(\sin x-\cos x)$

$f'(x)=0$에서 $\sin x-\cos x=0\ (\because\ e^{-x}>0)$

$\therefore x=\dfrac{\pi}{4}\ \left(\because\ 0\le x\le\pi\right)$

$f''(x)=e^{-x}(\sin x-\cos x)-e^{-x}(\cos x+\sin x)$

$\qquad\quad=-2e^{-x}\cos x$

이므로 $f''\left(\dfrac{\pi}{4}\right)=-\sqrt{2}e^{-\frac{\pi}{4}}<0$

따라서 함수 $f(x)$는 $x=\dfrac{\pi}{4}$에서 극댓값을 갖는다.

$\therefore a=\dfrac{\pi}{4}$

한편 $f''(x)=0$에서 $\cos x=0\ (\because\ e^{-x}>0)$

$\therefore x=\dfrac{\pi}{2}\ \left(\because\ 0\le x\le\pi\right)$

이때 $x=\dfrac{\pi}{2}$의 좌우에서 $f''(x)$의 부호가 바뀌므로 곡선

$y=f(x)$의 변곡점의 x좌표는 $b=\dfrac{\pi}{2}$

$\therefore a+b=\dfrac{3}{4}\pi$

5 $f(x)=x^2+4\sin x$라고 하면 $f'(x)=2x+4\cos x$이므로

$f''(x)=2-4\sin x$

$f''(x)=0$에서 $\sin x=\dfrac{1}{2}$

$\therefore x=\dfrac{\pi}{6}\ \left(\because\ -\dfrac{\pi}{2}\le x\le\dfrac{\pi}{2}\right)$

곡선 $y=f(x)$는 구간 $\left(-\dfrac{\pi}{2},\ \dfrac{\pi}{6}\right)$에서 $f''(x)>0$이므로 아래로 볼록하다.

따라서 $b-a\le\dfrac{\pi}{6}-\left(-\dfrac{\pi}{2}\right)=\dfrac{2}{3}\pi$이므로 $b-a$의 최댓값은 $\dfrac{2}{3}\pi$이다.

6 $f'(x)=1-\dfrac{4}{x^2}$이므로 $f''(x)=\dfrac{8}{x^3}$

ㄱ. $f'(2)=0$, $f''(2)=1>0$이므로 함수 $f(x)$는 $x=2$에서 극솟값을 갖는다.

ㄴ. $f''(x)=0$을 만족하는 x의 값이 존재하지 않으므로 함수 $y=f(x)$의 그래프는 변곡점을 갖지 않는다.

ㄷ. $\displaystyle\lim_{x\to0-}f(x)=-\infty$, $\displaystyle\lim_{x\to0+}f(x)=\infty$이므로 y축은 함수 $y=f(x)$의 그래프의 점근선이다.

따라서 보기 중 옳은 것은 ㄴ, ㄷ이다.

7 $f'(x)=2x-\dfrac{2x}{10-x^2}=-\dfrac{2x^3-18x}{10-x^2}$

$\qquad\quad=-\dfrac{2x(x+3)(x-3)}{10-x^2}$

$f'(x)=0$에서 $x=-3$ 또는 $x=0$ 또는 $x=3$

x	-3	$\cdots$	0	$\cdots$	3
$f'(x)$	0	$-$	0	$+$	0
$f(x)$	$9-a$	$\searrow$	$\ln 10-a$ 극소	$\nearrow$	$9-a$

따라서 함수 $f(x)$는 $x=-3$과 $x=3$에서 최댓값이

$f(-3)=f(3)=9-a$, $x=0$에서 최솟값이 $f(0)=\ln 10-a$

이다.

이때 최댓값과 최솟값의 합이 $\ln 10$이므로

$(9-a)+(\ln 10-a)=\ln 10$, $9-2a=0$

$\therefore a=\dfrac{9}{2}$

8 주어진 방정식을 $2x-x\ln x=a$로 놓으면 이 방정식의 실근의 개수는 함수 $y=2x-x\ln x$의 그래프와 직선 $y=a$의 교점의 개수와 같다.

$f(x)=2x-x\ln x$라고 하면

$f'(x)=2-\ln x-x\times\dfrac{1}{x}=1-\ln x$

$f'(x)=0$에서 $\ln x=1$ $\quad\therefore x=e$

x	0	$\cdots$	e	$\cdots$
$f'(x)$		$+$	0	$-$
$f(x)$		$\nearrow$	e	$\searrow$

이때 함수 $y=f(x)$의 그래프는 오른쪽 그림과 같으므로 실근을 갖도록 하는 a의 값의 범위는
$a \leq e$

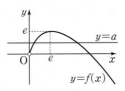

따라서 자연수 a는 1, 2의 2개이다.

9 $\dfrac{3x+1}{2x}=t$로 놓으면

$t=\dfrac{3x+1}{2x}=\dfrac{3}{2}+\dfrac{1}{2x}>\dfrac{3}{2}$ $(\because x>0)$

$\dfrac{1}{x}=2t-3$이므로 주어진 부등식은 $2t \geq a \ln t$에서

$\dfrac{2t}{\ln t} \geq a$ $(\because \ln t>0)$

$f(t)=\dfrac{2t}{\ln t}$라고 하면

$f'(t)=\dfrac{2\ln t-2t\times\dfrac{1}{t}}{(\ln t)^2}=\dfrac{2(\ln t-1)}{(\ln t)^2}$

$f'(t)=0$에서 $\ln t=1$ $\therefore t=e$

t	$\dfrac{3}{2}$	$\cdots$	e	$\cdots$
$f'(t)$		$-$	0	$+$
$f(t)$		$\searrow$	$2e$	$\nearrow$

함수 $f(t)$는 최솟값이 $2e$이므로 $f(t) \geq a$를 만족하는 상수 a의 값의 범위는 $a \leq 2e$
따라서 a의 최댓값은 $2e$이다.

10 $\dfrac{dx}{dt}=\cos t$, $\dfrac{dy}{dt}=2+\sin t$이므로 시각 t에서의 점 P의 속력은

$\sqrt{(\cos t)^2+(2+\sin t)^2}=\sqrt{\cos^2 t+4+4\sin t+\sin^2 t}$
$\qquad\qquad\qquad\qquad\quad =\sqrt{5+4\sin t}$

그런데 $0 \leq t \leq 2\pi$에서 $-1 \leq \sin t \leq 1$이므로 점 P의 속력은 $\sin t=1$, 즉 $t=\dfrac{\pi}{2}$일 때 최대이다.

$\dfrac{d^2x}{dt^2}=-\sin t$, $\dfrac{d^2y}{dt^2}=\cos t$이므로 $t=\dfrac{\pi}{2}$일 때 점 P의 가속도는 $(-1, 0)$

11 $f(x)=\sqrt{2x+5}$라고 하면

$f'(x)=\dfrac{1}{2}(2x+5)^{-\frac{1}{2}}\times 2=\dfrac{1}{\sqrt{2x+5}}$ ...... (가)

접점의 좌표를 $(t, \sqrt{2t+5})$라고 하면 접선의 기울기가 $\dfrac{1}{3}$이므로

$f'(t)=\dfrac{1}{\sqrt{2t+5}}=\dfrac{1}{3}$

$2t+5=9$ $\therefore t=2$
따라서 접점의 좌표는 $(2, 3)$이다. ...... (나)

직선 $y=\dfrac{1}{3}x+a$가 점 $(2, 3)$을 지나므로

$3=\dfrac{2}{3}+a$ $\therefore a=\dfrac{7}{3}$ ...... (다)

채점 기준	배점
(가) $f'(x)$를 구한다.	3점
(나) 접점의 좌표를 구한다.	4점
(다) a의 값을 구한다.	3점

12 (1) $f'(x)=\dfrac{b(x^2+a)-bx\times 2x}{(x^2+a)^2}$
$\qquad\quad =\dfrac{-bx^2+ab}{(x^2+a)^2}$ ...... (가)

함수 $f(x)$가 $x=-2$에서 극값을 가지므로 $f'(-2)=0$에서

$\dfrac{-4b+ab}{(4+a)^2}=0$, $-4b+ab=0$

$b(a-4)=0$
$\therefore a=4$ $(\because b \neq 0)$ ...... (나)

곡선 $y=\dfrac{bx}{x^2+4}$가 점 $(1, 1)$을 지나므로

$\dfrac{b}{5}=1$ $\therefore b=5$ ...... (다)

(2) $f(x)=\dfrac{5x}{x^2+4}$이고 $f'(x)=\dfrac{-5x^2+20}{(x^2+4)^2}$이므로

$f''(x)=\dfrac{-10x(x^2+4)^2-(-5x^2+20)\times 2(x^2+4)\times 2x}{(x^2+4)^4}$
$\qquad =\dfrac{10x^3-120x}{(x^2+4)^3}$
$\qquad =\dfrac{10x(x+2\sqrt{3})(x-2\sqrt{3})}{(x^2+4)^3}$ ...... (라)

$f''(x)=0$에서
$x=-2\sqrt{3}$ 또는 $x=0$ 또는 $x=2\sqrt{3}$ ...... (마)
이때 $x=-2\sqrt{3}$, $x=0$, $x=2\sqrt{3}$의 좌우에서 각각 $f''(x)$의 부호가 바뀌므로 곡선 $y=f(x)$의 변곡점은 3개이다
...... (바)

채점 기준	배점
(가) $f'(x)$를 구한다.	1점
(나) a의 값을 구한다.	2점
(다) b의 값을 구한다.	2점
(라) $f''(x)$를 구한다.	2점
(마) $f''(x)=0$인 x의 값을 구한다.	1점
(바) 변곡점의 개수를 구한다.	2점

13 곡선 $y=2\sqrt{2x+1}$과 직선 $y=2x+a$가 서로 다른 두 점에서 만나면 방정식 $2\sqrt{2x+1}=2x+a$, 즉 $2\sqrt{2x+1}-2x=a$는 서로 다른 두 실근을 가지므로 함수 $y=2\sqrt{2x+1}-2x$의 그래프와 직선 $y=a$는 서로 다른 두 점에서 만난다. ...... (가)
$f(x)=2\sqrt{2x+1}-2x$라고 하면

$f'(x)=\dfrac{2}{\sqrt{2x+1}}-2$ ...... (나)

$f'(x)=0$에서
$\sqrt{2x+1}=1$ $\quad\therefore x=0$

x	$-\dfrac{1}{2}$	$\cdots$	0	$\cdots$
$f'(x)$		$+$	0	$-$
$f(x)$	1	$\nearrow$	2	$\searrow$

...... (다)

따라서 함수 $y=f(x)$의 그래프는 오른쪽 그림과 같으므로 서로 다른 두 점에서 만나기 위한 상수 a의 값의 범위는

$1\le a<2$ ...... (라)

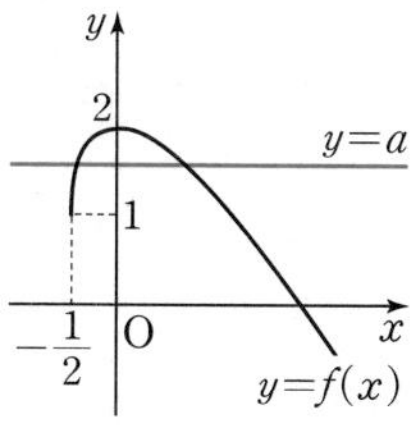

채점 기준	배점
(가) 함수 $y=2\sqrt{2x+1}-2x$의 그래프와 직선 $y=a$가 서로 다른 두 점에서 만남을 안다.	2점
(나) $f(x)=2\sqrt{2x+1}-2x$로 놓고 $f'(x)$를 구한다.	2점
(다) $f(x)$의 증가, 감소를 나타낸다.	3점
(라) a의 값의 범위를 구한다.	3점

14~16강 내공 점검 p. 100~101

1 ⑤ 2 ④ 3 1 4 ② 5 ②
6 ② 7 ln 2 8 π 9 ③ 10 ①
11 ③ 12 6 13 2 ln 2 14 $-2e+2$

1 $f(x)=\displaystyle\int \dfrac{\sqrt[3]{x}+2}{x}\,dx=\int\left(x^{-\frac{2}{3}}+\dfrac{2}{x}\right)dx$
$\qquad =3\sqrt[3]{x}+2\ln|x|+C$
$f(1)=-3$에서 $3+C=-3$ $\quad\therefore C=-6$
따라서 $f(x)=3\sqrt[3]{x}+2\ln|x|-6$이므로
$f(8)=6+2\ln 8-6=6\ln 2$

2 $\displaystyle\int_{\frac{\pi}{4}}^{\frac{\pi}{3}}\dfrac{1}{\sin^2 x\cos^2 x}\,dx=\int_{\frac{\pi}{4}}^{\frac{\pi}{3}}\dfrac{\sin^2 x+\cos^2 x}{\sin^2 x\cos^2 x}\,dx$
$\qquad\qquad =\displaystyle\int_{\frac{\pi}{4}}^{\frac{\pi}{3}}(\sec^2 x+\csc^2 x)\,dx$
$\qquad\qquad =\Big[\tan x-\cot x\Big]_{\frac{\pi}{4}}^{\frac{\pi}{3}}=\dfrac{2\sqrt{3}}{3}$

3 $\displaystyle\int_2^4 f(t)\,dt=k$ (k는 상수)라고 하면 $f(x)=e^{x-2}+k$이므로
$\displaystyle\int_2^4 f(t)\,dt=\int_2^4 (e^{t-2}+k)\,dt=\Big[e^{t-2}+kt\Big]_2^4$
$\qquad\qquad =e^2-1+2k$
즉, $e^2-1+2k=k$이므로 $k=-e^2+1$
따라서 $f(x)=e^{x-2}-e^2+1$이므로 $f(4)=1$

4 $f'(x)=\dfrac{4x}{\sqrt{x^2+1}}$이므로 $f(x)=\displaystyle\int \dfrac{4x}{\sqrt{x^2+1}}\,dx$
$x^2+1=t$로 놓으면 $\dfrac{dt}{dx}=2x$이므로
$f(x)=\displaystyle\int\dfrac{4x}{\sqrt{x^2+1}}\,dx=\int\dfrac{2}{\sqrt{t}}\,dt=\int 2t^{-\frac{1}{2}}\,dt$
$\qquad =4\sqrt{t}+C=4\sqrt{x^2+1}+C$
곡선 $y=f(x)$가 점 $(0,1)$을 지나므로
$4+C=1$ $\quad\therefore C=-3$
따라서 $f(x)=4\sqrt{x^2+1}-3$이므로 $f(\sqrt{3})=5$

5 $f(x)=\displaystyle\int\dfrac{4}{4x^2+8x+3}\,dx$
$\qquad =\displaystyle\int\dfrac{4}{(2x+1)(2x+3)}\,dx$
$\qquad =\displaystyle\int\left(\dfrac{2}{2x+1}-\dfrac{2}{2x+3}\right)dx$
$\qquad =\ln|2x+1|-\ln|2x+3|+C$
$\qquad =\ln\left|\dfrac{2x+1}{2x+3}\right|+C$
$f(0)=-\ln 3$에서
$-\ln 3+C=-\ln 3$ $\quad\therefore C=0$
따라서 $f(x)=\ln\left|\dfrac{2x+1}{2x+3}\right|$이므로 $f\left(\dfrac{1}{2}\right)=-\ln 2$

6 $y=|\sin 3x|$는 주기가 $\dfrac{\pi}{3}$인 주기함수이므로
$\displaystyle\int_0^{2\pi}|\sin 3x|\,dx=6\int_0^{\frac{\pi}{3}}\sin 3x\,dx$
$\qquad\qquad =6\Big[-\dfrac{1}{3}\cos 3x\Big]_0^{\frac{\pi}{3}}=6\times\dfrac{2}{3}=4$

7 $\displaystyle\int_0^{\frac{\pi}{2}}\dfrac{\cos x}{(1+\sin x)^2}\,dx+\int_0^{\frac{\pi}{2}}\dfrac{\sin x\cos x}{(1+\sin x)^2}\,dx$
$\qquad =\displaystyle\int_0^{\frac{\pi}{2}}\left\{\dfrac{\cos x}{(1+\sin x)^2}+\dfrac{\sin x\cos x}{(1+\sin x)^2}\right\}dx$
$\qquad =\displaystyle\int_0^{\frac{\pi}{2}}\dfrac{\cos x(1+\sin x)}{(1+\sin x)^2}\,dx=\int_0^{\frac{\pi}{2}}\dfrac{\cos x}{1+\sin x}\,dx$
$\qquad =\Big[\ln(1+\sin x)\Big]_0^{\frac{\pi}{2}}=\ln 2$

8 $x=\sin\theta\left(-\dfrac{\pi}{2}<\theta<\dfrac{\pi}{2}\right)$로 놓으면 $\dfrac{dx}{d\theta}=\cos\theta$이고,
$x=0$일 때 $\theta=0$, $x=\dfrac{1}{2}$일 때 $\theta=\dfrac{\pi}{6}$이므로
$\displaystyle\int_0^{\frac{1}{2}}\dfrac{6}{\sqrt{1-x^2}}\,dx=\int_0^{\frac{\pi}{6}}\dfrac{6}{\sqrt{1-\sin^2\theta}}\times\cos\theta\,d\theta$
$\qquad\qquad =\displaystyle\int_0^{\frac{\pi}{6}}\dfrac{6}{\cos\theta}\times\cos\theta\,d\theta$
$\qquad\qquad =\displaystyle\int_0^{\frac{\pi}{6}}6\,d\theta$
$\qquad\qquad =\Big[6\theta\Big]_0^{\frac{\pi}{6}}=\pi$

9 $g(x)=\ln x$, $h'(x)=3x^2$으로 놓으면

$g'(x)=\dfrac{1}{x}$, $h(x)=x^3$이므로

$f(x)=\displaystyle\int 3x^2\ln x\,dx=x^3\ln x-\int x^2\,dx$

$\qquad=x^3\ln x-\dfrac{1}{3}x^3+C$

$f(1)=-\dfrac{1}{3}$에서 $\quad -\dfrac{1}{3}+C=-\dfrac{1}{3} \quad \therefore C=0$

따라서 $f(x)=x^3\ln x-\dfrac{1}{3}x^3$이므로 $\quad f(e^2)=\dfrac{5}{3}e^6$

10 $\dfrac{d}{dx}e^{f(x)}=xe^{2x+f(x)}$에서 $\quad e^{f(x)}\times f'(x)=xe^{2x}\times e^{f(x)}$

$\therefore f'(x)=xe^{2x} \ (\because e^{f(x)}>0)$

$f(x)=\displaystyle\int xe^{2x}\,dx$에서 $g(x)=x$, $h'(x)=e^{2x}$으로 놓으면

$g'(x)=1$, $h(x)=\dfrac{1}{2}e^{2x}$이므로

$f(x)=\displaystyle\int xe^{2x}\,dx=\dfrac{1}{2}xe^{2x}-\int \dfrac{1}{2}e^{2x}\,dx$

$\qquad=\dfrac{1}{2}xe^{2x}-\dfrac{1}{4}e^{2x}+C$

$f(0)=-\dfrac{1}{4}$에서 $\quad -\dfrac{1}{4}+C=-\dfrac{1}{4} \quad \therefore C=0$

따라서 $f(x)=\dfrac{1}{2}xe^{2x}-\dfrac{1}{4}e^{2x}$이므로 $\quad f(1)=\dfrac{e^2}{4}$

11 $\displaystyle\int_0^x \dfrac{f(t)}{e^t}\,dt=2\sin x$의 양변을 x에 대하여 미분하면

$\dfrac{f(x)}{e^x}=2\cos x \quad \therefore f(x)=2e^x\cos x$

$\therefore \displaystyle\int_0^\pi f(x)\,dx=\int_0^\pi 2e^x\cos x\,dx$

$g(x)=2e^x$, $h'(x)=\cos x$로 놓으면

$g'(x)=2e^x$, $h(x)=\sin x$이므로

$\displaystyle\int_0^\pi f(x)\,dx=\int_0^\pi 2e^x\cos x\,dx$

$\qquad=\Big[2e^x\sin x\Big]_0^\pi-\displaystyle\int_0^\pi 2e^x\sin x\,dx$

$\qquad=-\displaystyle\int_0^\pi 2e^x\sin x\,dx \qquad \cdots\cdots ㉠$

$\displaystyle\int_0^\pi 2e^x\sin x\,dx$에서 $u(x)=2e^x$, $v'(x)=\sin x$로 놓으면

$u'(x)=2e^x$, $v(x)=-\cos x$이므로

$\displaystyle\int_0^\pi 2e^x\sin x\,dx=\Big[-2e^x\cos x\Big]_0^\pi+\displaystyle\int_0^\pi 2e^x\cos x\,dx$

$\qquad\qquad=2e^\pi+2+\displaystyle\int_0^\pi f(x)\,dx \qquad \cdots\cdots ㉡$

㉡을 ㉠에 대입하면

$\displaystyle\int_0^\pi f(x)\,dx=-2e^\pi-2-\int_0^\pi f(x)\,dx$

$2\displaystyle\int_0^\pi f(x)\,dx=-2e^\pi-2$

$\therefore \displaystyle\int_0^\pi f(x)\,dx=-e^\pi-1$

12 $f(x)=\displaystyle\int (3e^{3x}+6e^{-3x})\,dx$

$\qquad=e^{3x}-2e^{-3x}+C \qquad\qquad \cdots\cdots (가)$

$\therefore f(1)-f(-1)=(e^3-2e^{-3}+C)-(e^{-3}-2e^3+C)$

$\qquad\qquad=3e^3-3e^{-3} \qquad\qquad \cdots\cdots (나)$

따라서 $a=3$, $b=-3$이므로 $\quad a-b=6 \qquad \cdots\cdots (다)$

채점 기준	배점
(가) $f(x)$를 구한다.	3점
(나) $f(1)-f(-1)$의 값을 구한다.	3점
(다) $a-b$의 값을 구한다.	1점

13 $f(x)=\displaystyle\int_2^x \dfrac{4t}{t^2+4}\,dt$의 양변을 x에 대하여 미분하면

$f'(x)=\dfrac{4x}{x^2+4}$

$f'(x)=0$에서 $x=0$ $\qquad\qquad\qquad \cdots\cdots (가)$

x	$\cdots$	0	$\cdots$
$f'(x)$	$-$	0	$+$
$f(x)$	$\searrow$	극소	$\nearrow$

따라서 함수 $f(x)$는 $x=0$에서 극소이므로 극솟값은

$f(0)=\displaystyle\int_2^0 \dfrac{4t}{t^2+4}\,dt=2\int_2^0 \dfrac{2t}{t^2+4}\,dt$

$\qquad=2\Big[\ln (t^2+4)\Big]_2^0$

$\qquad=2(\ln 4-\ln 8)=-2\ln 2 \qquad \cdots\cdots (나)$

따라서 $a=0$, $b=-2\ln 2$이므로 $\quad a-b=2\ln 2 \quad \cdots\cdots (다)$

채점 기준	배점
(가) $f'(x)=0$을 만족하는 x의 값을 구한다.	2점
(나) 극솟값을 구한다.	4점
(다) $a-b$의 값을 구한다.	2점

14 $\displaystyle\int f(x)\,dx=xf(x)+x^2e^x$의 양변을 x에 대하여 미분하면

$f(x)=f(x)+xf'(x)+2xe^x+x^2e^x$

$\therefore f'(x)=-2e^x-xe^x=-(x+2)e^x \qquad \cdots\cdots (가)$

$f(x)=\displaystyle\int \{-(x+2)e^x\}\,dx$에서

$g(x)=-(x+2)$, $h'(x)=e^x$으로 놓으면

$g'(x)=-1$, $h(x)=e^x$이므로

$f(x)=\displaystyle\int \{-(x+2)e^x\}\,dx=-(x+2)e^x+\int e^x\,dx$

$\qquad=-(x+2)e^x+e^x+C=-(x+1)e^x+C$

$f(2)=-3e^2+2$에서

$-3e^2+C=-3e^2+2 \quad \therefore C=2$

따라서 $f(x)=-(x+1)e^x+2$이므로 $\qquad \cdots\cdots (나)$

$f(1)=-2e+2 \qquad\qquad\qquad\qquad\qquad \cdots\cdots (다)$

채점 기준	배점
(가) $f'(x)$를 구한다.	2점
(나) $f(x)$를 구한다.	4점
(다) $f(1)$의 값을 구한다.	2점

1 9	2 $2\sqrt{2}-2$	3 ④	4 $\frac{3}{2}\pi-2$ 5 ①
6 ②	7 ④	8 ②	9 ⑤ 10 ④
11 $-\frac{2}{\pi}$	12 $\frac{2}{9}$	13 $\frac{5}{6}e^2-2e-\frac{1}{2}$	

1
$$\lim_{n\to\infty}\frac{1}{n}\left\{f\left(1+\frac{2}{n}\right)+f\left(1+\frac{4}{n}\right)+\cdots+f\left(1+\frac{2n}{n}\right)\right\}$$
$$=\lim_{n\to\infty}\sum_{k=1}^{n}f\left(1+\frac{2k}{n}\right)\times\frac{1}{n}$$
$$=\frac{1}{2}\lim_{n\to\infty}\sum_{k=1}^{n}f\left(1+\frac{2k}{n}\right)\times\frac{2}{n}$$
$$=\frac{1}{2}\int_{1}^{3}f(x)\,dx=\frac{1}{2}\int_{1}^{3}(3x^2-2x)\,dx$$
$$=\frac{1}{2}\Big[x^3-x^2\Big]_{1}^{3}=\frac{1}{2}\times18=9$$

2
$$\lim_{n\to\infty}\frac{1}{\sqrt{n}}\left(\frac{1}{\sqrt{n+1}}+\frac{1}{\sqrt{n+2}}+\frac{1}{\sqrt{n+3}}+\cdots+\frac{1}{\sqrt{n+n}}\right)$$
$$=\lim_{n\to\infty}\sum_{k=1}^{n}\frac{1}{\sqrt{n+k}}\times\frac{1}{\sqrt{n}}=\lim_{n\to\infty}\sum_{k=1}^{n}\frac{1}{\sqrt{\frac{n+k}{n}}}\times\frac{1}{n}$$
$$=\lim_{n\to\infty}\sum_{k=1}^{n}\frac{1}{\sqrt{1+\frac{k}{n}}}\times\frac{1}{n}$$
$$=\int_{1}^{2}\frac{1}{\sqrt{x}}\,dx$$
$$=\Big[2x^{\frac{1}{2}}\Big]_{1}^{2}=2\sqrt{2}-2$$

3 곡선 $y=1+\ln x$와 x축의 교점의 x좌표는 $1+\ln x=0$에서
$\ln x=-1$ $\therefore x=\frac{1}{e}$
따라서 오른쪽 그림에서 구하는 넓이는

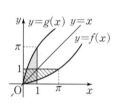

$$\int_{\frac{1}{e}}^{e}(1+\ln x)\,dx$$
$$=\Big[x(1+\ln x)\Big]_{\frac{1}{e}}^{e}-\int_{\frac{1}{e}}^{e}dx$$
$$=2e-\Big[x\Big]_{\frac{1}{e}}^{e}$$
$$=2e-\left(e-\frac{1}{e}\right)=e+\frac{1}{e}$$

4 오른쪽 그림과 같이 두 곡선으로 둘러싸인 도형이 x축에 의하여 나누어질 때, x축 위쪽의 넓이를 A, 아래쪽의 넓이를 B라고 하면

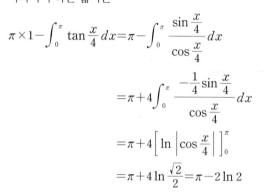

$$A+B=\int_{0}^{\frac{3}{2}\pi}\{(1+\sin x)-\cos x\}\,dx$$
$$=\Big[x-\cos x-\sin x\Big]_{0}^{\frac{3}{2}\pi}=\frac{3}{2}\pi+2$$

$$B=\int_{\frac{\pi}{2}}^{\frac{3}{2}\pi}(-\cos x)\,dx$$
$$=\Big[-\sin x\Big]_{\frac{\pi}{2}}^{\frac{3}{2}\pi}=2$$
$$\therefore A=(A+B)-B=\frac{3}{2}\pi$$
$$\therefore |A-B|=\frac{3}{2}\pi-2$$
따라서 두 부분의 넓이의 차는 $\frac{3}{2}\pi-2$이다.

5 $f(\pi)=1$이므로 $g(1)=\pi$
두 곡선 $y=f(x)$, $y=g(x)$는 직선 $y=x$에 대하여 대칭이므로 오른쪽 그림에서 색칠한 부분과 빗금 친 부분의 넓이는 같다.

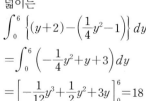

따라서 구하는 넓이는
$$\pi\times1-\int_{0}^{\pi}\tan\frac{x}{4}\,dx=\pi-\int_{0}^{\pi}\frac{\sin\frac{x}{4}}{\cos\frac{x}{4}}\,dx$$
$$=\pi+4\int_{0}^{\pi}\frac{-\frac{1}{4}\sin\frac{x}{4}}{\cos\frac{x}{4}}\,dx$$
$$=\pi+4\Big[\ln\left|\cos\frac{x}{4}\right|\Big]_{0}^{\pi}$$
$$=\pi+4\ln\frac{\sqrt{2}}{2}=\pi-2\ln2$$

6 $y=\sqrt{4x+4}$에서 $y^2=4x+4$
$$\therefore x=\frac{1}{4}y^2-1$$
$y=x-2$에서 $x=y+2$
곡선 $x=\frac{1}{4}y^2-1$과 직선 $x=y+2$의 교점의 y좌표는
$\frac{1}{4}y^2-1=y+2$에서
$y^2-4y-12=0$
$(y+2)(y-6)=0$ $\therefore y=6$ $(\because y\geq0)$
따라서 오른쪽 그림에서 구하는 넓이는

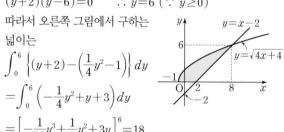

$$\int_{0}^{6}\left\{(y+2)-\left(\frac{1}{4}y^2-1\right)\right\}dy$$
$$=\int_{0}^{6}\left(-\frac{1}{4}y^2+y+3\right)dy$$
$$=\Big[-\frac{1}{12}y^3+\frac{1}{2}y^2+3y\Big]_{0}^{6}=18$$

7 $\int_{0}^{4}a\sqrt{4-x}\,dx=16$이므로
$$\Big[-\frac{2a}{3}(4-x)^{\frac{3}{2}}\Big]_{0}^{4}=16$$
$$\frac{16}{3}a=16 \therefore a=3$$

8 물의 깊이가 x일 때, 수면의 넓이를 $S(x)$라고 하면

$$S(x)=6\times\frac{\sqrt{3}}{4}\times(2\sqrt{\sin 2x})^2$$
$$=6\sqrt{3}\sin 2x$$

따라서 구하는 부피는

$$\int_0^{\frac{\pi}{4}} S(x)\,dx=\int_0^{\frac{\pi}{4}} 6\sqrt{3}\sin 2x\,dx$$
$$=\left[-3\sqrt{3}\cos 2x\right]_0^{\frac{\pi}{4}}=3\sqrt{3}$$

9 $\dfrac{dx}{dt}=\dfrac{2}{t}$, $\dfrac{dy}{dt}=1-\dfrac{1}{t^2}$ 이므로 시각 t에서의 점 P의 속력은

$$\sqrt{\left(\frac{2}{t}\right)^2+\left(1-\frac{1}{t^2}\right)^2}=\sqrt{1+\frac{2}{t^2}+\frac{1}{t^4}}$$
$$=\sqrt{\left(1+\frac{1}{t^2}\right)^2}=1+\frac{1}{t^2}$$

$t=a$에서 점 P의 속력이 $\dfrac{5}{4}$이므로

$$1+\frac{1}{a^2}=\frac{5}{4},\ a^2=4$$
$$\therefore a=2\ (\because 0<a<4)$$

따라서 $t=2$에서 $t=4$까지 점 P가 움직인 거리는

$$\int_2^4 \left(1+\frac{1}{t^2}\right)dt=\left[t-\frac{1}{t}\right]_2^4=\frac{9}{4}$$

10 $\dfrac{dy}{dx}=\dfrac{1}{4}x^2-\dfrac{1}{x^2}$ 이므로 곡선의 길이는

$$\int_1^2 \sqrt{1+\left(\frac{1}{4}x^2-\frac{1}{x^2}\right)^2}\,dx=\int_1^2 \sqrt{\left(\frac{1}{4}x^2+\frac{1}{x^2}\right)^2}\,dx$$
$$=\int_1^2 \left(\frac{1}{4}x^2+\frac{1}{x^2}\right)dx$$
$$=\left[\frac{1}{12}x^3-\frac{1}{x}\right]_1^2=\frac{13}{12}$$

11 $\displaystyle\lim_{n\to\infty}\frac{\pi}{n^2}\sum_{k=1}^{n} k\cos\frac{k}{n}\pi=\lim_{n\to\infty}\sum_{k=1}^{n}\frac{k}{n}\pi\cos\frac{k}{n}\pi\times\frac{1}{n}$

$$=\int_0^1 x\times\pi\cos\pi x\,dx \qquad\cdots\cdots \text{(가)}$$
$$=\left[x\sin\pi x\right]_0^1-\int_0^1 \sin\pi x\,dx$$
$$=\left[\frac{1}{\pi}\cos\pi x\right]_0^1$$
$$=-\frac{2}{\pi} \qquad\cdots\cdots \text{(나)}$$

채점 기준	배점
(가) 정적분을 이용하여 나타낸다.	4점
(나) 극한값을 구한다.	6점

12 점 P의 좌표를 $(t, \sqrt[3]{t})$라고 하면

$$S_1=\int_0^t \sqrt[3]{x}\,dx$$
$$=\left[\frac{3}{4}x^{\frac{4}{3}}\right]_0^t=\frac{3}{4}t\sqrt[3]{t} \qquad\cdots\cdots \text{(가)}$$

한편 $y'=\dfrac{1}{3\sqrt[3]{x^2}}$ 이므로 점 P에서의 접선의 방정식은

$$y-\sqrt[3]{t}=\frac{1}{3\sqrt[3]{t^2}}(x-t)$$
$$\therefore y=\frac{1}{3\sqrt[3]{t^2}}x+\frac{2}{3}\sqrt[3]{t}$$

따라서 점 Q의 좌표는 $\left(0, \dfrac{2}{3}\sqrt[3]{t}\right)$ 이므로

$$S_2=\frac{1}{2}\times t\times\left(\sqrt[3]{t}-\frac{2}{3}\sqrt[3]{t}\right)$$
$$=\frac{1}{6}t\sqrt[3]{t} \qquad\cdots\cdots \text{(나)}$$

$$\therefore \frac{S_2}{S_1}=\frac{\frac{1}{6}t\sqrt[3]{t}}{\frac{3}{4}t\sqrt[3]{t}}=\frac{2}{9} \qquad\cdots\cdots \text{(다)}$$

채점 기준	배점
(가) S_1을 식으로 나타낸다.	4점
(나) S_2를 식으로 나타낸다.	5점
(다) $\dfrac{S_2}{S_1}$의 값을 구한다.	1점

13 접점의 좌표를 (t, e^t)이라고 하면 $y'=e^x$이므로 접선의 방정식은

$$y-e^t=e^t(x-t)$$
$$\therefore y=e^t x+(1-t)e^t \qquad\cdots\cdots \ \boxed{\ominus}$$

이 직선이 원점을 지나므로

$$(1-t)e^t=0$$
$$\therefore t=1\ (\because e^t>0)$$

$t=1$을 $\ominus$에 대입하면 접선의 방정식은

$$y=ex \qquad\cdots\cdots \text{(가)}$$

x축에 수직인 평면으로 입체도형을 자른 단면의 넓이를 $S(x)$라고 하면

$$S(x)=(e^x-ex)^2 \qquad\cdots\cdots \text{(나)}$$

따라서 구하는 부피는

$$\int_0^1 S(x)\,dx$$
$$=\int_0^1 (e^x-ex)^2\,dx$$
$$=\int_0^1 (e^{2x}-2exe^x+e^2x^2)\,dx$$
$$=\int_0^1 e^{2x}\,dx-2e\int_0^1 xe^x\,dx+e^2\int_0^1 x^2\,dx$$
$$=\left[\frac{1}{2}e^{2x}\right]_0^1-2e\left(\left[xe^x\right]_0^1-\int_0^1 e^x\,dx\right)+e^2\left[\frac{1}{3}x^3\right]_0^1$$
$$=\left(\frac{e^2}{2}-\frac{1}{2}\right)-2e\left(e-\left[e^x\right]_0^1\right)+\frac{e^2}{3}$$
$$=\frac{5}{6}e^2-2e-\frac{1}{2} \qquad\cdots\cdots \text{(다)}$$

채점 기준	배점
(가) 접선의 방정식을 구한다.	3점
(나) 단면의 넓이를 x에 대한 식으로 나타낸다.	2점
(다) 입체도형의 부피를 구한다.	5점

memo

memo